C. Faulhaber

1982 - 11 - 19 .

MANUEL ALVAR EZQUERRA

CONCORDANCIAS E INDICES LEXICOS DE LA "VIDA DE SAN ILDEFONSO"

UNIVERSIDAD DE MALAGA, 1980

© MANUEL ALVAR EZQUERRA
Edita: Secretariado de Publicaciones de la Universidad de Málaga.
Imprime: Imprenta de la Universidad de Málaga.
I.S.B.N.: 84-7496-030-4.
Depósito Legal: MA. 512-1980.

Para Aurora

INTRODUCCION

En junio de 1974 defendí como tesis doctoral mi estudio de la *Vida de San Ildefonso*[1] acompañado de un índice de concordancias, frecuencias y rimas hecho sobre la transcripción del manuscrito. No se me ocultaba que hubiera sido preferible establecerlo tomando como base la edición crítica (yo la llamé *fijación del texto*), por ser el estado final de la obra. Sin embargo, me vi impulsado a hacer el trabajo sobre la versión del manuscrito por dos razones: la primera fue el tener que elaborar las concordancias para poder determinar la edición definitiva, en muchos casos, sobre la base misma del manuscrito. La otra, más poderosa, fue la cantidad de cambios necesarios para poder ofrecer con la mayor precisión posible el texto reconstruido.

Todo aquel material quedó olvidado a sabiendas de que era preciso volver algún día a hacer los índices sobre la edición definitiva.

En el curso académico 1973-74 expliqué en la Universidad Complutense la asignatura de *Lingüística aplicada,* a la que pretendí dar una mayor amplitud de la que tradicionalmente se le otorga como teoría de la enseñanza de lenguas extranjeras. Fue entonces, he de confesarlo, cuando nació en mí el interés y afición por aplicar el instrumental electrónico al análisis de los textos literarios, en especial al recuento del vocabulario.

De esta manera, en 1975, después de haber transcurrido un año informándome de las técnicas utilizadas en Francia, especialmente, Bélgica e Italia, me dispuse a organizar mi propio trabajo[2], para el que conté con la entusiasta ayuda de Ernesto García Camarero, quien puso a mi disposición cuanto pude necesitar del Centro de Cálculo de la

(1) Editado en Bogotá en 1975.
(2) Véase una explicación más amplia que la expuesta aquí en mi comunicación a la II Reunión de Teleinformática y Lingüística (Madrid, 16-17 de noviembre de 1977), «Trabajos realizados sobre léxico medieval en el CCUC», todavía sin publicar.

Universidad Complutense (CCUC), dirigido por él. Pero no sería justo si no nombrara a Carmen Jiménez, que, con una enorme paciencia, fue traduciendo a un lenguaje que sólo ella conocía (FORTRAN IV) cuantas ideas yo le explicaba para poder llegar al resultado final. La cátedra de Lengua Española cubrió los gastos del proyecto.

Comenzamos por tratar el poema de la *Vida de San Ildefonso*, texto que me era familiar. Por supuesto, el análisis iba a ser efectuado partiendo de la forma reconstruida. La preparación de las estrofas requirió cierto tiempo al no poseer la máquina del CCUC una serie de signos que necesitábamos. Así, las mayúsculas iban precedidas de una crucecita, la ç se convirtió en @, la ñ en *ny*, etc. Por otro lado, se limitaron los finales de verso y estrofa con barras, y se unieron mediante el signo de igual (=) cuantas palabras separadas constituían una sola unidad léxica. También fue preciso en determinados casos, y por exigencia de la técnica, separar ciertas formas enclíticas o proclíticas, etc.[3].

Una vez que estuvieron preparados texto y programas, tras algunos meses de tarea, obtuvimos unos índices de frecuencias, tanto alfabéticos como numéricos, establecidos sobre las ocurrencias de las distintas formas en la *Vida*. Los números arrojan un total de 7526 palabras-texto, y 1986 formas diferentes, lo cual significa un promedio de 3.79 apariciones de cada forma. Esos índices están contenidos en este volumen. He de reconocer que para los índices y las concordancias no logramos perfeccionar el orden alfabético y adecuarlo al de nuestras obras lexicográficas, debido —fue nuestro caballo de batalla— a las exigencias de las máquinas y al elevado costo de cualquier modificación que se pretendiera hacer sobre lo que nos ofrecían de antemano.

---

(3) Todas estas experiencias, y unas perspectivas más amplias, me llevaron a escribir «Hacia el análisis automatizado del léxico de Berceo», en *Berceo* (Logroño), 94-95, 1978, págs. 57-64, donde expongo con mayor detalle las cuestiones técnicas abordadas hasta quí. Aquel proyecto no pudo pasar de proyecto pues rápidamente R. Pellen me comunicó que estaba trabajando sobre los *Milagros*, y en 1979 B. Dutton tiene finalizado el análisis íntegro del léxico de nuestro poeta riojano.

Igualmente obtuvimos unas concordancias, no incluidas aquí, que sólo nos sirvieron de guía para continuar el trabajo, pues su interés lexicográfico y lingüístico no era muy grande —aunque indiscutible— ya que los homógrafos se presentaban mezclados, y los paradigmas de las distintas voces esparcidos a lo largo de todo el listado[4]. Es este tipo de concordancias el que se ha publicado muchas veces, siendo, con frecuencia, menospreciado al ser «únicamente el trabajo de las máquinas». Quienes hacen tales aseveraciones yerran, ignorando cuanto trabajo humano se necesita para llegar hasta ese punto[5]. Que es preferible ir más adelante no se puede ser discutido. Con el fin de dar ese paso, realizamos unas concordancias especiales[6], siguiendo el modelo de la Accademia della Crusca, concordancias que no fueron sino un instrumento más dentro del proceso. Cada forma estaba codificada bajo un número, y se le asignó su lema así como un número que representaba su lugar dentro del paradigma. Todos esos datos fueron luego perforados en una doble serie de tarjetas, una con los lemas, y la otra con las cifras de referencia. Después sólo quedaba el reordenar todas las informaciones para conseguir las concordancias definitivas.

---

(4) Cfr. mi *Proyecto de lexicografía española,* Barcelona, 1976, pág. 217: «Los índices así establecidos nos proporcionan una información en bruto sobre lo que hemos llamado palabras-texto; para afinar más nuestras consideraciones tendremos que reagrupar bajo una forma convencional [....] cada una de las formas que puede presentar el paradigma de una voz. Este proceso lo conocemos como *lematización*».

(5) «Si j'insiste sur cet aspect à la fois passionant et fastidieux de la recherche textuelle informalisée, c'est pour corriger l'idée, hélas trop répandue, qu'il suffit de fournir à l'ordinateur des données mémorisées pour obtenir monts et merveilles. L'ordinateur est un automate qui se borne à traiter l'information qu'on lui soumet en fonction d'une autre information qu'on doit également élaborer: les programmes. Il n'a aucun pouvoir pour transformer des données textuelles incorrectes en données correctes, pas plus qu'il ne saurait inventer des programmes pour sortir de ces données le moindre listage. C'est dire que la responsabilité de la recherche et des résultats incombe au chercheur, non à la machine —une fois de moins que les problèmes de programmation on été résolus.» R. Pellen, *«Poema de Mío Cid»*, Dictionnaire lemmatisé des formes et des *références,* París, 1979, pág. 3.

(6) Puede verse en mi libro citado antes, pág. 222, una descripción de estas concordancias, e incluso la reproducción de una parte de ellas. Hasta ahí había llegado nuestro trabajo a la hora de imprimir aquel libro.

El trabajo lo dimos como finalizado en este momento para empezar a tratar otros textos, de los que pronto verán la luz los índices léxicos, con los cuales pretendía iniciar un banco de datos del español medieval[7].

Al llegar en el curso 1977-78 a la Universidad de Málaga quise corregir algunos de los errores, inevitables a pesar de la doble perforación[8], y un detalle que dificultaba la lectura de las concordancias: la forma señalada dentro del texto era sustituida por una secuencia de asteriscos[9] (tantos como letras tuviera), con lo cual quedaba fuera del contexto precisamente la palabra o palabras en cuestión, y, en ocasiones, algunas más, al estar colocadas, por ejemplo, entre las partes de una lexía compuesta. Ello fue modificado en el tratamiento posterior de otras obras, y me dispuse a corregirlo sobre la *Vida de San Ildefonso*, pero la máquina de que disponía la Universidad de Málaga (IBM 5100) no tenía capacidad para ello y hubo que esperar casi un año para que llegara un UNIVAC UTS 700 y poder trabajar, en teleproceso, con el gran ordenador del Ministerio de Educación y Ciencia. Me preparé para comenzar las correcciones, pero entonces el CCUC había perdido los materiales archivados de forma magnética, y sólo conservaba una cinta con el texto original y parte del trabajo intermedio. El año de espera únicamente fue útil para poner a punto un programa con el fin de elaborar automáticamente los índices de rimas[10], y que no servía por carecer de un corpus para aplicarlo[11].

(7)   El intento se vió frustrado por la pérdida de la documentación recopilada. Afortunadamente el proyecto se está llevando a cabo, ahora, en la Universidad de Wisconsin en Madison (cfr. mi artículo «Le *Dictionary of the Old Spanish Language*» que verá la luz en los *Cahiers de lexicologie*).

(8)   Véase a este propósito A. Zampolli, «L'automatisation de la recherche lexicologique: état actuel et tendances nouvelles», en *Meta*, 18, 1-2, 1973, págs. 103-138, cuya exposición recogí en mi *Proyecto*, págs. 214-215.

(9)   Como hizo F. M. Waltman en *Concordance to Poema de Mío Cid*, University Park y Londres, 1972.

(10)   Su punto de partida fue mi «Obtención automática de índices de rimas y de sufijos», *RDTP*, XXXII, 1976, *Homenaje a D. Vicente García de Diego*, págs. 35-41.

(11)   Por ello, el índice de rimas que presento aquí está elaborado manualmente.

10

Hice las correcciones de la mejor mejor manera que pude y me decidí a publicarlo todo (lo establecido manualmente a partir del texto manuscrito, y lo elaborado con la asistencia de los ordenadores sobre la edición reconstruida), antes de sufrir alguna calamidad mayor (las fichas perforadas estuvieron en el CSIC hasta unos días antes del incendio de finales de 1978). Hubiera preferido que los listados de ordenador aparecieran reproducidos directamente, pero los caracteres están desvaídos, e, incluso, faltos de algunos de sus rasgos, amén de ser necesario componer parte del libro: el conjunto hubiera sido muy heterogéneo.

En las concordancias que presento no se indican las categorías gramaticales, ni hay definiciones, salvo cuando es necesario para distinguir homógrafos. Entre paréntesis[12], y después del lema, aparece el número total de ocurrencias del lema, independientemente de las formas que pueda adoptar, para las que también se señalan las frecuencias antes de ofrecer las localizaciones en el texto (estrofa y verso). En el verbo *haber* la abreviación *aux* quiere decir que en esa aparición la forma es parte de un tiempo compuesto de otro verbo.

La forma del lema es la moderna en general. En unas pocas ocasiones se mantiene la predominante, o única, del texto, como sucede con *fazer* o *prelado*[13]. En estos casos, cuando es necesario, hay un sistema de referencias internas para enviar de una forma a otra.

El paradigma nominal y adjetivo tiene antes el masculino que el femenino, y el singular que el plural, mientras que el verbal está ordenado por modos (primero el infinitivo para que se compruebe con facilidad si la forma del lema está o no atestiguada, y después indicativo, subjuntivo, imperativo, gerundio, participio y condicional[14]), tiempos (presente, imperfecto, indefinido, futuro, y los compuestos), y personas.

Quien maneje las concordancias verá rápidamente que están des-

(12) Sólo en las concordancias basadas en la reconstrucción del texto.
(13) Mantengo *maestr'* por no atreverme a reconstruir *maestre* o *maestro*.
(14) El condicional aparece en el último lugar por ser un modo muy discutido como tal categoría.

11

provistas de los contextos. He prescindido de ellos, como han hecho otros antes que yo[15], por quitar volumen a la obra, y no encarecerla. Para facilitar el uso incluyo el texto tanto en su versión paleográfica como en la reconstruida. De esta manera puedo ofrecer todas las ocurrencias de todas las formas, sin necesidad de eliminar ninguna de ellas[16].

Con estas páginas hago una pequeña aportación no sólo para la historia de nuestro léxico, sino también para la reconstrucción y fijación de otros textos medievales (a pesar de que la *Vida de San Ildefonso* no es un modelo literario) y el estudio comparativo del vocabulario de diversos autores, escuelas o épocas[17].

Son algo más que unas concordancias acompañadas de un índice de frecuencias y rimas, pero tampoco un vocabulario o un diccionario (por otro lado, las definiciones no son necesarias, al tratarse de un léxico muy simple). Permítaseme, para terminar, una larga cita que puede aclarar muchas dudas y equívocos innecesarios: «El vocabulario de un autor, aunque se logre total y excelente, tiene unos alcances muy distintos de los que atañen a unas concordancias. En aquél se aclara y explica, pero no es necesario —nunca se hace— aducir todas las concurrencias de un término con todos los contextos. De una parte tiene elaboración y de otra selección. El sentido de unas concordancias es muy otro: al presentar un material no elaborado, permite su utilización en mil trabajos futuros, hoy por hoy imposibles de prever, y son —no se olvide— una cantera inagotable para el comparatismo de cualquier tipo. Por otra parte, al no facilitar unos datos escogidos, sino tal y como aparecen en los textos, disponemos de un corpus léxico apto para su utilización y manejo inmediatos. Las ventajas de este proceder no creo

(15)   Baste con examinar las concordancias de la obra de la Cámara Regia de Alfonso X elaboradas por L. Kasten, J. Nitti y J. Anderson, publicadas en microfichas en Madison (Wisconsin, EEUU) en 1978, o el libro ya citado de R. Pellen, por sólo citar dos casos muy recientes.

(16)   Como se vieron obligados a hacer E. Sarmiento en las concordancias de Garcilaso (Madrid, 1970), o R. de Gorog y L. S. de Gorog en las del Arcipreste de Talavera (Madrid, 1978), si bien nadie puede negar la utilidad de dichos trabajos.

(17)   Véase mi artículo «Algunos rasgos léxicos de Berceo, y su cotejo con otros poemas hagiográficos», en prensa en el *Anuario de Letras* de Méjico.

que merezcan ser comentadas, como tampoco me parece necesario establecer comparaciones co el método tradicional: uno y otro tienen sus alcances, y uno y otro se complementan. Pienso que el ideal sería disponer de unas concordancias de cada texto a la vez que de un glosario que aclarara las dificultades. Pero esto es, también, un problema al que aquí no debo responder»[18].

La versión definitiva de este libro se ha hecho gracias a una Ayuda recibida para llevar a cabo el *Diccionario automatizado del español medieval.* El proyecto, amparado en los intercambios culturales Hispano-Norteamericanos, me permitió trabajar largas temporadas en la Universidad de Wisconsin (1978 y 1979). De los estudios llevados a cabo, es éste el primero en ver la luz. Conste la gratitud debida.

(18)   *Libro de Apolonio,* edición de M. Alvar, III, Madrid, 1976, pág. 10.

TEXTOS

Los textos que imprimo para facilitar el manejo de la obra son los que transcribí y fijé en mi libro "Beneficiado de Ubeda, *Vida de San Ildefonso*. Estudio, Ediciones y Notas". Publicaciones del Instituto Caro y Cuervo, XXXVI. Bogotá, 1975, páginas 173-253 (Transcripción del manuscrito) y 257-344 (Fijación del texto).

TRANSCRIPCION DEL MANUSCRITO

1 Si me ayudare Cristo e la Virgen sagrada,
  Querria componer una facion rimada
  De un confesor que fizo vida honrada
  Que nació en Toledo en esa cibdat nombrada

2 En aquesta cibdat complida de noblesas
  Era un cavallero que había grandes riquesas
  E había muger fermosa de grand gracia
  Debelo creer el que el romance resare

3 Dixieronle don Estevan á este que vos digo
  Era de santo Eugenio pariente e amigo
  Maguer era losano non preciaba un figo
  Ome de malas mañas non le traia consigo

4 E a su bezena muger desian Dona Lucia
  Partia bien con los pobres los bienes que habia
  De seya do estaba la noche e el dia
  Non se olvidaba de resar el Ave Maria

5 E en muchas maneras fasia a Dios servicio
  Yba bien a las horas e bien al sacrificio
  De si fuera del muro habia un grand espicio
  De se echaban muchos de los que no querian haver vicio

6 Fasia la buena dueña siempre esta oracion
  A Dios e a su madre santa Maria con pura devocion
  Que les quisiese dar algun fijo varon
  Que fuese al su servicio e de otra guisa non

7 Perseveraria ella en aquesto pedir
  E una noche vió en vision asi venir
  A la Virgen que fué digna a Jesucristo á concebir
  E como la semejaba saliola á rescebir

8 E señora, dijo ella, que fere lo que yo feo
   Que vos vesnistes á ver aquesta pecatris

8bis E dijo la Virgen, fija, esta fué la rason
   Perseveraste ca el mi fijo dise: quien algo me pidiere
   Yo dargelo he: yo por eso vengo a complir tu petición con
                                              [buen corazon
   Que veo que me llamas con buena devocion

9 E yo so madre del fijo que nos vino a salvar
   A me aman los angeles servir e alabar
   Yo puerta de los cielos e estrella de la mar
   El que por mi se guia non puede peligrar

10 En mi se quiso poner la santa Trenidat
   E me tu alabas de toda voluntat
   Quiero que entiendas dende alguna caridat

11 Entre las peticiones que te quiero complir
   Quiero hayas fijo qual te sabré desir
   Que haya grant sabor siempre de me servir

12 Deste habrá hombre que te disen Lucia
   E asi aduyas al mundo grant alegria
   Finca con la mi gracia e fas bien todia
   Cayo sere contigo de noche e de dia

13 Pues que en esta manera la hobo visitada
   Fuese é finco ella alegre e pagada
   Toda dueña que fuere en algo tribulada
   Asi la quiera asocorrer esta virgen coronada

14 E esta dueña Lusia parió un fijo muy apuesta criatura
   E llamaronlo Alfonso, nunca hobo de al cura
   Sinon de amar á la Virgen santa Maria conplida de
                                              [mesura

15 Cuando fué de dos años mostrolo doña Lusia
   Saludar á la Virgen con el Ave Maria
   Esta santa palabra tan dulce que habia
   Que siempre en la lengua la traia todavia

16 Como iba creciendo en tiempo y en sazon
Cresciale de la Virgen amor é devocion
Crescian con él virtudes de toda perfeccion
Cresciale de los pobres dolor é compasion

17 Cuamto podia al padre é a la madre tomar
A los pobres menguados lo iba todo a dar
Cuano a santa Maria los veia mentar
Ybales de grado las manos a besar

18 Cuando vieron que podria las letras conocer
Tomolo San Eugenio e fisolo no drescer
E diólo a un maestro que lo besasen leer
E decia que nunca viera un par en aprender

19 E marabillados eran de como aprendia
Que á grandes e a chicos a todos los vencia
Su señor e su padre e mas doña Lusia
Rendian gracias a Dios e a santa Maria

20 Amaba humildat e toda mansedumbre
Por tuerto que le ficiesen nunca habia en si quejumbre

21 Ybanse con el de niños una grand compaña
Si habia en si alguno alguna mala maña
Castigabale Alfonso con alguna buena fasaña
E tolliele las costumbres porque se el alma daña

22 Cuando sus compañeros querien ir a folgar
El iba a oracion o iba a estudiar
E asi se sabe en todo su vida ordenar
Que nunca otro solo verian estar

23 E en esto [blanco] el muy santo Eugenio é muy santos
[prelados
Tomaba profesion en este su criado
Dixo, si yo este niño hobiese bien encimado
Sera muy gradoso é bien aventurado

24 Empero que dos años es toda su edat
Al su sotil ingenio non ha paridat

Non igual de si vió perfecto en toda santidat
Si non le ayudo non seria bondat

25 Pero non so yo ome en todo mi entender
Que asi en todos vienes le pueda imponer
Nin le muestre cleresia cuanto el podria deprender
Sinon es Yant Ysidro que es en tal.........

26 Entonce en arzobispo e señor perlado
Sant Ysidro en Sevilla ome bien acabado
Primado en las Espanias e sobre todos honrrado
En todas las esciencias maestro profundado

27 Mandó Sant Eugenio sus cartas adresar
E mando á Don Alfonso su criado llamar
E dijole, fijo, amigo piensa de te guisar
Veme con estas cartas do te yo quiero enviar

28 Vestia e vestiduras dôte dellas assas
Vete para Sant Ysidro e presentale estas cartas
Fasta que vengas clerigo nunca del te partas
Si en esto me yerras nunca te prestaré tres fagas

29 Este es señor de toda cleresia
En el fallan que es toda filosofia
E maestro de fisica e de Theologia

30 Por que el tiempo es sano e el mismo sepalo ganar
Tu has buen comienzo, Dios te lo quiso dar
Vete para él luego, non lo quieras tardar
E quanto pudieres piensa de lo remembrar

31 E el criado omillosele e empezo de desir
Señor dadle vida pa[ra] esto complir
E ponga en mí gracia que vos pueda servir
Que jamas demandado non le he de salir

32 Fué para Sant Ysidro este buen Don Alfonso
Presentole las cartas e leyolas el confesor
De lo que en ellas iba mayor clerigo que mas non podia

33 Veyendo el padre la su simplicidat
Pues que vió las cartas de muy grant amonestat
Fijo, dixo, de mi bien seguro estat
Que compliré su ruego de toda voluntat

34 Ruegame vuestro tio que vos muestre esciencia
Señor, dijo, cumpliré toda vuestra obediencia

35 Mio señor e mio tio me envió castigado
Que en todas las maneras cumple vuestro mandado
E yo por lo cumplir vengo apresurado
E tengome por ello por muy bien aventurado

36 Mi tio el santo padre todo su corazon
Es en dar esciencias e todo licion
El metió en aprender todo su entincion
Pero de todas sus horas no perdia oracion

37 Perseveradamente tres vegadas en el dia
Al Rey Omnipotente e a la Virgen santa Maria
Que por su consentimiento lo quisiere guardar sendente

38 E fué el niño cresciendo e vino á la virtud
E diole Dios gracia en el animo e en el cuerpo salud
Guardandole de pecado e de su mal e engaño

39 De todas esciencias aprendio toda via
Pero estas amaba e seguia todavia
Fisicas e naturas e la santa theologia

40 Habia Sant Ysidro muchos buenos criados
De ellos havia buenos maestros bien letrados
Documentos quano desputaran o argumentos cerrados
Todos de Don Alfonso lo van certificados

41 Todas las escrituras á sí las aprendia
En lo que Sant Ysidro ante acuciaba
De darle licion á todos a él lo aguisaba
Que nunca habia pesar de quier que el estaba

42 Cuano lo vio que no tenia asas de esciencia
Pedia al sant padre con muy grant reverencia

E dijo, señor prometed e otorgar me licencia
Que torne á Toledo dó fué la mi nascencia

43 Doce años me criastes, señor, a muy grand vicio
Nunca mejor creado mis a mí sant Ambrosio
Yo siempre seré vuestro por veneficio
Trayame Dios á tiempo que vos faga servicio

44 Vos seades mi maestro e mi señor e mi perlado
E yo vuestro discipulo siervo e criado
Por cuanto vos en mi avedes trabajado
Dios vos lo peche por mi e vos faga pagado

45 Dose años trabajastes de noche e de dia
Por mostrarme esciencia e clerisia
Por la vuestra doctrina nu [blanco] é mas todavia
Oy mas si me mandares querria irme mi via

46 Fijo, dijo sant Ysidro, todo el trabajo mio
Que por vos mostrar fiselo por vuestro tio
E fise por Dios en quien creo fijo
Me verna gracia e honrra por cuanto en vos

47 Puso Dios gracia e muy gran bendicion
Por que todo havemos á la muestra consolacion
E todo finquedes con plasencia de corazon
Que sabed que me pesa de esta despedicion

48 Si todos [blanco] perdon jamas por toda via
Si conusco fincaredes non veremos mejor dia
Si vos queredes ir con gracia de Dios e con la mia
E de vos Dios la su gracia e la virgen Maria

49 El bendito discipulo fue á esto a responder
Señor la vuestra gracia mucho me es á mi menester
E la vuestra bendicion ca tal es el mi creer
Que sin ella non podria un par valer

50 Despidiose el discipulo con muy grand humildat
Salio el santo padre con él de la cibdat
A le escorrir con grand solemnidat
E al partir llorando todos de boluntat

51 Partióse de sant Ysidro e de los de Sevilla
   A el besó las manos e a los otros se humilla
   Veniase a Toledo á esta noble villa
   E recibieronle todos a marabilla

52 Sant Eugenio lo fué primero abrazar
   El bendicho criado fuele luego las manos besar
   Allí comenzaron amos muy fuertes a llorar
   Con grand alegria non pudo fablar

53 En post del arzobispo fué su padre llegando
   Omillose el fijo á las manos le besando
   Torno a la ciudad reyendo e jugando
   Los mancebos iban delante bofordando

54 Fijo, dixo Sant Eugenio que posedes
   Fuera del mi palacio que vos bien conoscedes
   Dixo, señor pues por bien tenedes
   En esto e en todo faré lo que quisieredes

55 Queriendo el criado al padre obedescer
   Fué con el al palacio descender
   Todos cuantos y eran pugnaban de faser
   Cuanto don Alfonso havia en plaser

56 Mando el arzobispo todos conbidar
   Por tal á don Alfonso su sobrino honrra[r]
   Los unos con gran gozo venianlo tomar

57 Pues que todos hovieron comido bien asas
   Fablando unos con otros e haviendo gran solas
   El bendicho del perlado tornose á el de fas
   Sobrino, dixo, oydme; respondió e dijo que vos plase

58 Fijo trabajastes en complir mi mandado
   Señor, dixo, trabajé que sea Dios loado
   Con todas las esciencias me veo muy pagado
   E so en teologia maestro e licenciado

59 Cuan no lo oyo Sant Eugenio, hovo grand alegria
   Con Estevan su padre a Dios lo grasdecia
   Pues asi mando que podia faser Doña Lusia

60 Luego el primero dia non quiso olvidar
    De ir á su madre las manos le besar
    Pero convienele luego de al palacio tornar
    E despues ibala bien á menudo a vesitar

61 Fijo, dixo la madre, loar e bendesir
    Debo á la Virgen Maria que me quiso complir
    Lo que por su mensage vino á desir
    Que daria lus al mundo quano hoviese de parir

62 Por haber fija yo deseosa era
    Vesitome e dixome en aquesta manera
    Nasiera al mundo buena e clara lumbrera.
    Veo que la promesa salio vien verdadera

63 Sea bendicha la Virgen santa Maria gloriosa
    Ca vos veo que sodes la lumbre de la lus e la rosa
    En que vevistes siempre vida dulce e sabrosa
    Será toda Espasia bien andande é gososa

64 Fablando todavia en aquesta razon
    Recivió el gran goso y muy grand devocion
    Bendiciendole ella de todo corazon

65 Mandole buena camara el arzobispo dar
    Con buen portal e estudio como para orar
    Cuantos de las esciencias algo querian tomar
    Venian á don Alfonso servir e guardar

66 Los unos le facian servicio e amor
    E los otros le llamaban maestro e Señor
    Mas á el non le plasia nin habia sabor
    Cuanto mas le honraban tanto mas se fasia menor

67 Sabialo sant Eugenio de corazon amar
    E fisolo arcediano para se mas del honrar
    E fis de luego ordenes de Evangelio tomar
    E diole la cruz para poder visitar

68 Vido nuestro Alfonso la voluntat del perlado
    E como le queria sobir á grand estado

Desia si yo por aventura so rico e honrrado
Puedeme con soberbia engañar el pecado

69 Otro si muy grand vicio de comer e beber
Puedeme castidat ayuno corronper
Puelo perder mi fama e a Dios ofender
Los buenos que me honrran pueden maborrecer

70 Veo que el mundo es lleno de todo mal
El que es mas fuerte ese es mortal
Pues non he menester yo por este portal
Perder lo que dura siempre que es espiritual

71 El que es mas rico ese ha mayor codicia
Tan simple non es ome que esto non entienda
Que quiebra las cuerdas luego cae en la rienda
Bien asi lo fallamos escrito en la leyenda

72 La tienda es la vida de nuestro tiempo cierto
Pues que fallese ome, yase y bien cierto
Mas vil es que el leon que yase en el desierto

73 Para yo facer de ellos enmienda
E vivir bien seguiré en todo mi fasienda
Tornarme he a la Virgen que me haya en encomienda
Yr me he para la iglesia que ome no lo entienda

74 Yuso fuera del muro havia una abadia
Do era Dios bien servido e santa Maria
Non moraban y monges mas calongia
Cuyo habito don Alfonso tomar queria

75 Este lugar que yo agora he nombrado
Llamas Cosme al altar mas honrado
Al abad de aque logar llamanle Diosdado

76 El bendito maestro por sí á Dios servir
Bien havia cuidado puro de lo complir
Vestió paños estraños que non solia vestir
Solo en su cabo pensó de se ir

77 Luego á la puerta conosciole un villano

Fallo a Don Estevan é dijole mano á mano
Este ome dijo el padre paresse que el su seso non es sano

78 Estevan non tomó gente cuanta pudo tomar
Viole don Alfonso, fuese á desviar
A un lugar pequeño, e dejolo pasar.

79 El padre muy irado fues para el cabildo
Por traer su fijo ca non lo echó en olvido

80 E fiso escodriñar todo cuanto y habia
Despues que non fallo su fijo salio con follia
Amenasando muy fuerte toda la calongia

81 Pues que maestro Alfonso vido su padre alongado
Fues para el monasterio e dentro se ha entrado
E demandó a muy grand priesa por.el abad Dios dado
E luego el abad cuano lo sopo, vino de grado

82 Cuano Don Alfonso vió venir al abat
Echose á los sus pies con muy grand humildat
Señor, por Dios e por la vuestra bondat
Fasetme porcionero en la vuestra santidat

83 La vida de este mundo todo es como un rato
Anda ome en pie ó muere bien en cuanto
Si yo non guardare mi alma faré mal recabdo
Non val toda mi [blanco] cuanto vale un zapato

84 Como quier que yo debo todo al cuidar
Si non salvar mi anima que debo trabajar
E para lo cumplir vengo vos lo arrogar
Por Dios que me queredes en ello ayudar

85 Arcidiano Señor dijo el Abat Dios dar
Vos ha grand humildat es este de ome tan grande
Yo debo á vos rogar es muy gran guisado
Pero lo que queredes sea vos otorgado

86 Ca muchos somos honrados con la vuestra presencia
Ca vuestro entendimiento e vuestra sapiencia
Gobernaria cien regnos, tal es la vuestra creencia

87 Tanxo el abat, el signo, e allegóse á la cleresia
   Fijos, dixo, Don Alfonso quiere nuestra compañia
   Si les recebir quisierdes, yo mucho lo querria
   E padre dijeron todos mas veemos muy buen dia

88 Señor datle su habito que non querades tardar
   Mas gradecet le mucho porque lo quiere tomar
   Ca en todas maneras nos puede mucho honrar
   E, si mucho tardaremos podriamos errar

89 El santo arcidiano dixo de fascienda granada ·
   Porque toda la orden puede ser mucho honrada
   Si nos fuere contrario non ganariamos en ello nada

90 Llamaronle enton[c]es e dixo el abat
   Como lo recivieron todos de buena voluntat
   E se tenian todos por honrados en la su humildat
   E el dixo gradescolo á Dios tamaña caridat

91 Entonce muy gososo el abat le levanta
   E todos los mayores de la compaña santa
   Vestieronle el habito
   Todo el comvento esperando fruto de esta bendicha
                                              [planta

92 Levaronle cantando fasta el mayor altar
   Pusolo el abat bendito e dexanonse de cantar
   Fisolos el mover á todos asentar   .
   E comensoles la orden á predicar

93 Y luego el primer dia con la predicacion
   Todos fueron complidos de muy gran devocion
   Todos desian: Dios ponga en ti la su bendicion
   Que hoy posiste en todos edificacion

94 Sopolo don Estevan luego el primero dia
   Como maestro Alfonso el habito vestia
   Fuese para el arzobispo el lleno de folia
   Quexandose del abat e de la calongia

95 E dixo, Señor, gran cuita vos vengo a desir

Como el abat Diosdado vos sopo de servir
Sopo el arcidiano malamente escarmir
E a mi e a su madre matar e destruir

96 Rescibirlo señor sin el vuestro mandado
A vos ha confondido e a nos mal deshonrado
Mas señor si de vos me fuere a mí mandado
En aqueste dia sera todo vengado

97 Señor en toda iglesia non quedara logar
Que yo non ture a todo su pesar
Dixo el arzobispo mas valdríe folgar

98 Si lo fiso el abat vos non lo sabedes
Se que lo desides con pesar que habedes
Mas por cuanto deudo vos conmigo h[a]bedes
Tanto habedes mas deznardar que a mi non erredes

99 Yo a maestre Alfonso habiendole le grand amor
Tobe por bien de le dar riqueza e honor
Si Dios por otra guisa le quiere por servidor
Dejédeste por suyo, é fagamos a su sabor

100 Si lo bien queredes vos e Doña Lusia
Otro si yo con migo <con migo> siempre lo querria
Mas si en ello tomare plaser Dios e Santa Maria
Ellos saben de todo cual es la mejor vía

101 El que de lo de Dios non quiere haber cuidado
Nin quiere que se sirva del fruto que le ha dado
Toste debrá del Dios ser despegado
Et guardat vos non cayedes en este pecado

102 Don Estevan que ante muy señudo venia
Fue perdiendo la saña e la malenconia
Mas quano le oyo primero Doña Lusia
Fué para la iglesia con muy grant alegria

103 Yba doña Lusia dueña honrrada
Con muchas buenas dueñas bien acompañada
Rogaba con sospiros á la Virgen sagrada

Que le compliese la vision que le habia mostrada

104 E llegó la buena dueña al monasterio santo
Salióle el abat á la puerta con grand espanto
Ca tobo que venia con mal e con quebranto
Mas pues que el falló espacio un rato

105 Señora que quisieste, dixo el abat Dios dado
Respondió ella: llegó buen mandado
Que el aquí con vusco el mi fijo mucho amado
Por Dios que me lo mostredes e recibiros lo he engrado

106 Cuando vio el Abat la su buena intencion
Fuese para el noble con clara intincion
Mandole salir á ello e diole en de licencia

107 E humillose el fijo e fuele las manos besar
La madre muy gososa fuele luego abrazar
Non podia él de ella, nin ella del quitar
Comenzaron las dueñas de duelo á llorar

108 Mio fijo, é mi señor, dijo doña Losia
Bendicto amanescio para mi este dia
Cuidemos desde aqui vivir en alegria
Por cuanto ordenó en vos Santa Maria

109 Non gelo sabre yo, fijo, gra<s>descer ni servir
Por aquel bien que vos quiso adosir
Pues ella vos mostró de mundo aborrir
Pues que comenzastes non querades fallir

110 Fijo bien la servirel con pura devocion
Guardarvos ha Dios por ella, darvos ha gualardon
Ca Dios en este mundo da gracia e devocion
E heredala despues en la su resurreccion

111 Pues el vos honrró e vos dió sapiencia
Pues orden tomastes guardat obediencia
E quiquiera que vos venga sofri<r>tlo en paciencia

112 Si vos á todos fueredes manso y humilloso

E guardares limpieza como buen religioso
Tomaroos ha la virgen aquí por su esposo
E despues dará sobre esto á la vuestra alma buen poso

113 Fijo, yo moger so sin grand sabidoria
E non la se mostrar así como querria
Pues si lo conoscedes, segun es esta via
Si al ha de ser, yo nunca lo veia

114 Seyen de los dichos que le desia mucho marabillados
E seyan todas las dueñas con devosion llorando
Seyendo los canonigos a el abat llorando
Porque todos á él lo han deseando

115 E espidiose el fijo de la madre muy graciosa
E la madre del fijo con voluntat sabrosa
Alaban las dueñas a la Virgen preciosa
Por que lo tenian por mucho estraña cosa

116 Por verdat los del mundo asi suelen usar
Cuando veyen sus padres e sus parientes en la orden
[entrar
Desgradecer á Dios que lo queria ordenar
E reciben quebranto por que se deben gosar

117 Si home á tres fijos, esto desirlo oso
Siquier sea menguado, si quier sea poderoso
Si los dos fueren malos, nones ende tan quexoso
Como si el tercero fuese religioso

118 De esto fasen señores el corazon carnal
Ca el mundo que es enemigo mortal
Ordenalo Dios lo espiritual
Mas saliet que non fue doña Lusia a tal

119 Fuese la buena dueña alegre e pagada
Desia el abat Diosdado barba honrrada
Mucho bien nos fiso la Virgen coronada

120 Sobre todos fincó, maestre Alfonso ledo
Non se ternia por tan rico que le diesen á Toledo
E el padre non podia con pesar estar quedo

Doña Lusia tornada al mando

121　Con sus buenas palabras tollole el pesar
　　　E fue con gra[n]d honrra el fijo vesitar
　　　Sant Eugenio otro si non le quiso olvidar
　　　E siempre jamas honrraron por aquel logar

122　Trabajó don Estevan desde aquella vegada
　　　Traer su fasienda mucho bien ordenada
　　　E fiso desde allí vida mucho cabada
　　　Que se fasia toda la gente maravillada

123　E don maestre Alfonso fincó asosegado
　　　En servicio de Dios poniendo su cuidado
　　　De la Virgen preciosa siervo tan acabado
　　　Que todos le llamaban el bienaventurado

124　Viviendo el complido de toda santidat
　　　Quiso Dios que finó el abat Diosdado
　　　De grandes e pequeños fué mocho honrado
　　　Fisieron obsequias de grand solemnidat

125　Que le fue complido de toda castidat
　　　Fisieron su acuerdo a quien farian perlado
　　　Señores dijo uno si bueno fue Diosdado
　　　Muy buen pastor habedes Dios pagado

126　Muchos hai aqui todos de prestar
　　　Onde si se puede Dios servir é honrrar
　　　Mas si vos quisieredes con migo acordar
　　　En escoger perlado non podemos errar

127　Tengo que será Dios servido e honrrado
　　　E el maestro será mejor guardado
　　　Si á maestre Alfonso fisieredes perlado
　　　Aquí dijeron todos seavos otorgado

128　Dijo maestre Alfonso: señores non erredes
　　　Que aun so mancebo segund que vos bien vedes
　　　So nuevo en la orden, vos bien lo sabedes
　　　Non so para perlado cual vos merescedes

129 Maestro dijeron todos, muchas gracias vos damos
    Cuanto mas vos humillades, tanto mas vos preciamos
    Escusa non pongades que vos al fagamos
    Cantat dijeron al prior Te Deum laudamus

130 Cantaban e a él pesandole mucho fisieronle abat
    E pues que confirmado en esta dignidat
    Mostraba á los buenos toda humildat
    A los otros castigaba mostrando crueldat

131 Pero asi les era a todos mesurado
    Que non parte ninguno de el despegado
    Si alguno de afuera venia costado
    De dicho e de fecho iba del conortado

132 Mandó don Alfonso aquesta perlacion bien un año
    En pos del finó luego doña Lusia
    Pero consolola ante la Virgen Maria

133 Ya siendo muy cortada en su enfermedat
    Vesitole la madre Virgen de piedat
    .Señora, dijo, madre del Rey de la verdat
    Bendicta sea siempre la vuestra benignidat

134 E la vuestra piedat tan grande e tan conplida
    Que siempre yo he de vos rescebida
    Piedat pues me la encimastes en aquesta vida
    Non me querades dejar en tan penada vida

135 Madre non vos servia tan bien como yo pudiera
    Mas pues que vos nos distes al rey de la virtud
    Que el puso en vos toda nuest[r]a salud
    Libertadme del pecado e de su mal engaño

136 Señora donde estaba mi marido honrado
    Que en toda su vida me fue mesurado
    Madre de tu alma habetle cuidado
    Al vuestro fijo santo fasetgelo pagado

137 Doletvos de mi fijo por la vuestra grand mesura
    Que vos prometiestes .que seria criatura
    Madre de lo complir tenet en de cura

Guardado la su alma de toda rencura

138 Pura fija, dijo la Virgen, cuanto tu has pedido
Para ti e para tu fijo e para tu marido
Sabete que será del mi fijo complido
Que todos habedes a mi e a el servido

139 Todos lo fisistes con corazon leal
Porque en el otro mundo non sentiredes mal
Mas habredes por siempre goso espiritual
Al cual te irás de esta vida mortal

140 En tanto ende fuese la Virgen coronada
Fincó la graciosa tanto consolada
Quano fue otro dia la misa acabada
Fue el alma á los cielos á tomar la posada

141 Levandola de angeles una grande compaña en procesion
Do estaba don Alfonso fasiendo oracion
La Virgen gloriosa mostro en vision
E hobo en de gran goso e gran consolacion

142 Regina dijo el complido de bondad
Bendicha sea siempre la tu verginidad

143 El que trabaja de te servir de grado
Ese es bien apreso e bien aventurado
E despues en los cielos de gloria abondado

144 Tu rosa de bondad e de buenos olores
Das que va<l>lan á los tus servidores
Reina de los cielos e de los albores
En ti fallan folgura, ca los alumbradores
Por en de te loan todos, justos é pecadores

145 Enterro don Alfonso el cuerpo de su madre
Con mucho buen canonigo e mucho cofradre
Dijo: ninguno de nos por ella llorat
Mas gracias e loores al padre espiritual dat

146 Despues que hobo á la madre fecho su complimiento
E fiso un monasterio del su ordenamiento
E fiso poner de dueñas grand convento

A honor de la Virgen e del su alabamiento

147 E todas las Españas fasta el quinto reynado
Non fallaban un clerigo sabidor ni perlado
Tan santo ni tan digno, ni tan buen letrado
Ni en todas las virtudes ome tan acabado

148 Ordenó Dios asi que se ovo de finar
El Santo padre Obispo que oyestes ya contar
El que era á todos padre muy de prestar
Todo hobieron dél duelo e muy grande pesar

149 Fue con la clerisia el pueblo acordado
Que escogiesen a el todos por perlado
De bueno de San Eugenio pues que era finado

150 Tomasen con el puevlo e con toda la cleresia
Fueronse mano todos al abadia
E todos con gran goso e con grand alegria
Van con Don Alfonso para Santa Maria

151 Estando todo el pueblo en uno ayuntado
Fué luego en la silla cathedral asentado
E como era de todos bien querido e amado
El goso que fué fecho non seria contado

152 Ademas se gosaban los de la calongia
Disian los cavalleros, oy nos vino buen dia
Que nos dió Dios por padre flor de filosofia
Mucha san[t]idat e lus de cleresia

153 Comenzaronle a honrar, subiendo de grado en grado
Cresciale mucho en ser cuerdo e mesurado
Manso e humildoso benigno e gradado
Cresciale todabia de los pobres cuidado

154 Los omes de aquel tiempo seguian toda bondat
E amaban á los clérigos con mucha caridat
Pero que en algunos crescia la falsedat

155 El Diablo, que es sotil é engañoso
A las veces quano falle al ome vaganoso

Fasele cuidar de cosas donde finca perdidoso
Por ende finca Dios irado e sañoso

156 Como bien nin gloria nunca pueden tomar
Asi quieren á todos confondir e dañar
Nasció en buen punto quien del se pudo desviar

157 Como nos es á todos enemigo mortal
Asi en todas guisas nos urde todo mal
Fasnos por esta via mesquina e carnal
Por gracia de Dios en la vida eternal

158 Pone en nos sobervia envidia e glotoneria
Luxuria e cobdicia donde todo mal se cria
Yra e vanagloria e toda losania
E sobre esto pone en mugeres solás e hipocresia

159 Pone otro si en otras solás de heregia
Como puso en Cyriaco que firmando heregia
Que la preciosa madre Santa Maria
Que non fincara entera pariendo ome fija

160 Tanta la iban asmando el falso desleal
Que fiso á muchos que no creyesen al
Empero malos pecados espinar la voluntat
Fué viniendo ya cuanto bueno á tal

161 Como era don Alfonso muy santa criatura
Cuano esto oyo dixo de toda bondat pura
Non que[r]ras que se pierda toda la tu natura

162 Si pues de tu natura somos cristiandat á tu fijo ligados
E si de ti en esto somos desamparados
Todos nos fallesceron buenos desterrados

163 Deste será grand desmamparamiento
Si nos desmampararemos del tu advenimiento
Tu nos da señora voluntat e talento
Segun la tu altesa é meresimiento

164 Bien sabemos que fuiste del angel saludada

35

Fasiendo en el vientre fuesle tu santificada
La trinidad fué en ti juntada
Porque despues pariendo non fuiste negada

165 Vino de Dios padre toda caridat
Fiso nascer el fijo de la tu santidat
El espiritu Santo te alavo de verdat
Onde fincó entera la tu virginidat

166 Señora los cristianos que somos de tu parte
Todos debemos siempre trabajar en la tu arte
Que á todos ocorres e ayudas siempre sin arte
Mas nos non somos dignos Señor de ematarte

167 Si las yerbas del campo e las arenas de la mar
Todos tobien lenguas e sopiensen fablar
Que todos trabajasen de te servir é loar
Nunca los tu[s] loores podrian acabar

168 Pero madre, é Señora entre los pecadores
Que querian fablar Señora en tus loores
Por destruir la secta de los falsos traidores ·
Que querian de tu bien ser destraidores

169 Non es de consentir en los tuyos tal cosa
Que sabemos que eres en toda cosa poderosa
Esto ganaste tu reyna gloriosa
Que eres de Jesucristo, madre e fija e esposa

170 Trabajó desde alli el Santo padre perlado
De su virginidat componer un dictado
Diólo á muchas partes despues que fué acabado
Por que fuese España cobrando su estado

171 Fues por toda España este libro leyendo
Fueron todos por el verdat conosciendo
Del mal que pensaran gravemente se doliendo
Havian priesa los clerigos penitencia oyendo

172 Plogo á Dios del cielo e cesó la heregia

Catornaronse todos á la Virgen Maria
Pidiendole mercet de noche e de dia
Que los perdonase por la su cortesia

173 La virgen preciosa llena de piadat

[blanco] buen acordo á la cristiandat
Perdonanlos á todos de clara voluntat
Ellos mantubieron amor e castidat

174 Des ende toda España fincó asosegada
Do es la Yglesia por siempre acabada
El Santo arzobispo de la cara honrrada
Rescibió grandes dones e muy gran soldada

175 Estando en su portal un dia en escuso
Leyendo el su libro muy sancto que compuso
La Virgen gloriosa fuesele parar desuso
Cuando la vío el Santo fuesele á par muy arguso

176 Lebantose privado ende seya en la su silla
Desomo de la cabeza tirosele la capilla
Alzo suso las manos e fincó la rodilla
Comenzo de fablar la Virgen sin mancilla

177 Vengovos fijo prometer, dixo ella, un gran dado
Por que tanto por mi habedes trabajado
Ca pues vos compusiestes este noble dictado
Lo que habia perdido por vos lo he cobrado

178 La gente de España que contra mí fue fullida
Grado á vos, fijo, toda es convertida
Mucho me havedes, fijo, honrada e servida
Mas yo vos honrrare en la muerte e en la vida

179 Fuese despues que hobo fablado
Finco el mucho ledo [blanco] é mucho pagado
Cresciendo todavia voluntat e cuidado
Por faser á la Virgen servicio acabado

180 Señora, dixo el, Reyna coronada

37

Que por poco servicio me distes grand soldada
Donde yo he recivido honrra acabada
Vos me das en que vos sirva e vos seades pagada

181 Señora gra[n]d mesura vos fiso a en descender
Yo non lo podria servir nin merescer
Tal servicio que siempre vos quepa en plaser

182 Por tal que la pudiese mas altamente honrrar
A los perlados de España emvíoles á rogar
Que quisiesen todos en uno juntar
Que les queria á todos sus cosas mostrar

183 Bien como si de Dios hobiesen mandado
Asi se removieron todos a complir el su talento
De arzobispo é obispos e juntó grand convento
De abades bendictos fueron y mas de ciento

184 Como todos los clerigos seguian entonce bondat
Vivian todos de un talante e de una voluntat
Llegaron a Toledo la muy noble cibdat
En de fueron recibidos todos con muy grand voluntat

185 Reciviolos don Alfonso asi como venian
A todos con grand honrra segund que merecian
Fisoles dar posadas quales les pertenecian
De sí mandoles dar cuanto menester habian

186 Despues que fué en la cibdat toda la cleresia
Por razon del trabajo e de la luenga via
Fisoles que folgasen fasta el tercero dia
Fasiendoles á todos toda plasenteria

187 Enviabalos a ver de mientra á rogar
Que en el cuarto dia se fuesen a juntar
En la fe que les el queria predicar e demostrar
Lo que con ellos queria ver e ordenar

188 El fue muy gososo e bienaventurado
Seavos dicho Señores de Dios galardonado
El trabajo tan grand que habedes tomado

189 Dijieron alta misa con grand devocion
Despues fisoles el muy noble sermon
Como por don Adan fuemos en perdicion
E como Jesucristo vino por nuestra salvacion

190 Fabló muy altamente de la Virgin[i]dat
De la reyna Señora complida de bondat
En como ordenó toda la cristiandat
Queon como Dios fijó de la humanidat

191 Fabloles como fué del angel saludada
Como despues del parto non fincó violada
Como al par del fijo esta glorificada
Fabló despues en cabo de esta predicacion

192 Afirmaba despues de la Encarnacion
Tanto dis seamos demas mas despender
Que en España que antes solian mejor creer
Que gente padrianos en el mundo de ber

193 Señores, dixo, fama mala desaguisada
Non queremos que finque en vuestra encontrada
Mas en España ha rescivido la Virgen coronada
Servicio especial e honrra señalada

194 Todos habedes parte de muy nobles perlados
Pues que aqui todos en uno pintados
Si lo en ordenar fueredes acordados
Sobre quantos viven fincaredes honrados

195 Si me lo otorgase la vuestra santidat
En que quisiesedes toda la humildat
Faremos una fiesta de gran solemnidat
De la preciosa madre flor de Virginidat

196 Si por lo bien sobiesedes yo por bien lo ternia
Aqui de la Navidat por que Santa Maria
Vos gane de su fijo que es madre complida
Que nos guíe á todos en esta vida

197 Ella que es señora madre honrrada

Si de vos todos fuese servida é honrrada
Reciviredes del fijo gualardon e soldada
Viesemos las fas bendicta e honrrada

198   Si la otorgase la vuestra benignidat
Señores del dictado leanse los Maytine de la solem[n]idat
Sirviesemos á la Virgen e a la su virginidat
Alli dijieron todos plásenos de voluntat

199   Esto que nos aquí habedes demostrado
Por lo complir asi es razon e guisado
Servimos á la Virgen todos de buen talento
Perseverando siempre en el su ababamiento

200   Quantos de compañia somos subditos e perlados
Cada uno por sí e todos juntados
Pien asi como fijos le seremos mandados
Que en todas maneras somos por vos honrrados

201   Asi vos quiso Dios de sus bienes complir
Que el muy grand razon de vos siempre servir
E si non lo fisiesemos podriamos y fallir

202   Señores, dijo, el buen gualardon hayades
De la Virgen Maria á quien vos humillades
Que yo no so tan digno por que me obedescades

203   Fueron despues de esto todos ayuntados a su yantar
Despues que hobiesen comido pensaron de andar
Algunos con el quisieron fincar
Quanto habien menester mandabangelo dar

204   Pues que todos se espidieron e se fueron su via
Fincó don Alfonso con su cleresia
El goso que fasian desir non lo podria

205   Viño luego un dia una fiesta honrada
De una Virgen preciosa que fue martirizada
En la noble cibdat que vos he contado
Santa Locadia fue esa Virgen honrrada

206 Como era don Alfonso de benignidat
Fue honrar la fiesta con toda solem[n]i<n>dat
Todos fueron con el santo padre la fiesta honrrar

207 Estando el altar todos con devocion
Fiso el arzobispo con contemplacion
El principe é los otros fasian en su corason
Cada uno como habia a grand devocion

208 Estando el arzobispo de inojos en la grada
Al pié de la sepoltura que está bien cerrada
Salió dona Leocadia la bien aventurada
E fuelo abrazar loada e bien pagada

209 Teniendolo abrazado dijo en aquella hora
La vida de Alfonso loa la mi Señora
Desian los que y seijan que dignamente ora
Puede rescebir lo que oyste agora

210 Aquello dixo el por la virgen sagrada
Que por los traidores malamente enfamada
E fue por don Alfonso la verdat apurada
E fue la fa[l]sedat de la tierra echada

211 Dexole dona Leocadia ibase su via
Tornose el principe que cerca la tenia
E tomola un cuchillo muy bueno que traia

212 Metiose en la sepoltura la Virgen gloriosa
E com ante estaba cerrose la losa
Fueron mocho espantados todos de esta cosa
Mas tenia don Alfonso la voluntad fablosa

213 Amigos, dixo el, lo que agora viestes
Por vos lo fiso, esto, por que aqui viniestes
E pues que todos tal cosa vier meresciestes
Sea bien guardado esto que aquí oyeses

214 Envolvió aquel velo en cendal presciado
E el cuchillo con el que lo habia rajado
Pues que tan santa cosa á tajar era entrado
De tajar cosas viles fuese siempre guardado

41

215 Esto todo pasado vino el deseno dia
Faser queria la fiesta que vos antes disia
Levantose D Alfonso á la hora que solia
Por desir los maytines de la Virgen Maria

216 Yban con el los clerigos e otras muchas gentes
E lebaba delante muchos cirios ardientes
Quano fueron á la puerta pararon dentro mientes

217 E vieron grand claridat et non lo podian sofrir
Todos como estaban comenzaron de foir
Llego á la puerta e fisola abrir
E fuese para el altar como antes solia hir

218 Pues fiso reverencia delante del altar
Paro mientes e vio la gloriosa
Allí do el solia al pueblo predicar
Comensaron a dulces voces a cantar

219 Estaba y la Reyna muy bien acompañada
De dos coros de vírgenes e de angeles cercada
Llamo á don Alfonso la Virgen coronada
Llegose a ella sin dubda la capilla tirada

220 Fijo, dijo la Virgen, en toda vuestra vida
Fui siempre venida
Por vos cumplir la honrra que vos habia prometida

221 Sodes del mi fijo en todo su vicario
Sodes mi capellan e mi fiel notario
E en señal que habedes otro mejor salario

222 E el salario sera quano de aquí fuesedes
Para reynar con migo como vos merescedes
De mientra tomat esta casulla que vistades
Quano dixeredes la misa e las solemnidades

223 Mi fijo vos envia esta vestidura
Que nun[c]a vist[i]o home de ninguna ventura
Nin vos la vestira nin habra ende cura

224 Mio fijo e mio señor non quiera consentir

Que otro la haya se non vos para vestir
Habera el que la probare mala muerte a morir
Por ninguna manera non podra ende foir

225 Fabla la reyna a su fijo leal
Asi como si fuere su fijo natural

Como el la su casulla de puro cendal
Mas de la gloriosa del rey celestial

226 Fuese la gloriosa al su santo logar
E el finco muy ledo, non debemos dubdar
Salio a los de fuera e fisolos entrar

227 Quano vino a la Virgen que se quiso revestir
Amostro la casulla que oistes desir
Asi podian los ojos de todos relosir
De cual color era non podia parescer

228 Salian ver todos los Toledanos
Los visios e los ricos e los vicios canos
E todos los enfermos luego tornaron sanos
E rindian gracias a Dios alzando las sus manos

229 Virtut e claridat pusiera Dios en ellos
Que asi relumbraba como oro o estrella
Desi el que sus manos podia poner sobre ella
De toda enfermedat perdia la querella

230 Ponia la claridat en todos alegria
Sanaba la virtud de toda medecina
Disia todo el pueblo e toda la cleresia
Glorificado sea Rey que tal don nos envia

231 La madre piadosa que quiso descender
Ordeno por si mesma el presente a traer
Vesita[n]do el siervo para nos bien faser
Siempre glorificado de nos debe ser

232 Ciudat de Toledo en punto bueno fuiste poblada
Como fuiste e eres sobre todas mucho ensalzada
Que eres de la madre del Señor vesitada

Por que te dieran todos la vienaventurada

233 El Señor que nos quiso tanto bien faser
La madre gloriosa que lo quiso traer
A este que sobre todos sabe merescer
Que ge lo todos non podrian servir nin merescer

234 La reyna madre de santa piadat
Bendixo a Don Alfonso por cuja santidat
Es oy ensalzada Toledo la cibdat

235 Toda la gente andaba en demas muy gososa
Mostrando que tenie la voluntat pagada
Para servir a vos e a la gloriosa
Que les asi honrraron de tan noble cosa

236 Vibio despues gran tiempo el bendicto perlado
Fasta que Dios quiso e hobo por aguisado
De lo levar al reyno que le tenia aparejado
E para todos los justos que le sirven de grado

237 Aquel alma perfecta de toda santidat
Levaronla los angeles con muy grant claridat

238 A la hora que fue ante Dios presentada
Fué fecho mucho honrradamente con la gloria honrada
Que fincaba de padre e de pastor menguada

239 Lloraba firmemente toda la cleresia
Disiendo que tal padre nunca lo cobraria
Duelo fasia el pueblo e toda la caballeria
Tomaba gran quebranto qualquier que lo veia

240 Los pobres sobre todos andaban quebrantados
Disiendo, Señor padre, malos nuestros pecados
Nos han en todas guisas ciegos e estragados

241 Non finco ninguno en toda la cibdat
Viejo nin mancebo de pequeña edat
Que non fisiese llanto de toda voluntat
Mas acorriolos Dios en esta quejedat

242 Quano el cuerpo llevaban non semejaba muerto

Tan blanco iba como la nieve del puerto
Allí tomaron todos plaser de grant esfuerzo
Disiendo que fasian en llorar grand tuerto

243 De la hora que tercia despues que fue bautizado
Estido por tres horas asi glorificado
Por ende estaba mucho el pueblo marabillado
Pero al medio dia torno al su estado

244 Nunca fue en el mundo rosa nin otra flor
Especia nin unguento que diese tal olor
Todos estaban parados en derredor
Disian e bendesian á la Virgen e al nuestro Señor

245 Si vinian paraliticos e qualesquier dolientes
Eran del consolados ellos e sus parientes
Mas non podian llegar tantas eran las gentes
Fasianse batisar los que non eran creyentes

246 Soterraron el cuerpo mucho con grand solemnidat
Rogaronle e pidieronle con gra[n]d humildat
El que les acorriese en la necesidat
E hobiese en encomienda aquella cibdat

247 Juntose el cabildo a dia señalado
Acordaronse todos en escoger perlado
Escogieron á uno en fuerte punto fue nado
Este fue desestado su nombre era tal

248 Plugo con el á todos luego de la primera
Mas non siguio la vida, nin tomo la manera
De su antecesor, nin fue esa carrera

249 Despues que se vió el loco arzobispo alzado
Tomo muy grand soberbia el mal aventurado
Por que lo hobo Dios asi des<p>amparado
Que le fuera mejor morir en otro estado

250 Fue por desir la misa una fiesta honrrada
Demando que le diesen la casulla sagrada

La que la virgen hobo á don Alfonso dada
Valieralo mas folgar en su posada

251 Respondieronle todos: aquesta cosa
A todos semeja peligrosa
Que lo defendió la Virgen gloriosa
Et vos, señor guardat vos de la haber sañosa

252 Señor, complir debemos el vuestro mandamiento
Mas tememos mucho de caer en falençia
Dixo el, <nos> nos la habemos de vestir licencia
Luego vayan por ella sin otra detenencia

253 Como era perlado el nuestro antecesor
Bien asi somos nos perlado e pastor
Como nos escogiestes por non faser menor

254 Hobieron bien amados á complir su mandado
Fue luego por ella el tesorero muy sin grado
E quisola vestir el mal aventurado
E fuera muy mejor que non fuese levantado

255 Asi como primero probo por lo vestir
Non lo quiso la Virgen nin Christo consentir
Ca hobo el so ella mala muerte a morir
Una muerte tan fea que non queria desir

256 Echando sobre si la santa vestidura
Asi lo apretó al ome sin ventura
Que lo fiso partir por medio de la cintura
Onde non peso á muchos, nin havian ende cura

257 El soberbio lozano de mal entender
Dandole consejo sano non lo quiso creer nin obedeser
Por que de aquella muerte non puede estorcer

258 Mandaron la casulla al tesorero levar
Con las otras reliquias que oistes contar
Dende en adelante pugnaron de guardar
E como non fisiesen á la Virgen pesar

259 Asi san Alifonso hobo ende cuidado

Por honrar á la Virgen e fue de ella honrrado
Despresiolo el susio como home mal fadado
E fue con grand derecho della desmamparado

260 Por todas estas honrras que vos he contadas
E por otras cosas que fueron despues dadas
Maguer son en España cibdades muy grandes
Toledo es muy honrrada entre las honrradas

261 Esta noble cibdat que habedes oido
Poblaron los Godos grande es descogido
De si sant Eugenio fiso y su venida
Aquel que de primero la hobo convertida

262 Otro arzobispo hobo el pueblo Toledano
El qual segund yo leí disian Juliano
E es la santa fiesta de aquel santo christiano
A tres dias de Marzo entrado el verano

263 Despues que hobo en Toledo muchos buenos cristianos
Por los quales vinieron por los que vos he nombrados
Sant Eugenio fiso muchos buenos criados
Despues a don Alfonso que fue de los mas honrrados

264 Asi Sant Eugenio non se qual es mejor
Cada uno de ellos fue pastor
El primero fue martyr e el otro confesor
Por los quales Toledo recibio grand honor

265 Ahora mis señores vos conviene rogar
A estos Santos Padres que nos quieran guardar
Del mortal enemigo, que podamos con ellos en el cielo
[rogar

266 Este que lo compuso en aquella manera
Por una dueña Virgen cuyo amigo la Virgen e Reyna sea
Sea siempre su madre que en penitencia y en para verdat
[fine
Reynaba don Alfonso cuando el lo fisiera

267 Fijo de don Sancho e de doña Maria
Astragaban los moros toda el Andalucia

Pero si el quisiere consejo nos pornia

268 Rogar a Jesuchristo que nos quiera perdonar
E nos traya ayna a Paradiso andar

268B E lo que sin el pugnan confonder
Por ellos eche Dios el nuestro poder

269 E el de la Magdalena hobo en ante rimado
Al tiempo que de Ubeda era beneficiado
Despues quano esto fiso vivia en otro estado

270 La que por ello se fiso, dueña es honrada
Como muchas buena dueñas honradas
Por que veo en los cielos la fas de Dios pagada

271 A ellos e a nos hayamos en en[c]omienda
Por que vayan las ánimas al cielo sin contienda

272 E el que en este mundo nas[c]io de madre pura
Me de en este siglo pas e buena ventura
E nos lleve al regno do el por siempre dura

EDICION RECONSTRUIDA

1 Si m' ayudare Cristo e la Virgen sagrada,
　Querría componer una fación rimada
　De un confesor Santo que fizo vida honrada,
　Que nació en Toledo, esa cibdat nombrada.

2 En aquesta cibdat, complida de nobleza,
　Era un cavallero que habié grand riqueza,
　habié muger fermosa de muy grande alteza,
　Tal débelo creer qui el romance reza.

3 Dixiéron don Estevan a éste que vos digo,
　Era de Sant Eugenio pariente e amigo.
　Maguer era lozano, non preciaba un figo.
　Ome de malas mañas non le traiá consigo.

4 A su buena muger desián doña Lucía
　Partiá bien con los pobres los bienes que había.
　Do seya que estaba la noche e el día,
　Non se le olvidaba de rezar a María.

5 E en muchas maneras faziá a Dios servicio:
　Iba bien a las horas, e bien al sacrificio.
　De si fuera del muro habiá un grand espicio,
　Do se echaban muchos que no querían vicio.

6 Faziá la buena dueña siempre esta oración,
　A Dios e a su madre, con pura devoción,
　Que les quisiese dar algún fijo varón,
　Que fues' al su servicio, de otra guisa non.

7 Perseveraba ella en aquesto pedir,
　E una noche vio en visión venir
　La Virgen que fue digna a Cristo concebir,
　Como la semejaba, salióla rescebir.

8 —"Señora, dijo ella, ¿qué fue lo que fiz',

Que vos venistes ver aquesta pecatriz?"

8bis Dijo la Virgen: "Fija, ésta fue la razón:
Quien algo me pidiere de todo corazón,
Yo dárgelo he: vengo complir tu petición,
Ca veo que me llamas con buena devoción.

9 "Yo só madre del fijo que vos vino salvar.
A mí aman los ángeles servir e alabar,
Só puerta de los cielos, estrella de la mar,
El que por mí se guía non puede peligrar.

10 "En mí quisós' poner la santa Trenidat.
E a mí tú alabas de toda voluntat,
Quiero qu' entiendas dende alguna claridat.
[...]   -at.

11 "Entre las peticiones que te quiero complir,
Quiero que hayas fijo qual te sabré dezir:
Que haya grant sabor siempre de me servir.
[...]   -ir.

12 "De este habrá nombre que te dizen Lucía,
E adugas al mundo una grant alegría.
Finca con la mi gracia e faz bien todo día,
Ca yo seré contigo de noche e de día".

13 Pués qu' en esta manera la hobo visitada,
Fuese e fincó ella alegre e pagada.
¡Toda dueña que fuere en algo tribulada
La quiera socorrer la Virgen coronada!

14 Esta dueña parió apuesta criatura,
Llamáronlo Alfonso, nunca hobo ál cura,
De amar a la Virgen conplida de mesura,
[...]   -ura.

15 Cuando fue de dos años, mostról' doña Luzía
Saludar a la Virgen con el Ave María.
Esta santa palabra tan dulce que había,
Que siempre en la lengua la traiá toda vía.

16 Como iba creciendo en tiempo y sazón,
Creciále de la Virgen amor e devoción;
Crescián con él virtudes de toda perfección,
Cresciále de los pobres dolor e compasión.

17 Cuanto podiá al padre e la madre tomar,
A los pobres menguados lo iba todo dar.
Cuan' a Santa María los veía mentar,
Íbales de su grado las manos a besar.

18 Cuán' vieron que podria las letras conocer,
Tomólo San Eugenio e físol' nodrescer,
Diolo a un maestro lo vezase leer,
Deciá que nunca viera un par en aprender.

19 Marabillados eran de cómo aprendía,
A grandes e a chicos, a todos los vencía.
Su señor e su padre, e más doña Luzía,
Rendián gracias a Dios e a Santa María.

20 Amaba humildat e toda mansedumbre,
Por tuerto que l' ficiesen nunca habiá quejumbre.
[...]   -umbre
[...]   -umbre.

21 Ibas' con él de niños una grande compaña;
Si había alguno alguna mala maña,
Castigabal' Alfonso con alguna fazaña,
Tolliéle las costumbres que se el alma daña.

22 Cuando sus compañeros querién ir a folgar,
Iba a oración o iba estudiar,
E se sabe en todo su vida ordenar,
Que nunca con los otros lo verían estar.

23 El muy santo Eugenio, e muy santo prelado,
Tomaba profesión en este su criado,
Dixo: — "Si yo est' niño hobiese encimado,
Sería muy gradoso e bien aventurado.

24 "Empero que dos años es toda su edat,

El su sotil ingenio non tiene paridat,
Non igual de sí vio en toda santidat,
Si yo non le ayudo non sería bondat.

25 "Pero non só yo ome en todo mi entender
Que en todos los vienes le pueda imponer,
Nil' muestre clerezía qu'él podriá deprender,
Sinon es Sant Isidro, que es en tal saber".

26 Entonz era arzobispo e bendicto perlado
Isidro en Sevilla, ome bien acabado,
Primado de Espania, sobre todos honrrado,
En todas las esciencias maestro profundado.

27 Mandó Sant Eugenio sus cartas adrezar,
Mandó a don Alfonso su criado llamar,
E díjole: — "Amigo piensa de te guisar;
veme con estas cartas do t' yo quiero enviar.

28 "Bestia e vestiduras dote de ellas fartas,
Vet' para Isidro, presental' estas cartas;
Fasta que vengas clérigo, nunca de él te partas,
Si en esto me yerras no t' prestaré tres cuartas.

29 "Aqueste es señor de toda clerezía,
En él fallan que es toda filosofía,
E maestro de física e de theología.
[...]   -ía.

30 "Porqu' el tiempo es vano, a él sepas ganar
Tú tienes buen comienzo, Dios te lo quiso dar;
Vete para él luego, non lo quieras tardar,
E quando tú pudieres piensa de l' remembrar".

31 El criado omillósele, empezó de dezir:
— "Dadme vida, señor, para esto complir,
E pongas en mí gracia que vos pueda servir,
Que jamás demandado non le he de salir".

32 Fue para Sant Isidro este buen don Alfón,
Presentóle las cartas, leyó el confesor;
Lo que en ella iba, el clérigo mayor
Más non podiá firmar [...] -or.

33 Viendo el santo padre la su simplicidat,
Pués que vïo las cartas de grant amonestat,
— "Fijo, dixo, de mí bien seguro estat,
Que compliré su ruego de toda voluntat.

34 "Ruégame vuestro tío que vos muestre esciencia".
Dijo: "Compliré toda vuestra obediencia.
[...]   -encia
[...]   -encia.

35 "Mió señor e mió tío m' envió castigado,
Qu' en todas las maneras cumpla vuestro mandado,
E yo por lo cumplir vengo apresurado,
E téngome por ello por bien aventurado".

36 Metió el santo padre todo su corazón
En darle las esciencias e toda la lición.
Metió en aprender toda su entinción,
De todas las sus horas no perdiá oración.

37 Perseveradamente tres vegadas al día,
Al Rey Omnipotente e a Santa María,
Que por su cosimente guardárselo quería
Sendente [...]   -ía.

38 Fue el niño cresciendo, avínole virtud:
Diol' Dios gracia en el ánimo; en el cuerpo, salud;
Guardóle de pecado e de su mal englud.
[...]   -ud.

39 De todas las esciencias aprendió toda vía,
Pero estas amaba e seguiá toda vía,
Físicas e naturas, e la theología,
[...]   -ía.

40 Había Sant Isidro muchos buenos criados;
De ellos haviá buenos maestros bien letrados.
De cuantos argumentos desputaran cerrados,
Todos de don Alfonso lo van certificados.

41 Todas las escrituras así se las mostraba.

En lo que Sant Isidro ante acuciaba,
De dar lición a todos, a él lo aguisaba,
Nunca habiá pesar doquier que él estaba.

42 Cuano vio que tenia asaz de la esciencia,
Pediá al santo padre con muy grant reverencia
E dijo: "Prometed, otorgadme licencia,
Que torne a Toledo do fue la mi nascencia.

43 "Doz' años me criastes, señor, a muy grand vicio,
Nunca a mí Sant Ambrosio sirviera tal servicio.
Yo siempre seré vuestro por este veneficio:
¡Tráyame Dios a tiempo que vos faga servicio!

44 "Vos fuiste mi maestro, mi señor e perlado,
E yo vuestro discípulo, siervo e criado;
Por cuanto vos en mí avedes trabajado,
Dios lo peche por mí e vos faga pagado.

45 "Doz' años trabajastes de noche e de día
Por mostrarme esciencia e toda clerizía,
Por la vuestra doctrina nudriré toda vía,
Oy mas si me mandares querriá irme mi vía".

46 — "Fijo, dijo Isidro, tod' el trabajo mío
Que fiz' por vos mostrar, fiz'lo por vuestro tío,
E fízelo por Dios en quien creo e fío,
Verná gracia e honrra por cuanto vos confío.

47 "Puso Dios la su gracia e muy gran bendición,
Porque todos havemos nuestra consolación,
Finquedes con plazencia de todo corazón,
Ca sabed que me pesa d' esta despedición.

48 "Si ganastes perdón jamás por toda vía,
Si conusco fincades non vemos mejor día;
Si vos queredes ir, gracia de Dios e mía,
Dé vos Dios la su gracia e la Virgen María".

49 El bendito discípulo fue esto responder:
— "Señor, la vuestra gracia mucho m' es menester
E vuestra bendición ca tal es mi creer

Sin ella non podria un par d' ajos valer".

50 Despidiós' el discípulo con muy grand humildat;
Salió el santo padre con él de la cibdat,
A le escorrir salen con grand solemnidat,
E al partir llorando todos de boluntat.

51 Partiós' de Sant Isidro e de los de Sevilla,
A él besó las manos, a otros se humilla.
Veniáse a Toledo, a esta noble villa,
Recibiéronle todos a mucha marabilla.

52 Sant Eugenio lo fue primero abrazar,
El bendicho criado fuel' las manos besar;
Allí comienzan amos muy fuertes a llorar,
Con la grand alegría non pudo res fablar.

53 En post del arzobispo fue su padre llegando;
Omillóse el fijo, las manos le besando,
Tornó a la ciudad reyendo e jugando;
Los mancebos andaban delante bofordando.

54 —"Fijo, dixo Eugenio, non quiero que posedes
Fuera del mi palacio que vos bien conoscedes".
—"Señor, dixo Alfonso, pues por bien lo tenedes,
En esto e en todo faré lo que queredes".

55 Queriendo el criado al padre obedescer,
Fue con él al palacio apriesa descender.
Todos cuantos y eran pugnaban de fazer
Cuanto maestr' Alfonso havía en plazer.

56 Mandó el arzobispo a todos conbidar,
Por tal a don Alfonso su sobrino honrrar;
Los unos con gran gozo veníanlo tomar,
[...]   -ar.

57 Pués que todos hovieron comido bien asaz,
Fablan unos con otros e havién gran solaz,
El bendicho perlado tornós' a él de faz:
—"Sobrino, diz', oidme". Respondió: —"¿Qué vos plaz'?"

58 —"Fijo, diz', ¿trabajastes en complir mi mandado?"

—"Señor, diz', trabajé, que sea Dios loado;
Con todas las esciencias me veo muy pagado,
Só en teología maestro licenciado".

59 Cuan' l' oyó Sant Eugenio, hovo grand alegría;
Don Estevan, su padre, a Dios lo grasdecía,
Pues así lo mandó fazer doña Luzía,
[...]   -ia.

60 Luego el primer día, non quiso olvidar
De ir a la su madre las manos le besar,
Pero conviénel' luego al palacio tornar,
Después íbala bien menudo vesitar.

61 —"Debo, dixo la madre, loar e bendezir
A la Virgen María que me quiso complir
Lo que por su mensage me vino a dezir:
Que dariá luz al mundo quan' hovies' de parir.

62 "Por haber una fija yo deseosa era,
Vesitóm' e díxome en aquesta·manera:
—"Al mundo nascerá una clara lumbrera".
Veo que la promesa salió vien verdadera.

63 "Bendicha sea siempre la Virgen gloriosa,
Ca vos veo que sodes la lumbre de la rosa,
En que vevistes siempre vida dulz' e sabrosa.
Será toda Espania bien andant' e gozosa".

64 Fablando todavía en aquesta razón,
Recivió él gran gozo y muy grand devoción,
Bendiciéndole ella de todo corazón.
[...]   -ón.

65 Mandóle buena cámara el arzobispo dar,
Con portal e estudio como para orar.
Cuantos de las esciencias algo querián tomar;
Venián a don Alfonso a servir e guardar.

66 Los unos le fazian servicio e amor,
Los otros le llamaban maestro e señor,
Mas a él nol' plazia, nin había sabor.
Cuanto más le honraban, tanto s' faziá menor.

67 Sabiálo Sant Eugenio de corazón amar.
   Fízolo arcediano para le más honrar,
   Fízole luego órdenes d' Evangelio tomar,
   E diole la su cruz para ir visitar.

68 Vido la voluntat del bendicho perlado
   E como le queria sobir a grand estado,
   Deziá: — "Si por ventura só rico e honrrado,
   Puédeme con soberbia engañar el pecado.

69 "Otrosí muy grand vicio de comer e beber,
   Puédeme castidat ayuno corronper
   Puedo perder mi fama e a Dios ofender,
   Los buenos que me honrran pueden m'aborrecer.

70 "Veo qu' el mundo es lleno de todo mal;
   Aquél que es más fuerte, aquese es mortal:
   Pues non he menester yo por este portal
   Perder lo que dura siempre, ca es espiritual.

71 "Aquél que es más rico, aquese ha contienda:
   Tan simple non es ome que esto non entienda,
   Qui quebranta las cuerdas luego cae la tienda;
   Bien así lo fallamos escrito 'n la leyenda.

72 "La tienda es la vida de nuestro tiempo cierto
   Pués que falleze ome, yaze y es bien cierto,
   Más vil es qu' el león que yaz' en el desierto,
   [...]   -erto.

73 "Para yo fazer d' ellos cuidado e enmienda,
   Vivir bien, seguiré en todo mi fazienda:
   Tornarm' he a la Virgen que m' haya en comienda;
   Irm' he a la iglesia que ome no l' entienda".

74 Yuso, fuera del muro, haviá un abadía
   Do era Dios servido, e la Virgen María,
   Non moraban y monges, mas noble calongía,
   Su hábito Alfonso tomar toste quería.

75 Este lugar que yo agora he nombrado,
   Llámas' Cosme e Damián al altar más honrado;

Al prior d' aquel logar llámanle Diosdado,
[...]   -ado.

76 El bendito maestro por ir a Dios servir,
Bien haviá cuïdado puro de lo complir.
Vestió paños estraños, que non soliá vestir,
Solo fasta en su cabo pensóse de se ir.

77 Llegado a la puerta conosció l' un villano,
Falló a don Estevan, e díjol' man a mano:
— "Est' ome, diz' al padre, parez' que non es sano".
[...]   -ano.

78 Estevan tomó gente cuanta pudo tomar,
Vïole don Alfonso, fuese a desviar.
A un lugar pequeño, e dejólo pasar.
[...]   -ar.

79 El padre muy irado fues' para el cabildo
Por traer a su fijo, non l' echó en olvido,
[...]
[...]

80 Fizo escodriñar tod' cuanto y había;
Pues non falló su fijo salióse con follía,
Amenazando fuerte toda la calongía.
[...]   -ía.

81 Pués que Alfonso vido su padre alongado,
Fues' para 'l monasterio, dentro se ha entrado.
Demandó a grand priesa por el abad Diosdado.
El abad cuan' lo sopo, recibiólo de grado.

82 Cuano vido venir Alfonso al abat,
Echós' a los sus pies con muy grand humildat.
— "Señor, dijo, por Dios e por vuestra bondat,
Fazetme porcionero en vuestra santidat.

83 "La vida d' este mundo tod' es como un rato,
Anda ome en pie o muere bien en cuanto,
Si non guardar' mi alma faré un mal recato;
Non val' toda mi vida cuanto val' un zapato.

84 "Como quier' que yo debo todo lo ál cuidar,
Si non salvar' mi ánima, que debo trabajar,
E para lo cumplir vengo vos lo rogar,
Por Dios que me querades en ello ayudar".

85 — "Arcidiano señor, diz', el abat Diosdado,
Vuestra grand humildat es de ome granado,
Yo debo vos rogar aques' muy gran guisado,
Pero lo que queredes sea vos otorgado.

86 "Muchos somos honrados con la vuestra presencia.
Vuestro entendimiento e la vuestra sapiencia
Gobernariá cien regnos, tal es vuestra creencia;
De quanto vos quisierdes otorgavos la esçiençia".

87 Tanxo 'l abat el signo, llegós' la clerezía:
— "Fijos, dixo, Alfonso quier' nuestra compañía,
Si l' recebir quisierdes, yo mucho lo querría".
— "Padre, dijeron todos, veemos muy buen día.

88 "Señor datle su hábito, non querades tardar,
Mas gradecetle mucho porque lo quier' tomar,
Ca en todas maneras nos puede much' honrar,

Si mucho tardaremos podríamos errar".

89 El arcidiano dixo de fazienda granada:
— "Resçebir non podemos persona más honrada,
Porque toda la orden puede ser much' honrada,
Si nos fuere contrario non ganariámos nada".

90 Llamáronle entonces, e dixo el abat,
Como lo recivieron todos de voluntat,
Se tenián por honrados en la su humildat.
Dixo: — "A Dios gradesco tamaña caridat".

91 Entonze muy gozoso, el abat le levanta,
E todos los mayores de la compaña santa
Vestiéronle el hábito [...] -anta.
Todos esperan fruto d' esta bendicha planta.

92 Leváronle cantando fasta 'l mayor altar;
Púsol' 'l abat bendito, dexárons' de cantar.

Fízolos él mover a todos asentar,
Comenzóles Diosdado la orden predicar.

93 Luego el primer día con la predicación,
Todos fueron complidos de muy gran devoción.
Todos dezián: — "Dios ponga en tí su bendición,
Ca hoy posiste todos en edificación".

94 Sópolo don Estevan luego el primer día.
Como maestr' Alfonso el hábito vestía,
Fues' para 'l arzobispo el lleno de folía,
Quexándos' del abat e de la calongía.

95 Dixo: — "Señor, gran cuita vos vengo a dezir,
Cómo 'l abat Diosdado vos sopo deservir.
Sopo el arcidiano malament' escarnir,
A mí e a su madre, matar e destruir.

96 "Rescibirlo, señor, sin el vuestro mandado,
A vos ha confondido, a nos mal deshonrado.
Mas, señor, si de vos fuere a mí mandado,
En aqueste buen día será todo vengado.

97 "En toda la iglesia non quedará logar
Que yo non aturare a todo su pesar".
Dixo el arzobispo: — "Más valdríe folgar
que [...]   -ar".

98 "Si lo fizo 'l abat vos non lo sabedes.
Sé que vos lo dezides con pesar que habedes,
Mas por cuanto el deudo vos conmigo habedes,
Tanto más de guardar, que a mí non erredes.

99 "Yo a maestr' Alfonso habiéndol' grand amor
Tobe por bien le dar riqueza e honor;
Si Dios por otra guisa le quier' por servidor,
Dejédeslo por suyo, fagamos su sabor.

100 "Si vos lo bien queredes, vos e doña Luzía,
Otrosí yo conmigo por siempre lo querría.
Mas si tomar' en ello plazer Santa María,
Ellos saben de todo cuál es la mejor vía.

101 "El que de lo de Dios non quier' haber cuidado,
Nin quiere que se sirva del fruto que l' ha dado,
Toste debrá d'él Dios seer desamparado.
Guardatvos, non cayades en aqueste pecado".

102 Don Estevan que ante muy señudo venía,
Fue perdiendo la saña e la malenconía;
Mas quano le oyó esta doña Luzía,
Fue para la iglesia con muy grant alegría.

103 Iba doña Luzía, buena dueña honrrada,
Con muchas buenas dueñas muy bien acompañada.
Rogaba con sospiros a la Virgen sagrada
Que l' complies' la visión que le habiá mostrada.

104 Llegó la buena dueña al monasterio santo;
Salióle el abat abrir con gran espanto,
Ca todo que venia con mal e con quebranto.
Mas pués que él falló espacio entretanto:

105 — "¿Señora, qué quisieste, dixo 'l abat Diosdado?"
Ella le respondió: — "Llegóme buen mandado,
Que es aquí convusco mi fijo much' amado,
Por Dios que m' lo mostredes, recibrélo en grado".

106 Cuando vio el abat su buena intención,
Fuese para el noble con clara intinción,
Mandól' salir a ello, diol' end' su bendición,
[...]   -ón.

107 Humillóse el fijo, fuel' las manos besar,
La madre muy gozosa fuel' luego abrazar,
Non podiá él de ella, nin ella d' él quitar;
Comenzaron las dueñas de duelo a llorar.

108 — "Mió fijo e señor, dijo doña Lozía,
Bendicto amanesció para mí este día,
Cuidemos desd' aquí vivir en alegría,
Por cuanto ordenó en vos Santa María.

109 "Non gelo sabré yo gradescer ni servir,
Por aquel bien que ella vos quiso adozir,

Pues ella vos mostró de mundo aborrir,
Lo que ya comenzastes non querades fallir.

110 "Fijo, bien la servid con pura devoción,
Guardarvos ha por ella, darvos ha gualardón,
Ca Dios en este mundo da gracia e devoción,
Herédala después en la resurrección.

111 "Ca pues él vos honrró e vos dio sapiencia,
E pues orden tomastes, guardatle obediencia,
Quiquiera que vos venga, sofritlo en paciencia.
[...]   -encia.

112 "Si vos a todos fuéredes manso y humilloso
E guardares limpieza como buen religioso,
Tomarvos ha la Virgen aquí por su esposo,
Después dará sobr' esto a vuestra alma poso.

113 "Fijo, yo moger só sin grand sabidoría
E non la sé mostrar así como querría,
Pues si lo conoscedes, según es esta vía,
Si ál ha de seer, yo nunca lo veía".

114 Seíen de los dichos mucho marabillados,
Seyan todas las dueñas con devozión llorando,
Seíen los canónigos e el abat llorando,
Porque todos a él lo eran deseando.

115 Espidióse el fijo de la madre graciosa,
E la madre del fijo con voluntat sabrosa;
Alababan las dueñas a la Virgen preciosa
Porque lo tenián todas por much' estraña cosa.

116 Por verdat los del mundo así suelen usar,
Cuando veyen sus padres en la orden entrar,
Desgradecen a Dios que l' queriá ordenar,
E reciben quebranto por que s' deben gozar.

117 Si home á tres fijos, esto dezirlo oso,
Siquier sea menguado, o siquier poderoso,
Si los dos fueren malos, non es end' tan quexoso
Como si el tercero fuese religioso.

118 D' esto fazen señores el corazón carnal,

Ca el mundo que es enemigo mortal
Ordénalo Dios Padre en lo espiritual,
Mas sabet que non fue doña Luzía tal.

119 Fuese la buena dueña alegre e pagada;
Deziá 'l abat Diosdado, esa barba honrrada:
— "Nos fizo mucho bien la Virgen coronada,
[...]   -ada".

120 Sobre todos fincó maestr' Alfonso ledo;
Non s' terniá por tan rico si le diesen Toledo.
El padre non podia con pesar estar quedo,
Doña Luzía fue tornada al mundo cedo.

121 Con sus buenas palabras tollóle el pesar
E con grand honrra fue el fijo vesitar,
Otrosí Sant Eugenio nol' quiso olvidar,
E por siempre jamás honrraron el logar.

122 Trabajó don Estevan desd' aquella vegada
En traer su fazienda mucho bien ordenada
E fizo desd' allí vida mucho cabada,
Que se faziá la gente toda maravillada.

123 E maestr' don Alfonso fincó asosegado
En servicio de Dios poniendo su cuidado,
De la Virgen preciosa siervo tan acabado,
Que todos le llamaban el bienaventurado.

124 Viviendo el complido de toda santidat,
Quiso Dios que finara Diosdado el abat,
Que le fuera complido de toda castidat.
Fiziéronle obsequias de grand solemnidat.

125 De grandes e pequeños fuera mocho honrado;
Fizieron su acuerdo a quién farián perlado.
— "Señores, dijo uno, si bueno fue Diosdado,
Muy buen pastor habedes Alfón, de Dios pagado.

126 "Hay aquí muchos clérigos, todos son de prestar,
Onde si se pudiere Dios servir e honrrar,

Mas, si vos quisieredes conmigo acordar,
En escoger perlado non podemos errar.

127 "Tengo que será Dios servido e honrrado,
E el nuestro espicio será mejor guardado,
Si a maestr' Alfonso fiziéredes perlado".
Aquí dijeron todos: —"Séavos otorgado".

128 Dijo maestr' Alfonso: —"Señores, non erredes,
Que aún só mancebo segund que vos bien vedes;
Só nuevo en la orden, ca vos bien lo sabedes;
Non só para perlado como vos merescedes".

129 —"Maestr', dijeron todos, muchas gracias vos damos,
Cuanto vos humillades, tanto más vos preciamos;
Escusa non pongades que nos vos ál fagamos".
—"Cantat, al prior dijeron, el *Te Deum laudamus*".

130 A él pesándol' mucho, fiziéronle abat;
Pués que fue confirmado en esta dignidat,
Mostraba a los buenos toda su humildat;
A otros castigaba mostrando su crueldat.

131 Pero así les era a todos mesurado,
Que non parte de él ninguno despegado;
Si alguno d' afuera veniá a su costado,
De dicho e de fecho iba d' él conortado.

132 Un año don Alfonso mandó la perlacía;
En pos de él finó luego doña Luzía,
Mas consolóla ante, de la Virgen María
[:...]   -ía.

133 Ya siendo muy cortada en su enfermedat,
Vesitóla la Madre, complida de piedat.
—"Señora, dijo, madre del Rey de la verdat,
Bendicta sea siempre vuestra benignidat.

134 "E la vuestra piedat tan grand' e tan conplida
Que siempre jamás yo he de vos rescebida,
Pues, me la encimastes en aquesta partida.

Non m' querades dejar en tan penada vida.

135 "Madre, non vos servia tan bien como yo pud,
Mas, pues que vos nos distes al rey de la virtud,
Que él puso en vos toda nuestra salud,
Libradme del pecado e de su mal englud.

136 "Señora, do estaba mi marido honrado
Que en toda su vida me fue bien mesurado,
Madre, de la su alma habetle cuïdado,
Al vuestro fijo santo, fasetgelo pagado.

137 "Doletvos de mi fijo por vuestra grand mesura,
Que vos me prometiestes que seriá criatura;
Madre, de lo complir tenet end' siempre cura,
Guardando la su alma de toda grant rencura".

138 — "Fija, dijo la Virgen, cuanto tú has pedido,
Para tí e tu fijo, e para tu marido,
Sábete que será del mi fijo complido,
Que a mí e a él nos habedes servido.

139 "Todo tú lo fizistes con corazón leal,
Por end' en 'l otro mundo non sentiredes mal,
Mas habredes por siempre gozo espiritual
Al cual tú te irás d' esta vida mortal".

140 En tanto, ende fuese la Virgen coronada,
Fincó la gracïosa atanto consolada;
Quano fue otro día la misa acabada,
Fue 'l alma a los cielos a tomar la posada.

141 Levándola de ángeles una grand procesión
Do estaba Alfonso faziendo oración,
La Virgen glorïosa mostrós' en visïón,
E hobo end' gran gozo e gran consolación.

142 — "Regina, dijo él, complido de bondad,
Bendicha sea siempre la tu verginidad,
[...]   -ad
[...]   -ad.

143 "El ome que trabaja de te servir de grado,
Ése es bien apreso e bien aventurado,
E despés en los cielos de gloria abondado.
[...]   -ado.

144 "Tú, rosa de bondad e de buenos olores,
Das preces que valan a los tus servidores,
Reïna de los cielos e de los sus albores,
En tí fallan folgura, ca los alumbradores
Por end' te loan todos, justos e pecadores".

145 Enterró don Alfonso el cuerpo de su madre,
Con mucho buen canónigo e mucho buen cofradre.
Dijo: —"Nadie de nos por ella llore e lasdre,
Dat gracias e loores al espiritual padre".

146 Pués qu' hobo a la madre fecho su complimiento,
Fizo un monasterio del su ordenamiento,
Fizo poner de dueñas honradas grand convento,
A honor de la Virgen e su alabamiento.

147 E todas las Españas, fasta 'l quinto reinado,
Non fallaban un clérigo sabidor ni perlado
Tan santo ni tan digno, ni tan buen letrado,
Ni en todas virtudes ome tan acabado.

148 Ordenó Dios así que s' ovo de finar
Aquel santo Obispo que oyestes contar,
El que era a todos padre muy de prestar,
Todos hobieron d' él duelo e grand pesar.

149 Fue con la clerezía el pueblo acordado,
Qu' escogiesen a él todos por perlado.
Del bueno de Eugenio pues que era finado
[...]   -ado.

150 Tómanse con el puevlo e con la clerezía,
Fuéronse man a mano todos al abadía,
E todos con gran gozo e con grand alegría
Van con maestr' Alfonso para Santa María.

151 Estando todo 'l pueblo en uno ayuntado,

Fue luego en la silla cathedral asentado.
Como era de todos querido e amado,
El gozo que fue fecho non sería contado.

152 Además se gozaban los de la calongía.
Dizián los cavalleros: —"Oy nos vino buen día,
Que nos dio Dios por padre flor de filosofía,
De mucha santidat e luz de clerezía".

153 Comenzáronl' a honrar, subién de grad' en grado,
Cresciále much' en ser cuerdo e mesurado,
Manso e humildoso, benigno e gradado,
Cresciále todabía de los pobres cuidado.

154 Los omes d' aquel tiempo seguián toda bondat,
Amaban a los clérigos con mucha caridat,
Pero que en algunos cresciá la falsedat,
[...]   -at.

155 El díablo, que es sotil e engañoso,
A las veces quan' falla al ome vaganoso,
Faz'le cuidar de cosas do finca perdidoso,
Por ende finca Dios irado e sañoso.

156 Como bien nin gloria nunca pueden tomar,
Así quieren a todos confondir e dañar,
En buen punto nasció qui s' pudo desvïar
[...]   -ar.

157 Como nos es a todos enemigo mortal,
Así en todas guisas nos urde todo mal,
Faz'nos por esta vía mezquina e carnal,
Por la gracia de Dios, la vida eternal.

158 Pone en nos sobervia, envidia e glotonía,
Luxuria e cobdicia, do todo mal se cría,
Ira e vanagloria e toda lozanía,
E pone en mugeres solaz e hipocresía.

159 Pone otrosí 'n otros solaz de heregía,
Com' puso en Ciriaco, que firmando dezía
Que la preciosa madre Virgen Santa María

Non fincara entera pariendo a Messía.

160 Tanto iba asmando el falso desleal,
     Que fiziera a muchos que no creyesen ál;
     Empero mal pecado es privar la voluntat,
     Fue viniendo yacuanto bueno a tal.

161 Como era Alfonso muy santa criatura,
     Cuan' esto oyó dixo de toda bondat pura:
     — "Non querrás que se pierda toda la tu natura,
     [...]   -ura.

162 "Si somos cristiandat a tu fijo ligados,
     E si de ti en esto somos desamparados,
     Todos fallesceremos, seremos deserrados,
     [...]   -ados.

163 "D' este fecho será grand desmamparamiento,
     Si nos desmamparáremos del tu advenimiento;
     Señora, tú nos das voluntat e talento,
     Según la tu alteza e tu merezimiento.

164 "Bien sabemos que fuiste del ángel saludada;
     Faziendo en el vientre, fuiste santificada,
     La Santa Trinidat fue en ti ajuntada,
     Porque, despúes pariendo, tú non fuiste negada.

165 "Vino de Dïos padre toda la caridat,
     Fizo nascer el fijo de la tu santidat,
     El Espíritu Santo t' alavó de verdat,
     Onde fincó entera la tu virginidat.

166 "Señora, los cristianos que somos de tu parte,
     Todos debemos siempre trabajar en tu arte;
     Que a todos acorres e ayudas sin arte,
     Mas nos non somos dignos, Señora, de matarte.

167 "Si las yerbas del campo e arenas del mar
     Todos tobiesen lenguas e sopiesen fablar,
     Que todos trabajasen de t' servir e loar,
     Nunca los tus loores podrían acabar.

168 "Pero, madre, Señora, entre los pecadores
Que querían fablar, Señora, en tus loores,
Por destruir la secta de los falsos traidores
Que querián de tu bien seer destraidores.

169 "Non es de consentir en los tuyos tal cosa,
Que sabemos que eres en todo poderosa
Esto ganaste tú, reina gloriosa,
Qu' eres de Jesucristo, madre e fija e esposa".

170 Trabajó desd' allí el bendicto perlado
De tu virginidat componer un dictado;
Diolo a muchas partes pués que fue acabado,
Por que fuese España cobrando su estado.

171 Fues' por toda España este libro leyendo,
Fueron todos por él la verdat conosciendo,
Del mal que gravemente pensaran se doliendo,
Havián priesa los clérigos penitencia oyendo.

172 Plogo a Dios del cielo, cesó la heregía,
Ca tornáronse todos a la Virgen María
Pidiéndole mercet de noche e de día,
E que los perdonase por la su cortesía.

173 La Virgen preciosa llena de piedat
Fiziera buen acordo a la cristiandat;
Perdonólo a todos de clara voluntat,
Ellos le mantubieron amor e castidat.

174 Desend' toda España fincó asosegada,
Do está la Iglesia por siempre acabada;
El Santo arzobispo de la cara honrrada
Rescibió grandes dones e muy grande soldada.

175 Siendo en su portal un día en escuso,
Leyendo el su libro muy sancto que compuso,
La Virgen gloriosa fués'le parar desuso
Cuando la vio el santo, fués'le a par arguso.

176 Lebantóse privado end' seya en su silla,
Desomó la cabeza, tiróse la capilla,

Alzó suso las manos e fincó la rodilla.
Comenzó de fablar la Virgen sin mancilla:

177 —"Véngovos prometer, dixo ella, un dado
Porque tanto por mí habedes trabajado,
Ca pues vos compusiestes este noble dictado,
Lo que habiá perdido por vos lo he cobrado.

178 "La gente de España contra mí fue fallida
Gradesco a vos, fijo, toda es convertida;
Mucho m' havedes, fijo, honrada e servida,
Mas yo vos honraré en muerte e en vida".

179 Fuese la Gloriosa pués que hobo fablado;
Fincó él mucho ledo, alegre e pagado,
Cresciendo todavía voluntat e cuidado
Por fazer a la Virgen servicio'acabado.

180 —"Señora, dixo él, Reïna coronàda,
Que por poco servicio me distes grand soldada
Do yo he recivido la honrra acabada,
Dadme en que vos sirva e seades pagada.

181 "Señora, grand mesura vos fizo descender,
Ca yo non lo podria servir nin merescer,
Tal servicio que siempre vos quepa en plazer
[...]   -er.

182 Por tal que la pudiese altamente honrrar
A los nobles perlados emvióles a rogar
Que todos se quisiesen en uno ajuntar,
Que les queriá a todos sus cosas demostrar.

183 Bien como si de Dios hobiesen mandamiento,
Así se removieron a complir su talento
De santos arzobispos ajuntó grand convento,
De abades bendictos fueron y más de ciento.

184 Como todos los clérigos seguián entonz' bondat,
Vivían d' un talante e d' una voluntat,
Llegaron a Toledo, la muy noble cibdat,

Ond' fueron recibidos con muy grand voluntat.

185 Reciviólos Alfonso, así como venian;
A todos con grand honrra segund que merecian,
Fízoles dar posadas qual les pertenecian,
De sí mandóles dar cuanto mester habian.

186 Pués que fue en la cibdat toda la clerezía,
Por razón del trabajo e de la luenga vía,
Fízoles que folgasen fasta 'l tercero día
Faziéndoles a todos toda plazentería.

187 Enviábalos a ver demientra a rogar
Que en el cuarto día se fuesen a juntar,
En la fe que queria predicar e mostrar
Lo que queriá con ellos veer e ordenar.

188 Él fue muy gozoso e bienaventurado.
— "Sea dicho, señores de Dios galardonado,
El trabajo tan grand' que habedes tomado,
[...]   -ado".

189 Dijieron alta misa con muy grand devoción,
Pués fízoles Alfonso el muy noble sermón,
Cómo por don Adán fuemos en perdición
E Jesucristo vino por nuestra salvación.

190 Fabló muy altamente de la virginidat,
De la reina Señora, complida de bondat,
E cómo ordenó toda la cristiandat
Quien como Dios fió de la humanidat.

191 Fablóles cómo fue del ángel saludada,
Cómo después del parto non fincó violada,
Cómo al par del fijo está glorificada.
Fabló después en cabo de esta coronada.

192 Afirmaba después de su Hijo nacer,
Tanto seamos, diz' demás más despender,
Qu' en España que antes solían mejor creer,
Qué gente podríamos en el mundo de ber.

71

193 — "Señores, dixo, fama mala desaguisada
Non queremos que finque en vuestra encontrada,
Mas en España ha la Virgen coronada
Servicio especial e honrra señalada.

194 "Todos· habedes parte de muy nobles perlados,
Pues que aquí sois todos en uno ajuntados;
Si lo en ordenar fuéredes acordados,
Sobre quantos vivimos fincaredes honrados.

195 "Si me lo otorgase la vuestra santidat,
E ferlo quisiesedes con toda humildat,
Faremos una fiesta de gran solemnidat
De la preciosa madre, flor de virginidat.

196 "Si por lo bien sobiésedes yo por bien lo ternía,
D' aquí a Navidat por que Santa María
Vos gane de su fijo ca es madre complida,
Que nos guíe a todos en esta carnal vía.

197 "Ella que es señora madre, dueña honrrada,
Si de vos todos fuese servida e honrrada,
Recibredes del fijo gualardón e soldada,
¡Viésemos la su faz bendicta e honrrada!

198 "Si así l' otorgase vuestra benignidat,
Léanse los maitines de la solemnidat
Sirviésemos la Virgen e su virginidat".
Allí dijieron todos: — "Pláz'nos de voluntat.

199 "Esto que nos aquí habedes demostrado
Por lo complir así es razón e guisado,
Servimos a la Virgen todos de muy buen grado,
Perseverando siempre en el su alabado.

200 "Quantos de compañía, súbditos e perlados,
Cada uno por sí e todos ajuntados,
Bien así como fijos le seremos mandados,
Que en todas las maneras somos por vos honrrados.

201 "Así vos quiso Dios de sus bienes complir,

Ca es muy grand razón de vos siempre servir
E, si non lo fiziésemos, podriámos y fallir,
[...]   -ir.

202 "Señores, dijo él, buen gualardón hayades
De la Virgen María a quien vos humillades,
Que yo no só tan digno por que m' obedescades,
[...]   -ades".

203 Fueron después de esto todos a su yantar
Pués qu' hobiesen comido, pensaron de andar;
Algunos con Alfonso quisiéronse fincar,
Quanto habién mester mandábagelo dar.

204 Pués que se espidieron e se fueron su vía,
Fincó maestr' Alfonso con la su clerezía
El gozo que fazian dezir non lo podría,
[...]   -ía.

205 Viño luego un día, una fiesta honrada,
D' una Virgen preciosa que fue martirizada,
En la noble cibdat que vos ya he contada:
Santa Locadia fue esa virgen honrrada.

206 Como era Alfonso de gran benignidat
Fue la fiesta honrar con gran solemnidat;
Todos fueron con él por la fiesta honrrar,
[...]   -at.

207 Estando 'n el altar todos con devoción,
Fizo el arzobispo la su contemplación,
El príncipe e los otros fazián su corazón
Com' habiá cada uno a muy grand devoción.

208 Estando l' arzobispo d' inojos en la grada,
Al pie, la sepoltura que está bien cerrada,
Salió doña Locadia, la bien aventurada,
E fuelo abrazar, loada e pagada.

209 Teniéndol' abrazado dijo en esa hora:

—"La vida de Alfonso loa la mi Señora".
Dezián los que y seyan: —"¡Qué dignamente ora!,
Bien puede rescebir lo que oist' agora".

210 Aquello dixo él por la Virgen sagrada,
Que por los traidores malament' enfamada,
E fue por don Alfonso la verdat apurada,
E fue la falsedat de la tierra echada.

211 Dexól' doña Locadia, e íbase su vía,
Al príncipe tornóse ca cerca lo tenía,
E tomól' un cuchillo muy bueno que traía
[...]   -ía.

212 Fues' a la sepoltura la virgen gloriosa,
E, com' ante estaba, encerróse la losa.
Fueron much' espantados todos de esta cosa,
Mas teniá don Alfonso la voluntad fablosa.

213 —"Amigos, dixo él, lo que agora viestes
Por vos lo fizo, esto, porque aquí viniestes,
E pues todos tal cosa vos veer meresciestes,
Sea muy bien guardado esto qu' aquí oyestes".

214 Envolvió aquel velo en cendal muy presciado,
E con él el cuchillo que lo habiá tajado,
Pues que tan santa cosa tajar era entrado,
De tajar cosas viles fuese siempre guardado.

215 Esto todo pasado vino 'l dezeno día,
Fazer queriá la fiesta que vos antes dizía.
Levantóse Alfonso al hora que solía,
Por dezir los maitines de la Virgen María.

216 Yban con él los clérigos e otras muchas gentes,
E lebaban delante muchos cirios ardientes.
Quan' fueron a la puerta, pararon dentro mientes.
[...]   -entes.

217 Vieron grand claridat, non la podián sofrir,
Todos como estaban comenzaron foir;

Llegóse a la puerta e fízola abrir.
Fues' para el altar como solía hir.

218 Pués fizo reverencia delante del altar;
Paró mientes, e vio la Gloriosa estar
Allí do él solia al pueblo predicar;
Comenzaron los ángeles, dulces voces, cantar.

219 Estaba y la Reyna muy bien acompañada
De dos coros de vírgenes e d' ángeles cercada;
Llamó a don Alfonso la Virgen coronada;
Llegósele sin dubda, la capilla tirada.

220 — "Fijo, dijo la Virgen, en toda vuestra vida
Fui siempre por vos, fijo, honrada e servida,
Esta fue la razón que fize mi venida:
Por vos cumplir la honrra que habiá prometida.

221 "Ca sodes del mi fijo en todo su vicario,
Sodes mi capellán e mi fiel notario.
En señal que habredes otro mejor salario,
.[...]   -ario.

222 "El salario será quan' de aquí fuerades
Para reinar conmigo como vos merescades;
Demientra, tomat esta casulla que vistades
Quan' dixéredes misa en las solemnidades.

223 "Mi fijo vos envía aquesta vestidura
Que nunca vistió home de ninguna ventura,
Nin vos la vestirá, nin habrá ende cura,
[...]   -ura.

224 "Mió fijo e señor non quiera consentir
Que non la haya otro se non vos a vestir;
Habrá qui la probare mala muert' a morir:
Por ninguna manera non podrá end' foir".

225 La reyna fabló a su fijo leal,
Así como si fuere su fijo natural;
tomó él la casulla de presciado cendal,
Mísola la Gloriosa del rey celestïal.

226 Fuese la Gloriosa al su santo logar,
  El él fincó muy ledo, non debemos dubdar;
  Salió a los de fuera e fízolos entrar,
  [...]   -ar.

227 Quan' no vio a la Virgen, se quiso revestir;
  Amostró la casulla que oístes dezir,
  Así podián los ojos de todos relozir,
  E de cuál color era, non podían dezir.

228 Salíanla a ver todos los toledanos,
  Los pobres e los ricos, los niños e los canos,
  E todos los enfermos luego tornaron sanos,
  Rindián gracias a Dios alzando las sus manos.

229 Virtut e claridat pusiera Dios en ella
  Que así relumbraba com' oro ó estrella;
  Desí el que sus manos podiá poner sobr' ella,
  De toda enfermedat perdía la querella.

230 Poniá la claridat en todos alegría,
  Sanaba la virtud de toda malatía,
  Diziá todo el pueblo e toda clerezía:
  — "Glorificado sea rey que tal don envía".

231 La madre piadosa que quiso descender
  Ordenó por sí mesma el presente traer,
  Vesitando el siervo para nos bien fazer:
  Siempre glorificado de nos debe seer.

232 Ciudat de Toledo, en buen punto poblada,
  Cómo fuiste e eres de todos ensalzada,
  Que eres de la madre del Señor vesitada
  Por que te dieran todos la vienaventurada.

233 El Señor que nos quiso atanto bien fazer,
  La Madre gloriosa que lo quiso traer,
  A est' que sobre todos lo sabe gradescer,
  Que todos non podrian servir nin merescer.

234 La reina gloriosa, madre de piedat,

Bendixo a Alfonso por cuja santidat
Era oy ensalzada Toledo la cibdat,
[...]   -at.

235 Toda la gent' andaba en demás muy gozosa
Mostrando que tenie la voluntat sabrosa,
Para servir a Dios e a la Gloriosa
Que le así honrraron de atán noble cosa.

236 Vibió despúes gran tiempo el bendicto perlado,
Fasta que quiso Dios e hobo por guisado
De lo levar al reyno que l' teniá parejado
E a todos los justos que le sirven de grado.

237 Aquel alma perfecta de toda santidat,
Leváronla los ángeles con muy grant claridat,
[...]   -at,
[...]   -at.

238 A la hora que fue ante Dios presentada
Fue much' honrradamente con la gloria honrada,
[...]   -ada,
Que fincaba de padre e de pastor menguada.

239 Lloraba firmemente toda la clerezía
Diziendo que tal padre nunca lo cobraría;
Duelo faziá el pueblo e la caballería;
Tomaba gran quebranto qualquier que lo veía.

240 Los pobres sobre todos andaban quebrantados
Diziendo: — "Señor padre, malos nuestros pecados,
Nos han en todas guisas ciegos e estragados,
[...]   -ados".

241 Non fincaba ninguno en toda la cibdat,
Nin viejo nin mancebo de pequeña edat,
Que non fiziese llanto de toda voluntat,
Mas acorriólos Dios en esta quejedat.

242 Quan' el cuerpo llevaban non semejaba muerto,
Tan blanco parescia como nieve del puerto,

Allí tomaron todos plazer de grant esfuerzo
Diziendo que fazian en llorar un grand tuerto.

243 Desde la hora tercia, pués que fue bautizado,
Estido por tres horas así glorificado,
Por end' estaba 'l pueblo mucho marabillado,
Pero al medio día tornó al su estado.

244 Nunca fue en el mundo rosa nin otra flor,
Especia nin ungüento que diese tal olor,
Todos eran parados, seyén en derredor,
Bendezián a la Virgen e al nuestro Señor.

245 Si vinián paralíticos e qualesquier dolientes
Eran d' él consolados, ellos e sus parientes,
Mas non podián llegar tantas eran las gentes,
Faziánse batizar qui non erán creyentes.

246 Soterraron el cuerpo con grand solemnidat,
Rogáronl' e pidiéronle con muy grand humildat
El que les acorriese en la necesidat,
E hobies' en comienda a aquella cibdat.

247 Juntóse el cabildo a día señalado
Acordáronse todos en escoger perlado.
Escogieron a uno, en fuerte punto nado,
Su nombre era tal, este fue d' es' estado.

248 Plugo con él a todos luego de la primera,
Mas non siguió la vida, nin tomó la manera
De su antecesor, nin fue esa carrera,
[...]   -era.

249 Pués que se vio el loco arzobispo alzado,
Tomó muy grand soberbia el malaventurado,
Por que lo hobo Dios así desamparado,
Que le fuera mejor morir en otro estado.

250 Fue por dezir la misa una fiesta honrrada;
Demandó que le diesen la casulla sagrada,

La que la Virgen hobo a don Alfonso dada
Valiéral' más folgar en esa su posada.

251 Respondiéronle todos aquesta noble cosa:
— "A todos nos semeja que era peligrosa,
Que mucho l' defendió la Virgen gloriosa,
Et vos, señor, guardatvos de la haber sañosa.

252 "Señor, complir debemos la vuestra obediencia,
Mas nos tememos mucho de caer en falencia".
Dixo él: — "Nos habemos de vestirla licencia;
Luego vayan por ella, sin otra detenencia.

253 "Como era perlado nuestro antecesor,
Bien así somos nos, perlado e pastor,
Como nos escogiestes por non fazer menor,
[...]   -or".

254 Salieron bien asmados a complir su mandado,
Por ella 'l tesorero fue luego muy sin grado;
E quísola vestir el malaventurado,
E fuera muy mejor que non fuese levado.

255 Así como primero probó por la vestir
Non lo quiso la Virgen nin Christo consentir,
Ca hobo él so ella mala muert' a morir,
Una muerte tan fea que non queriá dezir.

256 Echando sobre sí la santa vestidura,
Así lo apretó al ome sin ventura,
Que lo fizo partir por medio la cintura;
Ond' non pesó a muchos, nin havián ende cura.

257 El soberbio lozano de muy mal entender
Dándol' consejo sano, non lo quiso creer;
Por que d' aquella muerte non puede estorcer,
[...]   -er.

258 Mandaron la casulla al tesoro levar
Con las otras reliquias que oístes contar.
Dende en adelante pugnaron de guardar,

E como non fiziesen a la Virgen pesar.

259 Así San Alifonso hobo ende cuidado
Por honrar a la Virgen e fue d' ella honrrádo;
Despreziólo el suzio, com' home mal fadado,
E fue con grand derecho d' ella desmamparado.

260 Por todas estas honrras que yo vos he contadas,
E por las otras cosas que fueron después dadas,
Maguer son en España cibdades muy granadas,
Toledo es honrrada entre las muy honrradas.

261 Esta noble cibdat que habedes oída,
Pobláronla los godos, grande es descogida;
Disí sant Eugenio fizo y su venida,
Aquél que de primero la hobo convertida.

262 Otro obispo hobo el pueblo toledano,
El qual, segund leí, dizían don Juliano:
E es la santa fiesta d' aquel santo christiano
A tres días de marzo entrado el verano.

263 Pués hobo en Toledo muchos buenos cristianos
Por los quales vinieron los que vos he nombrados:
Sant Eugenio fizo muchos buenos criados,
Después a don Alfonso que fue de los honrrados.

264 Así Sant Eugenio non sé quál es mejor
Fue cada uno d' ellos perlado e pastor:
El primero fue mártir, el otro confesor,
Por los quales Toledo recibió grand honor.

265 Ahora, mis señores, vos conviene rogar
A estos santos padres que nos quieran guardar;
Del mortal enemigo, las almas nos salvar;
Que podamos con ellos en el cielo rogar.

266 Este que lo compuso en aquella manera
Por una dueña Virgen cuyo amigo era,
La Virgen e reyna sea su madre vera,
Qu' en penitencia fine es cosa verdadera.

267 Reynaba don Alfonso cuando él lo fazía,
 Fijo del rey don Sancho e de doña María;
 Astragaban los moros toda 'l Andalucía,
 Pero si él quisiere consejo nos pornía.

268 Rogar a Jesuchristo nos quiera perdonar,
 E nos traya aína Paradiso andar,
 E los que sin él pugnan confonder e dañar,
 A ellos eche Dios d' este nuestro lugar.

269 El de la Magdalena hobo enant' rimado
 Al tiempo que de Úbeda era beneficiado;
 Después, quan' esto fizo, viviá en otro estado,
 [...]   -ado.

270 La que por ella s' fizo, dueña es muy honrada,
 Como ella hay mucha buena dueña honrada,
 Que vea en los cielos la faz de Dios pagada,
 [...]   -ada.

271 A ellos e a nos, háyanos en comienda,
 Por que vayan las ánimas al cielo sin contienda,
 [...]   -enda
 [...]   -enda.

272 El que en este mundo nasció de madre pura,
 Me dé en este siglo paz e buena ventura,
 E nos lleve al regno do él por siempre dura,
 [...]   -ura.

CONCORDANCIAS DE LA
TRANSCRIPCION DEL
MANUSCRITO

a (prep.), 3a, 4a, 5a, b, 6b, 7b, c, d, 8b, 8bis c, 9a, b, 14c, 15b, 17a, c, d,
  18c, 19b, d, 22a, b (dos veces), 27b, 37b, 38a, 41a, c, 42, d, 43, a, b,
  d, 47b, 49a, b, 50c, 51b (dos veces), c, d, 52c, 53b, c, 56b, 57c, 59b,
  60b, d, 61b, c, 65d, 66c, 68b, 69c, 73c, 76a, 77a, b, 78b, c, 81c, 82b,
  85c, 87a, 90d, 92c, d, 95a, d, 96b, c, 97b, 98d, 99a, d, 103c, 104b,
  106c, 107d, 112a, d, 114c, d, 115c, 116c, 118d, 120b, 125b, 127c,
  130a, c, d, 131a, 138d, 140d, 144b, 146a, d, 148c, 149b, 153a,
  154b, 156b, 157a, 160b, d, 162a, 166c, 170c, 172a, b, 173b, c,
  178b, 179d, 181a, 182b, d, 183b, 184c, 185b, 186d, 187, a, b,
  196d, 198c, 199c, 202b, 203a, 207d, 214c, 215c, 216c, 217c, 218d,
  219c, d, 224c, 225a, 226c, 227a, 228d, 231b, 233c, 234b, 235c,
  238a, 244d, 247a, c, 248a, 250c, 251b, 254a, 255c, 256d, 258c,
  259b, 262d, 263d, 265b, 268a, b, 271a.

a (pres. ind. *haber*), 117a.
ababamiento (error por *alabamiento*), 199d.
abad, 75c, 81c, d, 183d.
abadia, 74a, 150b.
abat, 82a, 85a, 87a, 90a, 91a, 92b, 94d, 95b, 98a, 104b, 105a, 106a,
  114c, 119b, 124b, 130a.
avedes, 44c.
abondado, 142b, c.
aborrir, 109c.
abrazado, 209a.
abrazar, 52a, 107b, 208d.
abrir, 217c.
acabado, −a, 26b, 123c, 140c, 147d, 170c, 174b, 179d, 180c.
acabar, 167d.
acompañada, 103b, 219a.
acordado, −s, 149a, 194c.
acordar, 126c.
acordaronse, 247b.
acordo, 173b.
acorriese, 246c.

acorriolos, 241d.
acuciaba, 41b.
acuerdo, 125b.
Adan, 189c.
ademas, 152a.
adosir, 109b.
adresar, 27a.
aduyas, 12b.
advenimiento, 163b.
afirmaba, 192a.
afuera, 131c.
agora, 75a, 209d, 213a.
aguisaba, 41c.
aguisado, 236b.
ahora, 265a.
al (contracción), 5b, 6d, 12b, 17a, 24b, 37b, 42b, 50d, 55a,b, 60c, 61d,
      62c, 75b, c, 82a, 104a, 120d, 129d, 135b, 136d, 139d, 145d, 150b,
      155b, 208b, 218c, 226a, 236c, 243d, 244d, 256b, 258a, 269b,
      271b, 272c.
al (pron.), 14b, 84a, 113d, 129c, 160b.
alabamiento, 146d.
alaban, 115c.
alabar, 9b.
alabas, 10b.
alavo, 165c.
albores, 144c.
alegre, 113b, 119a.
alegria, 12b, 52d, 59a, 102d, 108c, 150c, 230a.
Alfonso, 14b, 21c, 27b, 32a, 40d, 55d, 56b, 65d, 68a, 74d, 78b, 81a,
      82a, 87b, 94b, 99a, 120a, 123a, 127c, 128a, 132a, 141b, 145a,
      150d, 161a, 185a, 204b, 206a, 209b, 210c, 212d, 215c, 219c,
      234b, 250c, 263d, 266d.
algo, 8 bis b, 13c, 65c.
algun, ‑a (adj.), 6c, 10c, 21b, 21c.
alguno, ‑s (pron.), 21b, 131c, 154c, 203c.
Alifonso, 259a.
alma, 21d, 83c, 112d, 136c, 137d, 140d, 237a.
alongado, 81a.
alta, 189a.

86

altamente, 182a, 190a.
altar, 75b, 92a, 207a, 217d, 218a.
altesa, 163d.
alumbradores, 144d.
alzado, 249a.
alzando, 228d.
alzo, 176c.
allegóse, 87a.
allí (adv. lugar), 218c.
allí (adv. tiempo), 52c, 122c, 170a, 198d, 242c.
amaba, 20a, 39b.
amaban, 154b.
amado, -s, 105c, 151c, 254a.
aman, 9b.
amar, 14c, 67a.
amanescio, 108b.
Ambrosio, 43b.
amenasando, 80c.
amigo, -s, 3b, 27c, 213a, 266b.
amonestat, 33b.
amor, 16b, 66a, 99a, 173d.
amos, 52c.
amostro, 227b.
anda, 83b.
andaba, 235a.
andaban, 240a.
andar, 203b.
andar, 'ir', 268b.
andande, 63d.
Andalucia, 267b.
angel, -es, 9b, 141a, 164a, 191a, 219b, 237b.
anima, -s, 84b, 271b.
animo, 38b.
ante, 41b, 102a, 132c, 212b, 238a.
antecesor, 248c, 253a.
antes, 192c, 215b, 217d.
año, -s, 15a, 24a, 43a, 45a, 132a.
aparejado, 236c.
aprender, 18d, 36c.

aprendia, 19a, 41a.
aprendio, 39a.
apreso, 143b.
apresurado, 35c.
apretó, 256b.
apuesta, 14a.
apurada, 210c.
aque (adj. demostr.), 75c.
aquel, aquella (adj.), 109b, 121d, 122a, 154a, 209a, 214a, 237a, 246d,
    257c, 262c, 266a.
aquel (pron.), 261d.
aquello (pron.), 210a.
aqueste, −a (adj.), 2a, 8b, 62b, 64a, 96d, 132a, 134c, 251a.
aquesto (pron.), 7a.
aqui, 105c, 108c, 112c, 126a, 127d, 194b, 196b, 199a, 213b, d, 222a.
arcediano, 67b.
arcidiano, 85a, 89a, 95c.
ardientes, 216b.
arenas, 167a.
argumentos, 40c.
arguso, 175d.
arrogar, 84c.
arte, 166b, c.
arzobispo, 26a, 53a, 56a, 65a, 94c, 97c, 174c, 183c, 207b, 208a, 249a,
    262a.
asas, assas, 28a, 42a, 57a.
asentado, 151b.
asentar, 92c.
asi (adv.), 12b, 13d, 22c, 25b, 59c, 71d, 116a, 131a, 148a, 156b, 157b,
    183b, 199b, 201a, 227c, 235d, 243b, 249c, 253b, 256b, 259a,
    264a.
así como (comp.), 113b, 185a, 229b, 255a.
así como si (loc.), 225b.
asmando, 160a.
asocorrer, 13d.
asosegado, −a, 123a, 174a.
astragaban, 267b.
aun, 128b.
Ave María, 4d, 15b.

aventura, 68c.
ayna, 268b.
ayudar, 84d.
ayudare, 1a.
ayudas, 166c.
ayudo, 24d.
ayuno, 69b.
ayuntado, −s, 151a, 203a.

barba, 119b.
batisar, 245d.
bautizado, 243a.
beber, 69a.
bendesian, 244d.
bendesir, 61a.
bendiciendo, 64c.
bendicion, 47a, 49c, 93c.
bendicto, −a, 108b, 133d, 183d, 197d, 236a.
bendicho, −a, 52b, 57c, 63a, 91d, 142b.
bendito, 49a, 76a, 92b.
bendixo, 234b.
beneficiado, 269b.
veneficio, 43c.
benignidat, 133d, 198a, 206a.
benigno, 153c.
besando, 53b.
besar, 17d, 52b, 60b, 107a.
besasen, 18c.
beso, 51b.
vestia, 'animal', 28a.
bezena, 4a.
bien, 4b, 5b, 12c, 23c, 26b, 33c, 40b, 54b, c, 57a, 60d, 62d, 63d, 71d,
    72b, 73b, 74b, 76b, 83b, 99b, 100a, 103b, 110a, 122b, 128b, c,
    132a, 135a, 142b, 151c, 164a, 168d, 196a, 208b, d, 213d, 219a,
    231c, 233a, 253b, 254a.
bien, −es, 'riquezas, favores, ¿sabiduría?', 4b, 25b, 109b, 119c, 156a,
    201a.
bien como si, 183a.

bien aventurado, -a, bienaventurado, 23d, 35d, 123d, 143b, 188a, 208c.
vienaventurada, 232d.
blanco, 242b.
bofordando, 53d.
bondad, bondat, 24d, 82c, 142a, 143a, 154a, 161b, 184a, 190b.
buen, -o, -a, -os, -as, 6a, 8 bis c, d, 21c, 30b, 32a, 40a, b, 62c, 65a, b, 69d, 87d, 90b, 103b, 104a, 105b, 106a, 112b, d, 119a, 121a, 125c, d, 130c, 143a, 144b, 147c, 149c, 152b, 160d, 162c, 173b, 199c, 202a, 211c, 263a, c, 270b, 272b.

ca, 8 bis b, 12d, 49c, 63b, 79b, 86a, b, 88c, 104c, 110c, 118b, 143d, 172b, 177c, 255c.
cabada, 122c.
caballeria, 239c.
cabeza, 176b.
cabildo, 79a, 247a.
cabo, 76d.
cada uno, 200b, 207d, 264b.
cae, 71c.
caer, 252b.
calongia, 74c, 80c, 94d, 152a.
camara, 65a.
campo, 167a.
canonigo, -s, 114c, 144b.
canos, 228b.
cantaban, 130a.
cantando, 92a.
cantar, 92b, 218d.
cantat, 129d.
capellan, 221b.
capilla, 176b, 219d.
cara, 174c.
caridat, 10c, 90d, 154b, 165a.
carnal, 118a, 157c.
carrera, 248c.
cartas, 27a, d, 28b, 32b, 33b.
castidat, 69b, 125a, 173d.
castigaba, 21c, 130d.

90

castigado, 35a.
casulla, 222c, 225c, 227b, 250b, 258a.
cathedral, 151b.
cavallero, -s, 2b, 152b.
cayedes, 101d.
celestial, 225d.
cendal, 214a, 225c.
cerca, 211b.
cercada, 219b.
cerrada, 208b.
cerrados, 40c.
cerrose, 212b.
certificados, 40d.
cesó, 172a.
cibdat, ciudad, ciudat, cibdades, 1d, 2a, 50b, 53c, 184c, 186a, 205c,
    232a, 234c, 241a, 246d, 260c, 261a.
ciegos, 240c.
cielo, -s, 9c, 140d, 142c, 143c, 172a, 265c, 270c, 271b.
cien, ciento, 86c, 183d.
cierto, 72a, b.
cintura, 256c.
cirios, 216b.
clara, 62c, 106b, 173c.
claridat, 217a, 229a, 230a, 237b.
cleresia, 'instrucción', 25c.
cleresia, 'conjunto de clérigos', 29a, 87a, 150a, 152d, 186a, 204b, 230c,
    239a.
clerigo, -s, 28c, 32c, 147b, 154b, 171d, 184a, 216a.
clerisia, 'conjunto de canónigos', 149a.
clerisia, 'instrucción', 45b.
cobdicia, 158b.
cobrado, 177d.
cobrando, 170d.
cobraria, 239b.
codicia, 71a.
cofrade, 144b.
color, 227d.
com, 212b.
comenzaron, comensaron, 52c, 107d, 153a, 217b, 218d.

comenzastes, 109d.
comenzo, comenso, 92d, 176d.
comer, 69a.
comido, 57a, 203b.
comienzo, 30b.
como, 7d, 16a, 19a, 65b, 68b, 83a, 90b, 94b, 95b, 112b, 117d, 135a,
    151c, 156a, 157a, 159b, 161a, 184a, 189c, d, 190c, d, 191a, b, c,
    206a, 207d, 217b, d, 222b, 225c, 232b, 242b, 253a, c, 258c, 259c,
    270b.
como quier que, 84a.
compaña, 21a, 91b, 141a.
compañeros, 22a.
compañia, 87b, 200a.
compasion, 16d.
complacencia, vid. *con plasencia.*
complido, -as, -os, 2a, 93b, 124a, 125a, 138c, 142a, 190b, 196c.
complimiento, 146a.
complir, 'colmar', 61b, 201a.
complir, 'efectuar', 8 bis c, 11a, 31b, 58a, 76b, 137c, 183b, 199b, 252a,
    254a.
complire, 33d.
compliese, 103d.
componer, 1b, 170b.
compusiestes, 177c.
compuso, 175b, 266a.
con, 4b, 6b, 8 bis c, d, 12c, 15b, 16c, 21a, c, 27d, 42b, 48c, 50a, b, c, 52d,
    55b, 56c, 58c, 59b, 65b, 68d, 80b, 82b, 86a, 93a, 98b, 102d, 103b,
    c, 104b, c, 106b, 110a, 114b, 115b, 120c, 121a, b, 139a, 144b,
    149a, 150a (dos veces), c, d, 154b, 184d, 185b, 187d, 189a, 203c,
    204b, 206b, c, 207a, b, 214b, 216a, 237b, 238b, 246a, b, 248a,
    258b, 259d, 256c.
conbidar, 56a.
concebir, 7c.
confesor, 1c, 32b, 264c.
confirmando, 130b.
confonder, 268B a.
confondido, 96b.
confondir, 156b.
conmigo, con migo, 98c, 100b, 126c, 222b.

conocer, 'saber, aprender', 18a.
conortado, 'consolado, satisfecho', 131d.
conoscedes, 54b, 113c.
conosciendo, 171b.
conosciole, 77a.
con plasencia, 47c.
conplida, 14c, 134a.
consejo, 257b, 267c.
consentimiento, 37c.
consentir, 169a, 224a, 255b.
consigo, 3d.
consolacion, 47b, 141d.
consolada, 140b.
consolados, 245b.
consolola, 132c.
contado, -as, 151a, 205c, 260a.
contar, 148b, 258b.
contemplacion, 207b.
contienda, 'esfuerzo', 271b.
contigo, 12d.
contra, 178a.
contrario, 89c.
conusco, 'con nosotros', 48b.
comvento, convento, 91d, 146c, 183c.
convertida, 178b, 261d.
conviene, 60c, 265a.
con vusco, 'con vosotros', 105c.
corazon, corason, 8 bis c, 36a, 47c, 64c, 67a, 118a, 139a, 207c.
coronada, 13d, 119c, 140a, 180a, 193c, 219c.
coros, 219b.
corronper, 69b.
cortada, 'débil', 133a.
cortesia, 172d.
cosa, -s, 115d, 155c, 169a, b, 182d, 212c, 213c, 214c, d, 235d, 251a,
    260b.
Cosme, 75b.
costado, 'afligido', 131c.
costumbres, 21d.
creado, 43b.

creciendo, 16a.
creencia, 86c.
creer, 2d, 45c, 192c, 257b.
creo, 46c.
crescia, 16b, d, 153b, d, 154c.
crescian, 16c.
cresciendo, 38a, 179c.
creyentes, 245d.
creyesen, 160b.
cria, 158b.
criado, −s, 23b, 27b, 31a, 40a, 44b, 52b, 55a, 263c.
criastes, 43a.
criatura, 14a, 137b, 161a.
cristiandat, 162a, 173b, 190c.
cristianos, 166a, ‘263a.
Cristo, 1a.
crueldat, 130d.
cruz, 67d.
cual, 100d, 128d, 139d, 227d.
cuamto, 17a.
cuando, 15a, 18a, 22a, 106a, 116b, 175d, 266d.
cuano, 17c, 42a, 81d, 82a, 161b.
cuan no, 59a.
cuanto, vid. *cuamto.*
cuanto, −a, −os, 25c, 44c, 46d, 55c, d, 65c, 66d, 78a, 80a, 83b, d, 98c,
     108d, 129b, 138a, 185d.
cuarto, 187b.
cuchillo, 211c, 214b.
cuerdas, 71c.
cuerdo, 153b.
cuerpo, 38b, 144a, 242a, 246a.
cuidado, 76b, 101a, 123b, 136c, 153d, 179c, 259a.
cuidar, 84a, 155c.
cuidemos, 108c.
cuita, 95a.
cuja, 234b.
cumple, 35b.
cumplir, 35c, 84c, 220c.

94

cumplire, 34b.
cura, 14b, 137c, 223c, 256d.
cuyo, 74d, 266b.
Cyriaco, 159b.

chicos, 19b.
christiano, 262c.
Christo, 255b.

D, 215c.
da, 110c, 163c.
dad, 31b.
dado, −a, 101b, 177a, 250c, 260b.
damos, 129a.
dando, 257b.
daña, 21d.
dañar, 156b.
dar, 6c, 8b, c, 17b, 30b, 36b, 41c, 65a, 85a, 99b, 110b, 185c, d, 203d.
dará, 112d.
daria, 61d.
das, 143b, 180d.
dat, 88a, 145b.
de, 1c, 2a, c, 3b, d, 4c, d, 5d, 6d, 9c, 10b, 11c, 14b, c (dos veces), 15a,
    16b, d, 19a, 21a, 24c, 27c, 29a, c, 30d, 31a, d, 32c, 33b, c, d, 36d,
    38c, 39a, 40b, d, 41c, 42a, 47c, d, 48c, 50b, d, 51a, 55c, 60b, c, 61d,
    63b, 64c, 65c, 67a, c, 69a, 70a, 72a, 73a, 75c, 76b, d, 83a, 85b, 89a,
    90b, 91b, d, 92b, 93b, 94c, d, 95b, 96c, 99b, 100d, 101a, 107c, d,
    109c, 113d, 114a, 115a, 118a, 123b, c, 124a, c, d, 125a, 126a, 131b,
    c, 133b, c, 134b, 135b, d, 136c, 137a, d, 139d, 141a, 142a, 143a, c,
    144a, 145a, 146c, d, 148a, c, 149c, 151c, 152a, d, 153d, 154a, 155c,
    157d, 159a, 161b, 162a, b, 165a, b, c, 166a, d, 167a, c, 168c, d,
    169a, d, 170b, 173a, c, 174c, 176b, d, 178a, 182b, 183a, c, d, 184b,
    185d, 186b, 188b, 190a, b, d, 192, a, d, 194a, 195c, d, 196b, c, 197b,
    198b, d, 199c, 200a, 201 a, b, 202b, 203a, b, 205b, 206a, 208b,
    209b, 210d, 212c, 214d, 215d, 217b, 219b, 222a, 223b, 225c, d,
    226c, 227c, d, 229d, 230b, 231d, 232a, 232c, 234a, 235d, 236c,
    237a, 238c, 241b, c, 242c, 243a, 248a, c, 251d, 252b, c, 256c, 257a,
    c, 258c, 259b, 261d, 262c, d, 263d, 264b, 267a, 269a, b, 270c,
    272a.

de, por *do*, 5d.
de quier que, 41d.
de, del verbo *dar*, 48d, 272b.
debe, 2d, 231d.
debemos, 166b, 226b, 252a.
deben, 116d.
debo, 61b, 84a, b, 85c.
debrá, 101c.
decia, 18d.
defendio, 251c.
dejar, 134d.
dejedeste, 99d.
dejolo, 78c.
del, 5c, 9a, 53a, 54b, 57c, 68a, 74a, 94d, 101b, c, 115b, 116a, 133c,
    135d, 138c, 146b, d, 148d, 163b, 164a, 167a, 171c, 172a, 186b,
    191a, b, c, 197c, 198b, 218a, 221a, 225d, 232c, 242b, 265c.
del, de + él pron., 28c, 67b, 107c, 131d, 132b, 156c, 245b.
delante, 53d, 216b, 218a.
della, -s, 28a, 259d.
demandado, 31d.
demandó, 81c, 250b.
demas, 192b.
demostrado, 199a.
demostrar, 187c.
dende, 10c.
dende en adelante, 258b.
dendo, 98c.
dentro, 81b, 216c.
deprender, 25c.
derecho, 259d.
des ende, 174a.
desaguisada, 193a.
desamparados, 162b.
descender, 55b, 181a, 231a.
descogido, 261b.
desde, 108c, 122a, c, 170a.
deseando, 114d.
deseno, 215a.
deseosa, 62a.

96

desestado, 247d.
desgradecer, 116c.
deshonrado, 96b.
desi, 229c.
desia, 68c, 114a, 119b.
desian, 4a, 93c, 209c.
desides, 98b.
desierto, 72c.
desir, 11b, 31a, 61c, 95a, 117a, 204c, 215d, 227b, 250a, 255d.
desleal, 160a.
desmamparado, 259d.
desmamparamiento, 163a.
desmampararemos, 163b.
desomo, 176b.
des«p»amparado, 249c.
despedicion, 47d.
despegado, 101c, 131b.
despender, 192b.
despidiose, 50a.
despresiolo, 259c.
despues, 60d, 110d, 112d, 142B c, 164d, 189b, 191b, d, 192a, 203a, b,
    236a, 260b, 263d, 269c.
despues que, 80b, 146a, 170c, 179a, 186a, 203b, 243a, 249a, 263a.
desputaran, 40c.
deste, 12a, 163a.
desterrados, 162c.
destraidores, 168d.
destruir, 95d, 168c.
desuso, 175c.
desviar, 78b, 156c.
detenencia, 252d.
deudo, 98c.
Deum, 129d.
devocion, 6b, 8 bis d, 16b, 64b, 93b, 110a, c, 189a, 207a, d.
devosion, 114b.
dexanonse, 92b.
dexole, 211a.
deznardar, 98d.

dia, −s, 4c, 37a, 48b, 60a, 87d, 93a, 94a, 96d, 108b, 140c, 152b, 175a, 186c, 187b, 205a, 215a, 247a, 262d.

de dia, 12d, 45a, 172c.

diablo, 155a.

dictado, 170b, 177c, 198b.

dicho, 188b.

de dicho, 131d.

dichos, 114a.

dieran, 232d.

diese, 244b.

diesen, 120b, 250b.

digna, 7c.

dignamente, 209c.

dignidat, 130b.

digno, −s, 147c, 166d, 202c.

digo, 3a.

dijeron, 87d, 127d, 129a, d.

dijieron, 189a, 198d.

dijo, véase también *dixo,* 8a, 8 bis a, 27c, 34b, 42c, 46a, 57d, 77b, c, 85a, 108a, 125c, 128a, 133c, 138a, 142a, 145a, 202a, 209a, 220a

dio, 18c, 38b, 67d, 106c, 111a, 152c, 170c.

Dios, 5a, 6b, 19d, 30b, 38b, 43d, 44d, 46c, 47a, 48c, d, 58b, 59b, 69c, 74b, 76a, 82c, 84d, 90d, 93c, 99c, 100c, 101a, c, 105d, 110b, c, 116c, 118c, 123b, 124b, 125d, 126b, 127a, 148a, 152c, 155d, 157d, 165a, 172a, 183a, 188b, 190d, 201a, 228d, 229a, 236b, 238a, 241d, 249c, 268B b, 270c.

Dios dado, Diosdado, 75c, 81c, 95b, 105a, 119b, 124b, 125c.

Dios dar, 'Diosdado', 85a.

dis, 192b.

discipulo, 44b, 49a, 50a.

dise, 8 bis b.

disen, 12a.

disia, 215b, 230c.

disian, 152b, 244d, 262b.

disiendo, 239b, 240b, 242d.

distes, 135b, 180b.

dixeredes, 222d.

dixieronle, 3a.

dixo, véase también *dijo*, 23c, 33c, 54a, c, 57d, 58b, 61a, 62b, 87b, 89a, 90a, d, 95a, 97c, 105a, 161b, 177a, 180a, 193a, 210a, 213a, 252c.

do, 4c, 27d, 42d, 74b, 141d, 174b, 218c, 272c.

doce, 43a.

doctrina, 45c.

documentos, 40c.

doletvos, 137a.

doliendo, 171c.

dolientes, 245a.

dolor, 16d.

don, 3a, 27b, 32a, 40d, 55d, 56b, 65d, 74d, 77b, 78b, 82a, 87b, 94a, 102a, 122a, 123a, 132a, 141b, 144a, 150d, 161a, 185a, 189c, 204b, 206a, 210c, 212d, 219c, 234b, 250c, 263d, 266d, 267a.

don, -es, 230d, 174d.

dona, 4a, 208c, 211a.

donde, 136a, 155c, 158b, 180c.

doña, 15a, 19c, 59c, 100a, 102c, 103a, 108a, 118d, 120d, 132b, 267a.

dos, 15a, 24a, 117c, 219b.

dose, 45a.

dôte, 28a.

drescer, 18b.

dubda, 219b.

dubdar, 226b.

duelo, 107d, 148d, 239c.

dueña, -s, 6a, 13c, 14a, 103a, b, 104a, 107d, 114b, 115c, 119a, 146c, 266b, 270a, b.

dulce, -s, 15c, 63c, 218d.

dura, 70d, 272c.

ę, 1a, 2c, 3b, 4a, c, 5a, b, 6b, d, 7b, d, 8a, 8bis a, 9a, b, c, 10b, 12b, c, d, 13b, 14a, b, 16b, d, 17a, 18b, c, d, 19a, b, c, d, 20a, 21d, 22c, 23a, d, 26a, c, 27b, c, 28a, b, 29c, 30a, d, 31a, c, 32b, 35a, c, d, 36b, 37b, 38a, b, c, 39b, c, 42c(dos veces), 44a, b, d, 45a, b, 46c, d, 47a, c, 48c, d(dos veces), 49c, 50d, 51a, b, d, 53c, 54d, 57b, d, 58d, 60d, 61a, 62b, c, 63b, c, d, 65b, d, 66a, b, 67b, c, d, 68b, c, 69a, c, 73b, 74b, 77b, 78c, 80a, 81b, c, d, 82c, 84c, 86b, 87a, d, 88d, 90a, c, d, 91b, 92b, d, 94d, 95a, d, 96b, 99b, d, 100a, c, 102b, 104a, c, 105d, 106c, 107a, 108a, 110d, 111a, c, 112a, b, d, 113b, 114b, 115a, b, 116b, d, 119a, 120c, 121b, d, 122c, 123a, 124c, 126b, 127a, b, 130a, b, 131d, 134a, 135d, 138b, d, 141d, 142B b, c, 143a, c, e, 144b, 145b,

146b, c, d, 147a, 148d, 150a, c, 151c, 152d, 153b, c, 154b, 155a, d, 156b, 157c, 158a, b, c, d, 162b, 163c, d, 166c, 167a, b, c, 168a, 169d, 172a, c, 173d, 174d, 176c, 178c, d, 179b, c, 180d, 183c, 184b, 186b, 187c, d, 188a, 189d, 193d, 197b, c, d, 198c, 199b, 200a, b, 201c, 204a, 207c, 208d, 210c, d, 211c, 212b, 213c, 214b, 216a, b, 217a, c, d, 218b, 219b, 221b, c, 222a, d, 224a, 226b, c, 228b, c, d, 229a, 230c, 232b, 235c, 236b, d, 238c, 239c, 240c, 244d, 245a, b, 246b, d, 253b, 254c, d, 258c, 259b, d, 260b, 262c, 264c, 266b, 267a, 268b, 268B a, 269a, 271a, 272a, b, c.

é, 45c.

echaban, 5d.

echada, 210d.

echando, 256a.

echc, 268B b.

echó, 79b.

echose, 82b.

edat, 24a, 241b.

edificacion, 93d.

el (art.), 2d, 4c, d, 8 bis b, 9d, 15b, 21d, 23a, 30a, 31a, 32b, 33a, 36a, 37a, 38a, b, 46a, 49a, c, 50a, b, 52b, 53b, 55a, 56a, 57c, 60a, 65a, 68d, 70a, b, 71a, 72c, 76a, 77c, 79a, 81b, c, d, 85a, 87a, 89a, 90a, 91a, c, d, 92a, b, 93a, 94a, b, c, 95b, c, 96a, 97c, 98a, 101a, 104b, 105a, c, 106a, b, 107a, 114c, 115a, 117d, 118a, b, 119b, 120c, 121a, b, 123d, 124a, b, 127b, 139b, 140d, 142a, 144a, 147a, 148b, c, 149a, 150a, 151a, d, 155a, 160a, 164b, 165b, c, 170a, 174c, 175b, d, 183b, 186c, 187b, 188c, 189b, 192d, 199d, 204c, 207a, b, c, 208a, 211b, 214b, 215a, 217d, 222a, 224c, 229c, 230c, 231b, c, 233a, 236a, 239c, 242a, 243c, 244a, 246a, c, 247a, 249a, b, 252a, 253a, 254b, c, 257a, 259c, 262a, b, d, 264c, 265c, 267b, 268B b, 269a, 272a.

él (pron.), 16c, 21a, 22b, 25c, 29b, 30a, c, 36c, 41c, d, 50b, 51b, 55b, 57c, 64b, 66c, 90d, 92c, 104d, 107c, 111a, 114d, 130a, 131b, 135c, 138d, 142a, 149b, 171b, 179b, 180a, 187c, 188a, 201b, 202a, 203c, 206c, 210a, 213a, 216a, 218c, 225c, 226b, 248a, 252c, 255c, 266d, 267c, 268B a, 272c.

ella, -s, 7a, 8a, 13b, 32c, 49d, 64c, 105b, 107c, 109c, 110b, 145a, 177a, 197a, 219d, 229c, 252d, 254b, 255c, 259b.

ello, -s, 35d, 40b, 73a, 84d, 89c, 100c, d, 106c, 173d, 187d, 229a, 245b, 264b, 265c, 268B b, 270a, 271a.

100

ematarte, 166d.

empero, 24a, 160c.

empezo, 31a.

en, 1d, 2a, 5a, 7a, 10a, 13a, c, 15d, 16a, 18d, 20b, 21b, 22c, 23a, b, 24c, 25a, b, d, 26b, c, d, 28d, 29b, 31c, 32c, 35b, 36b, c, 37a, 38b (dos veces), 41b, 44c, 46c, d, 53a, 54d, 55d, 58a, d, 62b, 63b, 63c, 64a, 71c, d, 72c, 73b, c, 76d, 79b, 82d, 83b (dos veces), 84d, 88c, 89c, 90c, 93c, d, 96d, 97a, 100c, 101d, 108c, d, 110c, d, 111c, 116b, 123b, 126d, 128c, 130b, 132b, 133a, 134c, d, 135c, 136b, 139b, 141a, c, 142c, 143d, 147d, 151a, b, 153b, 154c, 157b, d, 158a, d, 159a, b, 162b, 164b, c, 166b, 168b, 169a, b, 175a, 176a, 178d, 180d, 181a, c, 182c, 186a, 187b, c, 189c, 190c, 192c, d, 193b, c, 194b, c, 195b, 196d, 199d, 200d, 205c, 207c, 208a, 209a, 212a, 214a, 220a, 221a, c, 229a, 230a, 240c, 241a, d, 242d, 244a, 246c, d, 247b, 249d, 250d, 252b, 260c, 263a, 265c, 266a, c, 269c, 270c, 271a, 272a, 272b.

en, error del manuscrito, 26a.

en ante, 269a.

en cabo de, 191d.

en demas, 235a.

en derredor, 244c.

en tanto, 140a.

encarnacion, 192a.

encimádo, 23c.

encimastes, 134c.

encomienda, 73c, 246d.

en(c)omienda, 271a.

encontrada, 193b.

ende, 106c, 117c, 137c, 140a, 141d, 143e, 155d, 176a, 223c, 224d, 243c, 256d, 259a.

ende, vid. *onde*, 184d.

enemigo, 118b, 157a, 265c.

enfamada, 210b.

enfermedat, 133a, 229d.

enfermos, 228c.

engañar, 68d.

engaño, 38c, 135d.

engañoso, 155a.

(en)grado, 105d.

enmienda, 73a.
ensalzada, 232b, 234c.
entender, 25a, 257a.
entendimiento, 86b.
entera, 159d, 165d.
enterro, 144a.
entienda, -s, 10c, 71b, 73d.
entincion, 36c.
entonce, 26a, 91a, 194a.
entones, 90a.
entrado, 81b, 214c, 262d.
entrar, 116b, 226c.
entre, 11a, 168a, 260d.
envia, 223a, 230d.
enviabalos, 187a.
enviar, 27d.
envidia, 158a.
envió, 35a, 182b.
envolvio, 214a.
era, 2b, 3b, c, 62a, 74b, 131a, 148c, 149c, 151c, 161a, 206a, 214c, 227d,
     247d, 253a, 269b.
eran, 19a, 55c, 245b, c, d.
eres, 169b, d, 232b, c.
errar, 88d, 126d.
erredes, 98d, 128a.
es, 24a, 25d, 29a, b, 30a, 36b, 49b, c, 70a, b, d, 71a, b, 72a, c, 77c, 83a,
     85b, c, 86c, 100d, 113c, 118b, 142b, 155a, 157a, 169a, 174b, 178b,
     196c, 197a, 199b, 234c, 260d, 261b, 262c, 264a, 270a.
esa, 1d, 205d, 248c.
escarmir, 95c.
esciencia, -s, 26d, 34a, 36b, 39a, 42a, 45b, 58c, 65c.
escodriñar, 80a.
escoger, 126d, 247b.
escogieron, 247c.
escogiesen, 149b.
escogiestes, 253c.
escorrir, 50c.
escrito, 71d.
escrituras, 41a.

escusa, 129c.

escuso (en —), 175a.

ese, 70b, 71a, 143b.

esfuerzo, 242c.

eso, 8 bis c.

espacio, 104d.

espantados, 212c.

espanto, 104b.

España, 63d, 170d, 171a, 174a, 178a, 182b, 192c, 193c, 260c.

Españas, 26c, 147a.

especia, 244b.

especial, 193d.

esperando, 91d.

espicio, 5c.

espidieron, 204a.

espidiose, 115a.

espinar, 160c.

espiritu, 165c.

espiritual, 70d, 118c, 139c, 145b.

esposa, 169d.

esposo, 112c.

esta, –s, 6a, 13a,d, 14a, 15c, 27d, 28b, 47d, 51c, 91d, 113c, 130b,139d,
 157c, 191d, 196d, 212c, 222c, 223a, 241d, 260a, 261a.

esta, –s (pron.), 8 bis a, 39b.

esta (verbo), 191c, 208b.

estaba, 4c, 41d, 136a, 141b, 212b, 219a, 243c.

estaban, 217b, 244c.

estado, 68b, 170d, 243d, 249d, 269c.

estando, 151a, 175a, 207a, 208a.

estar, 22d, 120c.

estat, 33c.

este (adj.), 23c, 32a, 70c, 75a, 77c, 83a, 101d, 108b, 110c, 171a, 177c,
 272a, b.

este (pron.), 6a, 23b, 29a, 85b, 233c, 247d, 266a.

Estevan, 3a, 59b, 77b, 78a, 94a, 102a, 122a.

estido, 243b.

esto, 23a, 28d, 31b, 49a, 54d, 71b, 112d, 117a, 118a, 158d, 161b,162b,
 169c, 199a, 203a, 213b, d, 215a, 269c.

estorcer, 257c.

estos, 265b.
estragos, 240c.
estraño, -a, 76c, 115d.
estrella, 9c, 229b.
estudiar, 22b.
estudio, 65b.
et, 101d, 217a, 251d.
eternal, 157d.
Eugenio, 3b, 18b, 23a, 27a, 52a, 54a, 59a, 67a, 121c, 149c, 261c, 263c, 264a.
Evangelio, 67c.

fabla, 225a.
fablado, 179a.
fablando, 57b, 64a.
fablar, 52d, 167b, 168b, 176d.
fablo, 190a, 191a, d.
fablosa, 212d.
facer, 73a.
facia, 66a.
facion, 1b.
fadado, 259c.
faga, 43d, 44d.
fagamos, 99d, 129c.
fagas, 28d.
falencia, 252b.
falsedat, 154c.
falso, -s, 160a, 168c.
fallaban, 147b.
fallamos, 71d.
fallan, 29b, 143d.
falle, 155b.
fallese, 72b.
fallesceron, 162c.
fallir, 109d, 201c.
fallo, 77b, 80b, 104d.
fama, 69c, 193a.
faré, 54d, 83c.
faremos, 195c.

farian, 125b.
fas, 12c, 197d, 270c.
fas (de—), 57c.
fasaña, 21c.
fasedat, 210d.
fasele, 155c.
fasen, 118a.
faser, 55c, 59c, 179d, 215b, 231c, 233a, 253c.
fasetgelo, 136d.
fasetme, 82d.
fasia, 5a, 6a, 66d, 122d, 239c.
fasian, 204c, 207c, 242d.
fasianse, 245d.
fasienda, 73b, 89a, 122b.
fasiendo, 141b, 164b.
fasiendolas, 186d.
fasnos, 157c.
fasta, 92a, 147a, 186c.
fasta que, 28c, 236b.
fe, 187c.
fea, 255d.
fecho, 146a, 151d, 238b.
fecho de—, 131d.
feo, 8a.
fere, 8a.
fermosa, 2c.
ficiesen, 20b.
fiel, 221b.
fiesta, 195c, 205a, 206b, c, 215b, 250a, 262c.
figo, 3c.
fijo, -a, -s, 6c, 8 bis a, b, 9a, 11b, 14a, 27c, 33c, 46a, 53b, 54a, 58a,
    61a, 62a, 79b, 80b, 87b, 105c, 107a, 108a, 109a, 110a, 113a, 115a,
    b, 117a, 121b, 136d, 137a, 138a, b, c, 159d, 162a, 165b, 169d,
    177a, 178b, c, 190d, 191c, 196c, 197c, 200c, 220a, 221a, 223a,
    224a, 225a, b, 267a.
fijo (adv.), 46c.
filosofia, 29b, 152c.
finado, 149c.
finar, 148a.

finca, 12c, 155c, d.
fincaba, 238c.
fincar, 203c.
fincara, 159d.
fincaredes, 48b, 194d.
finco, 13b, 120a, 123a, 140b, 165d, 174a, 176c, 179b, 191b, 204b, 226b, 241a.
fine, 266c.
finguedes, 47c.
finó, 124b, 132b.
finque, 193b.
firmando, 159b.
firmemente, 239a.
fis, 67c.
fise, 46b, c.
fisica, -s, 29c, 39c.
fisiera, 266d.
fisieredes, 127c.
fisieron, 124d, 125b, 130a.
fisiese, 241c.
fisiesemos, 201c.
fisiesen, 258c.
fisistes, 139a.
fiso, 18b, 67b, 80a, 92c, 98a, 119c, 122c, 146b, c, 160b, 165b, 181a, 185c, 186c, 189b, 207b, 213b, 217c, 218a, 226c, 256c, 216c, 263c, 269c, 270a.
fizo, 1c.
flor, 152c, 195d, 244a.
foir, 217b, 224d.
folgar, 22a, 97c, 250d.
folgasen, 186c.
folgura, 143d.
folia, 94c.
follia, 80b.
fruto, 91d, 101b.
fue (verbo *ser*), 7c, 8 bis a, 15a, 42d, 118d, 124c, 125a, c, 136b, 140c, 149c, 151b, d, 146c, 170c, 178a, 186a, 188a, 191a, 205b, d, 210c, d, 238a, b, 243a, 244a, 247c, d, 248c, 250a, 259b, d, 263d, 264b, c.

fue (verbo *ir)*, 32a, 38a, 49a, 52a, b, 53a, 55b, 102b, d, 107a, b, 121b, 140d, 160d, 206b, 208d, 254b.
fuemos, 189c.
fuera (verbo *ser)*, 249d, 254d.
fuera (adv.), 5c, 54b, 74a, 226c.
fuere, 13c, 89c, 96c, 225b.
fueredes, 112a, 194c.
fueren, 117c.
fueron, 93b, 171b, 183d, 184d, 203a, 212c, 260b.
fueron (verbo *ir)*, 150b, 204a, 206c, 216c.
fuerte, –s, 52c, 70b, 80c.
fues (verbo *ir)*, 79a, 81b, 171a.
fuese (verbo *ser)*, 6d, 117d, 140a, 170d, 197b, 214d, 254d.
fuese (verbo *ir)*, 13b, 78b, 94c, 106b, 119a, 179a, 217d, 226a.
fuesedes (verbo *ir)*, 222a.
fuesele (verbo *ir)*, 175c, 175d.
fuesen (verbo *ir)*, 187b.
fuesle (verbo *ir)*,164b.
fui (verbo *ser)*, 220b.
fuiste (verbo *ser)*,164a, d, 232a, b.

galardonado, 188b.
ganar, 30a.
ganariamos, 89c.
ganaste, 169c.
gane, 196c.
gelo, 109a.
ge lo, 233d.
gente, –s, 78a, 122d, 178a, 192d, 216a, 235a, 245c.
gloria, 142B c, 156a, 238b.
glorificada, 191c.
glorificado, 230d, 231d, 243b.
gloriosa, 63a, 141c, 169c, 175c, 179a, 212a, 218b, 225d, 226a, 233b, 234a, 235c, 251c.
glotoneria, 158a.
gobernaria, 86c.
godos, 261b.
gosaban, 152a.
gosar, 116d.

goso, 64b, 139c, 141d, 150c, 151d, 204c.
gososo, −a, 63d, 91a, 107b, 188a, 235a.
gozo, 56c.
gracia, 2c, 12c, 31c, 38b, 46d, 47a, 48c, d, 49b, 110c, 157d.
gracias, 19d, 129a, 145b, 228d.
graciosa, 115a, 140b.
grada, 208a.
gradado, 153c.
gradecet, 88b.
gradescolo, 90d.
grado, 178b, 254b.
grado, de−, 17d, 81d, 142a, 236d.
grado en grado, de−, 153a.
(en)grado, 105d.
gradoso, 23d.
gran, 47a, 56c, 57b, 64b, 85c, 93b, 95a, 141d, 150c, 174d, 177a, 195c,
    236a, 239d.
gra[n]d, 121b, 181a, 246b.
grand, 2c, 5c, 21a, 43a, 50a, c, 52d, 59a, 64b, 68b, 69a, 81c, 82b, 85b,
    99a, 104b, 113a, 124d, 137a, 146c, 150c, 163a, 180b, 183c, 184d,
    185b, 188c, 189a, 201b, 207d, 217a, 242d, 245a, 249b, 259d,
    264d.
granada, 89a.
grande, 85b, 134a, 141a, 148d, 261b.
grandes, 2b, 19b, 124c, 174d, 260c.
grant, 11c, 12b, 33b, 42b, 102d, 237b, 242c.
grasdecia, 59b.
grasdescer, 109a.
gravemente, 171c.
gualardon, 110b, 197c, 202a.
guardado, 127b, 137d, 213d, 214d.
guardandole, 38c.
guardar, 37c, 65d, 258b, 265b.
guardare, 83c.
guardares, 112b.
guardarvos, 110b.
guardat, 101d, 111b, 251d.
guia, 9d.
guie, 196d.

guisa, 6d, 99c.
guisado, 85c, 199b.
guisar, 27c.
guisas, 157b, 240c.
ha, 24b, 71a, 81b, 85b, 96b, 101b, 110b(dos veces), 112c, 113d, 193c.
habedes, 98b, c, d, 125d, 138d, 177b, 178c, 188c, 194a, 199a, 221c, 261a.
habemos, 47b, 252c.
haber, 5d, 62a, 101a, 251d.
habera, 224c.
hábetle, 136c.
habia, 4b, 5c, 15c, 20b, 21b, 40a, b, 41d, 55d, 66c, 74a, 76b, 80a, 103d, 177d, 207d, 214b, 220c.
habian, 171d, 185d, 256d.
habie, 2b, c.
habien, 203d.
haviendo, 57b.
habiendole, 99a.
habito, 74d, 88a, 91c, 94b.
habrá, 12a, 223c.
habredes, 139c.
hai, 126a.
han, 114d, 204c.
has, 30b, 138a.
haya, 11c, 73c, 224b.
hayades, 202a.
hayamos, 271a.
hayas, 11b.
he, 8 bis c, 31d, 70c, 73c, d, 75a, 105d, 134b, 177d, 180c, 205c, 260a, 263b.
heredala, 110d.
heregia, 159a, b, 172a.
hipocresia, 158d.
hir, véase también *ir,* 217d.
hobieron, 57a, 148d, 254a.
hobiese, 23c, 61d, 246d.
hobiesen, 183a, 203b.
hobo, véase también *ovo,* 13a, 14b, 59a, 141d, 146a, 179a, 236b, 249c, 250c, 255c, 259a, 261d, 262a, 263a, 269a.

109

hombre, 12a.
home, 117a, 223b, 259c.
honor, 99b, 146d, 264d.
honrra -s, 46d, 121b, 180c, 185b, 193d, 220c, 260a.
honraban, 66d.
honrada, -s, 1c, 89b, 103a, 119b, 174c, 178c, 197a, b, d, 205a, d, 238b, 205a, 260d, 270a, b.
honrradamente, 238b.
honrado, -s, 26c, 68c, 75b, 86a, 90c, 124c, 127a, 136a, 194d, 200d, 259b, 263d.
honrar, 56b, 67b, 69d, 88c, 126b, 153a, 182a, 206b, c, 259b.
honrrare, 178d.
honrraron, 121d, 235d.
honrró, 111a.
hora, -s, 5b, 36d, 209a, 215c, 238a, 243a, b.
hoy, 93d.
humanidat, 190d.
humildat, 20a, 50a, 82b, 85b, 90c, 130c, 195b, 246b.
humildoso, 153c.
humilla, 51b.
humillades, 129b, 202b.
humillose, 107a.
humilloso, 112a.

iba, 5b, 16a, 17b, 22b (dos veces), 32c, 131d, 242b.
ibala, 60d.
ibase, 211a.
yba, 103a.
ybales, 17d.
iban, 53d, 160a.
yban, 216a.
ybanse, 21a.
iglesia, 73d, 97a, 102d.
yglesia, 174b.
igual, 24c.
imponer, 25b.
ingenio, 24b.
inojos, de—, 208a.
intencion, 106a.

intincion, 106b.
ir, véase también *hir*, 22a, 48c, 60b, 76b.
yr, 73d.
yra, 158c.
irado, 79a, 155d.
iras, 139d.
irme, 45d.
Ysidro, 25d, 26b, 28b, 32a, 40a, 41b, 46a, 51a.

jamas, 31d, 48a, 121d.
Jesucristo, 7c, 169d, 189d.
Jesuchristo, 268a.
jugando, 53c.
Juliano, 262b.
juntada, 164c.
juntados, véase también *ayuntado*, 200b.
juntar, véase también *ajuntar*, 182c, 187b.
junto, 183c, 247a.
justos, 144e, 236d.

la (art.), 1a, 4c, 6a, 7c, 8 bis a, 9c, 10a, 12c, 14c, 15b, d, 16b, 17a, 33a,
   37b, 38a, 39c, 42d, 45c, 47b, 48d, 49b, c, 50b, 53c, 61a, b, 62d,
   63a, b, 67d, 68a, 71c, d, 72a, 73c, d, 77a, 80c, 82c, d, 83a, 86a, c,
   87a, 89b, 90c, 91b, 92d, 93a, c, 94d, 100d, 102b, 192d, 193c, d,
   104a, b, 106a, 107b, 110d, 112c, d, 115a, b, c, 116b, 119a, c, 122d,
   123c, 128c, 132c, 133b, c, d, 134a, 135b, 137a, d, 138a, 140a, b, c, d,
   141c, 142b, 146a, d, 149a, 150a, 151b, 152a, 154c, 157d, 159c,
   160c, 161c, 163d, 164c, 165b, d, 166b, 167a, 168c, 172a, b, d,
   173a, b, 174b, c, 175c, 176a, b (dos veces), 176c, d, 178a, d, 179d,
   184c, 186a, b, 187c, 190a, b, c, d, 192a, 193c, 195a, b, d, 196b,
   197d, 198a, b, c (dos veces), 199c, 202b, 205c, 206b, c, 208a, b, c,
   209b, 210a, c, d, 212a, b, d, 215b, c, d, 216c, 217c, 218b, 219a, c, d,
   220a, c, 222d, 225a, c, d, 226a, 227a, b, 229d, 230a, b, c, 231a,
   232c, d, 233b, 234a, c, 235a, b, c, 238a, b, 239a, c, 241a, 242b,
   243a, 244d, 246c, 248a, b, 250a, b, c, 251c, 255b, 256a, c, 258a, c,
   259b, 262c, 266b, 269a, 270c.
la (pron.) 7d, 13a, d, 15d, 48c, 110a, 113b, 134c, 160a, 157d, 182a,
   198a, 211b, 223c, 224b, c, 251d, 252c, 261d, 270a.

las (art.), 5b, 11a, 17d, 18a, 21d, 26c, d, 32b, 33b, 35b, 41a, 51b, 52b,
    53b, 58c, 60b, 65c, 71c, 107a, d, 114b, 115c, 147a, d, 167a, 176c,
    222d, 228d, 245c, 258b, 271b.
las (pron.), 41a, 260d.
laudamus, 129d.
le, 3d, 20b, 24d, 25b, c, 31d, 50c, 53b, 60b, 66a, b, c, d, 68b, 88b, 91a,
    99a, b, c, 101b, 102c, 103d, 114a, 120b, 121c, 123d, 125a, 200c,
    236c, d, 249d, 250b.
leal, 139a, 225a.
leanse, 198b.
lebaba, 216b.
lebantose, 176a.
ledo, 120a, 179b, 226b.
leer, 18c.
leí, 262b.
lengua, -s, 15d, 167b.
Leocadia, 208c, 211a.
leon, 72c.
les, 6c, 87c, 131a, 182d, 185c, 187c, 235d, 246c.
letrado, -s, 147c, 40b.
letras, 18a.
levandola, 141a.
levanta, 91a.
levantado, 254d.
levantose, 215c.
levar, 236c, 258a.
levaron, 92a, 237b.
leyenda, 71d.
leyendo, 171a, 175b.
layolas, 32b.
libertadme, 135d.
libro, 171a, 175b.
licencia, 42c, 106c, 252c.
licenciado, 58d.
licion, 36b, 41c.
ligados, 162a.
limpieza, 112b.
lo (art.), 8a, 32c, 41b, 54d, 61c, 70d, 85d, 101a, 118c, 177d, 187d,
    209d, 213a, 268B a.

112

lo (pron.), 17b, 18c, 30b, c, d, 35c, 37c, 40c, 41c, 42a, 44d, 52a, 59a, b, 71d, 73d, 76b, 79b, 81d, 84c, 87c, 88b, 90b, 98a, b, 100a, b, 105d (dos veces), 113c, d, 114d, 115d, 116c, 128c, 137c, 139a, 177d, 181b, 194c, 195a, 196a, 199b, 201c, 204c, 213b, 214b, 217a, 233b, 236c, 239b, d, 249c, 251c, 255a, b, 256b, c, 257b, 266a, d.
loa, 209b.
loado, -a, 58b, 208d.
loan, 144e.
loar, 61a, 167c.
Locadia, 205d.
loco, 249a.
logar, 75c, 97a, 121d, 226a.
loores, 145b, 167d, 168b.
los (art.), 4b, 5d, 9b, c, 16d, 17b, 51a, b, 53d, 56c, 66a, b, 69d, 82b, 91b, 114a, c, 116a, 117c, 130c, d, 140d, 142B c, 143b, c, d, 152a, b, 153d, 154a, b, 166a, 167d, 168a, c, 169a, 171d, 182b, 184a, 198b, 207c, 209c, 210b, 215d, 216a, 226c, 227c, 228a, b, c, 236d, 237b, 240a, 245d, 261b, 263b, d, 264d, 267b, 270c.
los (pron.), 17c, 19b, 172d.
losa, 212b.
losania, 158c.
losano, 3c.
Losia, 108a.
lozano, 257a.
Lucia, 4a, 12a.
luego, 30c, 52b, 60a, c, 67c, 71c, 77a, 81d, 93a, 94a, 107b, 132b, 151b, 205a, 228c, 248a, 252d, 254b.
luenga, 186b.
lugar, 75a, 78c.
lumbre, 63b.
lumbrera, 62c.
lus, 61d, 63b, 152d.
Lusia, 14a, 15a, 19c, 59c, 100a, 102c, 103a, 118d, 120d, 132b.
luxuria, 158b.

llamaban, 66b, 123d.
llamanle, 75c.
llamar, 27b.
llamaronle, 90a.

llamaronlo, 14b.
llamas, 8 bis d, 75b.
llamo, 219c.
llanto, 241c.
llegando, 53a.
llegar, 245c.
llegaron, 184c.
llegó, 104a, 105b, 217c.
llegose, 219d.
lleno, -a, 70a, 94c, 173a.
llevaban, 242a.
lleve, 272c.
lloraba, 239a.
llorando, 50d, 114b, c.
llorar, 52c, 107d, 242d.
llorat, 145a.

maborrecer, 69d.
madre, 6b, 9a, 17a, 60b, 61a, 95d, 107b, 115a, b, 133b, c, 135a, 136c,
   137c, 144a, 146a, 159c, 168a, 169d, 195d, 196c, 197a, 231a, 232c,
   233b, 234a, 266c, 272a.
maestre, 99a, 120a, 123a, 127c, 128a.
maestro, -s, 18c, 26d, 29c, 44a, 58d, 66b, 76a, 81a, 94b, 127b, 129a;
   40b.
Magdalena, 269a.
maguer, 3c, 260c.
mal (subs.), 38c, 70a, 104c, 139b, 157b, 158b, 171c.
mal (adj.), 83c, 135d.
mal (adv.), 96b, 257a, 259c.
mala, -s, 3d, 21b, 193a, 224c, 255c.
malamente, 95c, 210b.
mal aventurado, 249b, 254c.
malenconia, 102b.
malos, 117c, 160c, 240b.
mancebo, -s, 53d, 128b, 241b.
mancilla, 176d.
mandabangelo, 203d.
mandado (sust.), 35b, 58a, 96a, 105b, 254a.

114

mandado, -s (part.), 96c, 183a, 200c.
mandamiento, 252a.
mandares, 45d.
mandaron, 258a.
mando, 120d.
mando (verbo), 59c, 27a, b, 56a, 65a, 106c, 132a, 185d.
manera, -s, 5a, 13a, 35b, 62b, 88c, 200d, 224d, 248b, 266a.
mano, -s, 17d, 51b, 52b, 53b, 60b, 107a, 150b, 176c, 228d, 229c.
mano a mano, 77b.
mansedumbre, 20a.
manso, 112a, 153c.
mantuvieron, 173d.
maña, -s, 21b; 3d.
mar, 9c, 167a.
marabilla, 51d.
maravillado, a, -os, 19a, 114a, 122d, 243c.
Maria, 4d, 6b, 14c, 15b, 17c, 19d, 37b, 48d, 61b, 63a, 74b, 100c, 108d,
      132c, 150d, 159c, 172b, 196b, 202b, 215d, 267a.
marido, 136a, 138b.
martirizada, 205b.
martyr, 254c.
marzo, 262d.
más (adv.), 19c, 32c, 45c, 66d, 67b, 70b, 71a, 72c, 75b, 97c, 98d, 129b,
      182a, 183d, 192b, 250d, 263d.
mas (conj.), 45d, 66c, 74c, 87d, 88b, 96c, 98c, 100c, 102c, 104d, 118d,
      126c, 135b, 139c, 145b, 166d, 178d, 193c, 212d, 241d, 245c,
      248b, 252b.
mas (lectura deturpada), 225d.
matar, 95d.
mayor, -es, 32c, 71a, 91b, 92a.
maytine, 198b, 215d.
me, 1a, 8 bis b, d, 9b, 10b, 11c, 28d, 35a, 42c, 43a, 45d, 46d, 47d, 49b,
      58c, 61b, 69d, 73c, d, 84d, 96c, 105d, 134c, d, 136b, 178c, 180b, d,
      195a, 202c, 272b.
medecina, 230b.
medio, 256c.
medio dia, 243d.
mejor, 43b, 48b, 100d, 127b, 192c, 221c, 249d, 245d, 264a.
menester, 49b, 70c, 185d, 203d.

menguada, 238c.
menguado, -s, 117b; 17b.
menor, 66d, 253c.
mensage, 61c.
mentar, 17c.
menudo, 60d.
mercet, 172c.
merecian, 185b.
merescedes, 128d, 222b.
merescer, 181b, 233c, d.
meresciestes, 213c.
meresimiento, 163d.
mesma, 231b.
mesquina, 157c.
mesura, 14c, 137a, 181a.
mesurado, 131a, 136b, 153b.
metio, 35c.
metiose, 212a.
mi, -s (adj), 8 bis b, 12c, 25a, 36a, 42d, 44a, 45d, 49c, 54b, 58a, 69c,
    73b, 83c, d, 84b, 105c, 108a, 136a, 137a, 138c, 209b, 221a, b,
    223a, 265a.
mi (pron.), 9d, 10a, 31c, 33c, 43b, 44c, d, 45c, 49b, 95d, 96c, 98d, 108b,
    138d, 177b, 178a.
mia, 48c.
mientes, 216c, 218b.
mientra, 187a, 222c.
mio, 35a, 46a, 108a, 224a.
mis, 43b.
misa, 140c, 189a, 222d, 250a.
mision, 103d.
mismo, 30a.
mocho, 124c, 212c.
moger, 113a.
monasterio, 81b, 104a, 146b.
monges, 74c.
moraban, 74c.
morir, 224c, 249d, 255c.
moros, 267b.
mortal, 70b, 118b, 139d, 157a, 265c.

mostraba, 130c.
mostrada, 103d.
mostrando, 130d, 235b.
mostrar, vid. *amostrar*, 45b, 46b, 113b, 182d.
mostrades, 105d.
mostro, 15a, 109c, 141c.
mover, 92c.
mucho, -a, -s, 5a, 40a, 49b, 87c, 88b, c, d, 89b, 103b, 105c, 114a,
     115d, 119c, 122b, c, 129a, 130a, 144b, 152d, 153b, 154b, 170c,
     178c, 179b, 216a, b, 232b, 238b, 243c, 246a, 252b, 263a, c, 270b.
muchos (pron.), 5d, 86a, 126a, 160b, 256d.
muere, 83b.
muerte, 178d, 224c, 255c, d, 257c.
muerto, 242a.
muestra, 47b.
muestre, 25c, 34a.
muger, 2c, 4a.
mujeres, 158d.
mundo, 12b, 61d, 62c, 70a, 83a, 109c, 110c, 116a, 118b, 139b, 192d,
     244, 272a.
muro, 5c, 74a.
muy, 14a, 23a, d, 33b, 35d, 42b, 43a, 47a, 50a, 52c, 58c, 64b, 69a, 79a,
     80c, 81c, 82b, 85c, 87d, 91a, 93b, 102a, d, 107b, 115a, 125d, 133a,
     148c, d, 161a, 174d, 175b, d, 184c, d, 188a, 189b, 190a, 194a,
     201b, 211c, 219a, 226b, 235a, 237b, 249b, 254b, d, 260c, d.

nació, 1d.
nada, 89c.
nado, 247c.
nascencia, 42d.
nascer, 165b.
nascio, 156c.
nasiera, 62c.
nasio, 272a.
natura, 161c, 162a.
natural, 225b.
naturas, 39c.
navidat, 196b.
necesidat, 246c.

negada, 164d.
ni, 109a, 147b, c, d.
nieve, 242b.
nin, 25c, 66c, 101b, 107c, 156a, 181b, 223d, 241b, 244a, b, 248b, c,
    255b, 256d, 257b.
ninguno, -a, 131b, 145a, 223b, 224d, 241a.
niños, -s, 21a, 23c, 38a.
no, 5d, 18b, 36d, 42a, 73d, 160b, 102c.
noble, 51c, 106b, 177c, 184c, 189b, 194a, 205c, 235d, 261a.
noblesas, 2a.
noche, 4c, 7b.
noche, de—, 12d, 45a, 172c.
nombrado, -a, -os, 1d, 75a, 263b.
nombre, 247d.
non, 3c, d, 4d, 6d, 9d, 24b, c, d, 25a, 30c, 31d, 32c, 48b, 49d, 52d, 60a,
    66c, 70c, 71b, 74c, 76c, 77c, 78a, 79b, 80b, 83c, d, 88a, 89c, 97a, b,
    98a, d, 101a, d, 107c, 109a, d, 113b, 118d, 120b, c, 121c, 126d,
    128a, d, 129c, 131b, 134d, 135a, 139b, 147b, 151d, 159d, 161c,
    164d, 166d, 169a, 181b, 191b, 193b, 201c, 204c, 217a, 224a, b, d,
    266b, 227d, 233d, 241a, c, 242a, 245c, d, 248b, 253c, 254d, 255b,
    d, 256d, 257b, c, 258c, 264a.
nones, 117c.
nos, 9a, 88c, 89c, 96b, 119c, 135b, 145a, 152b, c, 157a, b, 158a, 162c,
    163b, c, 166d, 196d, 199a, 230d, 231c, d, 233a, 240c, 252c, 253b,
    c, 265b, 267c, 268a, b, 271a, 272c.
notario, 221b.
nuestro, -a, -os, 68a, 72a, 87b, 135c, 189d, 240b, 244d, 253a, 268B b.
nuevo, 128c.
nunca, 14b, 18d, 20b, 22d, 28c, d, 41d, 43b, 113d, 156a, 167d, 223b,
    239b, 244a.

o, 22b, 40c, 83b, 229b.
obedescades, 202c.
obedescer, 55a, 257b.
obediencia, 34b, 111b.
obispo, -s, 148b, 183c.
ovo, véase también *hobo*, 148a.
obequias, 124d.
ocorres, 166c.

ofender, 65c.
oido, 261a.
oyste, 209d.
oistes 227b, 258b.
ojos, 227c.
olor, -es, 143a, 244b.
olvidaba, 4d.
olvidar, 60a, 121c.
olvido, 79b.
ome, 3d, 25a, 26b, 71b, 72b, 73d, 77c, 83b, 85b, 147d, 154a, 155b, 159d, 256b.
omillose, 31a, 53b.
omnipotente, 37b.
onde, vid. *ende*, 126b, 156d, 256d.
ora, 209c.
oracion, 6a, 22b, 36d, 141b.
orar, 65b.
orden, 89b, 92d, 111b, 116b, 128c.
ordenada, 122b.
ordenalo, 118c.
ordenamiento, 146b.
ordenar, 22c, 116c, 187d, 194c.
ordenes, 67c.
ordenó, 108d, 148a, 190c, 231b.
oro, 229b.
oso, 117a.
otorgado, 85d, 127d.
otorgar, 42c.
otorgase, 195a, 198a.
otro, -a, -os, -as, 6d, 22d, 51b, 57b, 66b, 99c, 130d, 139b, 140c, 159a, 207c, 216a, 221c, 224b, 244a, 249d, 252d, 258b, 260b, 262a, 264c, 269c.
otro si, 69a, 100b, 121c, 159a.
oy, 45d, 152b, 234c.
oydme, 57d.
oyendo, 171d.
oyeses, 213d.
oyestes, 148b.
oyo, 59a, 102c, 161b.

paciencia, 111c.
padre, −s, 17a, 19c, 33a, 36a, 42b, 50b, 53a, 55a, 59b, 77c, 79a, 81a,
	87d, 116b, 120c, 145b, 148b, c, 152c, 165a, 170a, 206c, 238c,
	239b, 240b, 265b.
padrianos, 192d.
pagado, −a, 13b, 44d, 58c, 119a, 125d, 136d, 179b, 180d, 208d, 235b,
	270c.
palabra, −s, 15c, 121a.
palacio, 54b, 55b, 60c.
paños, 76c.
par, 18d, 49d.
par, a−, 175d.
par, al−, 191c.
para, 28b, 30c, 31b, 32a, 65b, 67b, d, 73a, d, 79a, 81b, 84c, 94c, 102d,
	106b, 108b, 128d, 138b, 150d, 175c, 217d, 222b, 224b, 231c,
	235c, 236d, 266c.
paradiso, 268b.
parados, 244c.
paraliticos, 245a.
pararon, 216c.
parescer, 227d.
paresse, 77c.
paridat, 24b.
pariendo, 159d, 164d.
pariente, −s, 3b, 116b, 245b.
pario, 14a.
parir, 61d.
paro, 218b.
partas, 28c.
parte, −s, 131b, 166a, 170c, 194a.
partia, 4b.
partióse, 51a.
partir, 50d, 256c.
parto, 191b.
pas, 272b.
pasado, 215a.
pasar, 78c.
pastor, 125d, 238c, 253b, 264b.
pecado, −s, 38c, 68d, 101d, 135d, 160c, 240b.

pecadores, 144e, 168a.
pecatris, 8b.
peche, 44d.
pedia, 42b.
pedido, 138a.
pedir, 7a.
peligrar, 9d.
peligrosa, 251b.
penada, 134d.
penitencia, 171d, 266c.
pensaran, 171c.
pensaron, 203b.
penso, 76d.
pequeño, -a, -os, 78c, 124c, 241b.
perder, 69c, 70d.
perdia, 36d, 229d.
perdicion, 189c.
perdido, 177d.
perdidoso, 155c.
perdiendo, 102b.
perdon, 48a.
perdonanlos, 173c.
perdonar, 268a.
perdonase, 172d.
perfeccion, 16c.
perfecta, 237a.
perfecto, 24c.
perlacion, 132a.
perlado, -s, 26a, 44a, 57c, 68a, 125b, 126d, 127c, 128d, 147b, 149b,
      170a, 182b, 194a, 200a, 236a, 247b, 253a, b.
pero, 25a, 36d, 39b, 60c, 85d, 131a, 132c, 168a, 243d, 267c.
pero que, 154c.
perseveradamente, 37a.
perseverando, 199d.
perseveraria, 7a.
perseveraste, 8 bis b.
pertenecian, 185c.
pesa, 47d.

pesandole, 130a.
pesar, 41d, 97b, 98b, 120c, 121a, 148d, 258c.
peso, 256d.
peticion, 8 bis c, 11a.
piedat, 173a, 234a.
piadosa, 231a.
pidiendole, 172c.
pidiere, 8 bis b.
pidieronle, 246b.
pie, -s, 82b, 83b, 208b.
piedat, 133b, 134a, c.
pien asi como, 200c.
piensa, 27c, 30d.
pierda, 161c.
pintados, 194b.
planta, 91d.
plase, 57d.
plasenos, 198d.
plasenteria, 186d.
plaser, 55d, 100c, 181c, 242c.
plasia, 66c.
plogo, 172a.
plugo, 248a.
poblada, 232a.
poblaron, 261b.
pobres, 4b, 16d, 17b, 153d, 240a.
poco, 180b.
podamos, 265c.
podemos, 126d.
poder, 67d, 268B b.
poderoso, -a, 117b, 169b.
podia, 17a, 32c, 59c, 107c, 120c, 227d, 229c.
podian, 217a, 227c, 245c.
podra, 224d.
podria, 18a, 25c, 49d, 181b, 204c.
podriamos, 88d, 201c.
podrian, 167d, 233d.
pone, 158a, d, 159a.
poner, 10a, 146c, 229c.

ponga, 31c, 93c.
pongades, 129c.
ponia, 230a.
poniendo, 123b.
por, 8 bis c, 9d, 20b, 35c, d, 37c, 43c, 44c, d, 45b, c, 46b, c, d, 48a, 54c,
56b, 61c, 62a, 68c, 70c, 76a, 79b, 81c, 82c, 84d, 90c, 98c, 99b, c,
d, 105d, 108d, 109b, 110b, 112c, 115d, 116a, 120b, 121d, 137a,
139c, 144e, 145a, 149b, 152c, 155d, 157c, d, 168c, 171a, b, 172d,
174b, 177b, d, 179d, 180b, 186b, 189c, d, 196a (dos veces), 199b,
200b, d, 210a, b, c, 213b, 215d, 220c, 224d, 231b, 234b, 236b,
243b, c, 250a, 252d, 253c, 254b, 255a, 256c, 259b, 260a, b, 263b,
264d, 266b, 268b, 270a, 272c.
porcionero, 82d.
pornia, 267c.
porque, por que, 21d, 30a, 47b, 88b, 89b, 114d, 115d, 116d, 139b,
164d, 170d, 177b, 196b, 202c, 213b, 232d, 249c, 257c, 270c,
271b.
por tal que, 182a.
portal, 65b, 70c, 175a.
pos, 132b.
posada, 140d, 185c, 250d.
posedes, 54a.
posiste, 93d.
poso, 112d.
post, 53a.
preciaba, 3c.
preciamos, 129b.
preciosa, 115c, 123c, 159c, 173a, 195d, 205b.
predicacion, 93a, 191d.
predicar, 92d, 187c, 218c.
prelados, 23a.
presciado, 214a.
presencia, 86a.
presentada, 238a.
presentale, 28b.
presente, 231b.
presentole, 32b.
prestar, 126a, 184c.
prestaré, 28d.
priesa, 81c, 171d.

primado, 26c.
primer, 93a.
primera, 248a.
primero, 52a.
primero (adj.), 60a, 94a, 102c, 255a, 261d, 264c.
principe, 207c, 211b.
prior, 129d.
privado, 176a.
probare, 224c.
probo, 255a.
precesion, 141a.
profesion, 23b.
profundado, 26d.
promesa, 62d.
prometed, 42c.
prometer, 177a.
prometida, 220c.
prometiestes, 137b.
pudiera, 135a.
pudieres, 30d.
pudiese, 182a.
pudo, 52d, 78a, 156c.
pueblo, 149a, 150a, 151a, 218c, 230c, 239c, 243c, 262a.
pueda, 25b, 31c.
puede, 9d, 88c, 89b, 126b, 209d, 257c.
puedeme, 68d; 69b.
pueden, 69d, 156a.
puelo, 69c.
puerta, 9c, 77a, 104b, 216c, 217c.
puerto, 242b.
pues (causal), 54c, 59c, 70c, 109c, 111a, b, 113c, 134c, 162a, 177c.
pues (temporal), 218a.
pues que (causal), 109d, 135b, 194b, 213c, 214c.
pues que (temporal), 13a, 33b, 57a, 72b, 81a, 104d, 130b, 149c, 204a.
pugnaban, 55c.
pugnan, 268B a.
pugnaron, 258b.
punto, en buen−, 156c.
punto, en fuerte−, 247c.
punto, bueno en−, 232a.

pura, 6b, 110a, 138a, 161b, 272a.
puro, 76b, 225c.
pusiera, 229a.
puso, 47a, 92b, 135c, 159b.

qual, 11b.
qual (pron.), 262b, 264a.
quales, 185c.
quales (pron.), 263b, 264d.
qualesquier, 245a.
qualquier que, 239d.
quano, 40c, 61d, 102c, 140c, 155b, 216c, 222a, d, 227a, 242a, 269c.
quanto, -s, 30d, 194d, 200a, 203d.
que (conj.), 6c, 8b, 8bis d, 10c, 18a, d, 19b, 22d, 24a, 25b, 29b, 31c, d,
    33d, 34a, 35b, 41d, 42a, d, 43d, 47d, 49d, 54a, 57d, 58b, 59c, 62d,
    63b, 70a, 72c, 77c, 84d, 93d, 98b, d, 101b, 103d, 104c, 105c, d,
    118d, 120b, 122d, 123d, 124b, 125a, 127a, 128b, 129c, 131b,
    134b, 137b, 138c, d, 143b, 148a, 149b, 152c, 160b, 161c, 164a,
    167c, 169b, 172d, 182c, d, 185b, 186c, 187b, 192c, d, 193b, 196d,
    200d, 201b, 202c, 209c, 224b, 233d, 235b, 239b, 242d, 246c,
    249d, 250b, 251c, 254d, 255d, 256c, 265c.
que (pron.), 1c, d, 2b, 3a, 4b, 5d, 6d, 7c, 9a, d, 11a, c, 12a, 13c, 15c, d,
    18c, 20b, 25d, 32c, 37c, 41b, 46b, 54b, d, 61b, c, d, 63c, 69d, 70b,
    d, 71a, b, c, 73c, d, 75a, 76c, 84b, 85d, 88a, 97b, 98b, 101a, b, 102a,
    103d, 105a, 109b, 114a, 116c, 118b, 135c, 136b, 137b, 142B a,
    148b, c, 151d, 155a, 159b, c, d, 166a, c, 168b, d, 169d, 171c, 175b,
    177d, 178a, 180b, d, 181c, 187c, d, 188c, 192c, 195b, 196c, 197a,
    199a, 204c, 205b, c, 208b, 209c, d, 210b, 211b, c, 213a, d, 214b,
    215b, c, 220c, 221c, 222c, 223b, 224c, 227a, b, 229b, c, 230d, 231a,
    232c, 233a, 235d, 236c, d, 238a, c, 241c, 243a, 244b, 245d, 250c,
    258b, 260a, b, 261a, d, 263b, d, 265b, 266a, c, 268a, 268B a, 269b,
    270a, 272a.
que (interr.), 8a.
que, 'para que', 35b.
quebrantados, 240a.
quebranto, 104c, 116d, 239d.
quedara, 97a.
quedo, 120c.
quexandose, 94d.

quejedat, 241d.
quexoso, 117c.
quejumbre, 20b.
queon, por *quien*, 190d.
quepa, 181c.
querades, 84d, 88a, 109d, 134d.
queras, 161c.
queredes, 48c, 85d, 100a.
querella, 229d.
queremos, 193b.
queria, 68b, 74d, 116c, 182d, 187c, d, 215b, 255d.
querian, 5d, 65c, 168b, d.
querido, 151c.
querien, 22a.
queriendo, 55a.
querria, 1b, 45d, 87c, 100b, 113b.
quiebra, 71c.
quien, 8 bis b, 46c, 125b, 156c, 202b.
quiera, 13d, 224a, 268a.
quieran, 265b.
quieras, 30c.
quiere, 87b, 88b, 99c, 101a, b, 156b.
quiero, 10c, 11a, b, 27d.
quinto, 147a.
quiquiera que, 111c.
quisierdes, 87c.
quisiere, 37c, 267c.
quisieredes, 54d, 126c.
quisieron, 203c.
quisiese, 6c.
quisiesen, 182c.
quisiesedes, 195b.
quisieste, 105a.
quiso, 10a, 30b, 60a, 61b, 109b, 121c, 124b, 201a, 227a, 231a, 233a, b, 236b, 255b, 257b.
quisola, 254c.
quitar, 107c.

rajado, 214b.

rason, 8 bis a.
rato, 83a, 104d.
razon, 64a, 186b, 199b, 201b.
recabdo, 83c.
recebir, 87c.
reciben, 116d.
recibido, -s, 180c, 184d.
recivieron, 90b.
recibieronle, 51d.
recibio, 64b, 264d.
reciviolos, 185a.
reciviredes, 197c.
recibiros, 105d.
regina, 142a.
regno, -s, 86c, 272c.
reina, 143c.
reyna, 169c, 180a, 190b, 219a, 225a, 234a, 266b.
reynaba, 266d.
reynado, 147a.
reynar, 222b.
reyno, 236c.
religioso, 112b, 117d.
reliquias, 258b.
relosir, 227c.
relumbraba, 229b.
remembrar, 30d.
removieron, 183b.
rencura, 137d.
rendian, 19d.
resar, 4d.
resare, 2d.
rescebida, 134b.
rescebir, 7d, 209d.
rescivido, 193c.
rescibió, 174d.
rescibirlo, 96a.
responder, 49a.
respondieronle, 251a.
respondió, 57d, 105b.

resurreccion, 110d.
reverencia, 42b, 218a.
revestir, 227a.
rey, 37b, 133c, 135b, 225d, 230d.
reyendo, 53c.
rico, -s, 68c, 71a, 120b, 228b.
rienda, 71c.
rimado, -a, 1b, 269a.
rindian, 228d.
riquesas, 2b.
riqueza, 99b.
rodilla, 176c.
rogaba, 103c.
rogar, 85c, 182b, 187a, 265a, c, 268a.
rogaronle, 246b.
romance, 2d.
rosa, 63b, 143a, 244a.
ruegame, 34a.
ruego, 33d.

sabe, 22c, 233c.
sabed, 47d.
sabedes, 98a, 128c.
sabemos, 164a, 169b.
saben, 100d.
sabete, 138c.
sabialo, 67a.
sabidor, 147b.
sabidoria, 113a.
sabor, 11c, 66c, 99d.
sabré, 11b, 109a.
sabrosa, 63c, 115b.
sacrificio, 5b.
sagrada, 1a, 103c, 210a, 250b.
salario, 221c, 222a.
salian, 228a.
saliet, 118d.
salio, 7d, 50b, 62d, 80b, 104b, 208c, 226c.
salir, 31d, 106c.

salud, 38b, 135c.
saludada, 164a, 191a.
saludar, 15b.
salvacion, 189d.
salvar, 9a, 84b.
San, 18b, 149c, 259a.
sanaba, 230b.
sancto, 175b.
Sancho, 267a.
sanidat, 152d.
sano, ⌐s, 30a, 77c, 228c, 257b.
Sant, 25d, 26b, 27a, 28b, 32a, 40a, 41b, 42b, 43b, 46a, 51a, 52a, 54a,
    59a, 67a, 121c, 261c, 263c, 264a.
santidat, 24c, 82d, 124a, 165b, 195a, 234b, 237a.
santificada, 164b.
santo, ⌐a, ⌐s, 3b, 6b, 10a, 14c, 15c, 17c, 19d, 23a, 36a, 37b, 39b, 50b,
    63a, 74b, 89a, 91b, 100c, 104a, 108d, 136d, 147c, 148b, 150d,
    159c, 161a, 165c, 170a, 174c, 175d, 196b, 205d, 206c, 214c, 226a,
    234a, 256a, 262c, 265b.
saña, 102b.
sañoso, ⌐a, 155d, 251d.
sapiencia, 86b, 111a.
sazon, 16a.
se (pron.), 4d, 5d, 9d, 10a, 21d, 22c, 51b, 66d, 67b, 76d, 81b, 90c,
    101b, 116d, 120b, 122d, 126b, 148a, 152a, 156c, 158b, 161c,
    171c, 183b, 187b, 204a, 227a, 249a, 270a.
se (verbo), 98b, 113b, 264a.
se non, 224b.
sea, 58b, 63a, 85d, 117b, 133d, 142b, 213d, 230d, 266b, c.
seades, 44a, 180d, 192b.
seavos, 127d, 188b.
secta, 168c.
seguia, 39b.
seguian, 154a, 184a.
seguiré, 73b.
segun, 113c, 163d.
segund, 128b, 185b, 262b.
seguro, 33c.
semeja, 251b.

semejaba, 7d, 242a.
sendente, 37c.
sentiredes, 139b.
señal, 221c.
señalado, -a, 193d, 247a.
señor, -a, -es, 8a, 19c, 26a, 29a, 31b, 34b, 35a, 45c, 43a, 44a, 49b,
     54c, 58b, 66b, 82c, 85a, 88a, 95a, 96a, c, 97a, 105a, 108a, 118a,
     125c, 128a, 133c, 136a, 163c, 166a, 166d, 168a, b, 180a, 181a,
     188b, 190b, 193a, 197a, 198b, 202a, 209b, 224a, 232c, 233a,
     240b, 244d, 251d, 252a, 265a.
señudo, 102a.
sepalo, 30a.
sepultura, 208b, 212a.
ser, 89b, 101c, 113d, 153b, 168d, 231d.
sera, 23d, 63d, 96d, 127a, b, 138c, 163a, 222a.
sere, 12d, 43c.
seremos, 200c.
seria, 24d, 137b, 151d.
sermon, 189b.
servia, 135a.
servicio, 5a, 6d, 43d, 66a, 123b, 179d, 180b, 181c, 193d.
servido, -a, 74b, 127a, 138d, 178c, 197b.
servidor, 99c.
servidores, 143b.
servimos, 199c.
servir, 9b, 11c, 31c, 65d, 76a, 95b, 109a, 126b, 142a, 167c, 181b, 201b,
     233d, 235c.
servirel, 110a.
seso, 77c.
Sevilla, 26b, 51a.
seya, 4c, 176a.
seyan, 114b.
seijan, 209c.
seyen, 114a.
seyendo, 114c.
si (pron.), 20b, 21b, 24c, 41a, 76a, 185d, 200b, 231b, 256a.
si (adv.), 126b.
si (conj.), 1a, 5c, 21b, 23c, 24d, 28d, 45d, 48a, b c, 68c, 83c, 87c, 88d,
     89c, 96c, 98a, 99c, 100a, c, 112a, 113c, d, 117a, c, d, 125c, 126c,

127c, 131c, 162a, 162b, 163b, 167a, 194c, 195a, 196a, 197b, 198a, 201c, 245a, 261c, 267c.
si non, 84b.
siempre, 6a, 11c, 15d, 43c, 63c, 70d, 100b, 121d, 133d, 134b, 139c, 142b, 166b, c, 174b, 181c, 199d, 201b, 214d, 220b, 231d, 266c, 272c.
siendo, 133a.
siervo, 44b, 123c, 231c.
siglo, 272b.
signo, 87a.
siguio, 248b.
silla, 151b, 176a.
simple, 71b.
simplicidat, 33a.
sin, 49d, 96a, 113a, 116c, 176d, 219d, 252d, 254b, 256b, 268Ba, 271b.
sinon, 14c, 25d.
siquier, 117b.
sirva, 101b, 180d.
sirven, 236d.
sirviesemos, 198c.
so (verbo), 9a. 25a, 58d, 68c, 113a, 128b, c, d, 202c.
so (prep.), 255c.
soberbia, 68d, 158a, 249b.
soberbio, 257a.
sobiesedes, 196a.
sobir, 68b.
sobre, 26c, 112d, 120a, 158d, 194d, 229c, 232b, 233c, 240a, 256a.
sobrino, 56b, 57d.
sodes, 63b, 221a, b.
sofrir, 217a.
sofrirtlo, 111c.
solas, 57b, 158d, 159a.
soldada, 174d, 180b, 197c.
solemidat, 198b.
solemindat, 206b.
solemnidades, 222d.
solemnidat, 50c, 124d, 195c, 246a.
solia, 76c, 215c, 217d, 218c.
solian, 192c.

solo, 22d, 76d.
somos, 86a, 162a, b, 166a, d, 200a, d, 253b.
son, 260c. ·
sopiesen, 167b.
sopo, 81d, 95b, c.
sopolo, 94a.
sospiros, 103c.
soterraron, 246a.
sotil, 24b, 155a.
su, -s, 4a, 6b, d, 19c, 22a, c, 23b, 24a, b, 27a, b, 33a, d, 36a, c, d, 37c,
	38c, 48d, 53a, 56b, 59b, 60b, 61c, 76d, 77c, 79b, 80b, 81a, 82b,
	88a, 90c, 93c, 95d, 97b, 99d, 106a, 110d, 112c, 116b, 121a, 122b,
	123b, 125b, 133a, 135d, 136b, 137d, 144a, 146a, b, d, 170b, d,
	172d, 175a, b, 176a, 182d, 183b, 196c, 198c, 199d, 201a, 203a,
	204a, b, 207c, 211a, 221a, 225a, b, c, 226a, 228d, 229c, 243d,
	245b, 247d, 248c, 250d, 254a, 261c, 266c.
subditos, 200a.
subiendo, 153a.
suelen, 116a.
susio, 259c.
suso, 176c.
suyo, 99d.

tajar, 214c, d.
tal, 25d, 49c, 56b, 86c, 118d, 160d, 169a, 181c, 213c, 230d, 239b,
	244b, 247d.
talante, 184b.
talento, 163c, 183b, 199c.
tamaña, 90d.
tan, 15c, 71b, 85b, 117c, 120b, 123c, 134a, d, 135a, 147c, d, 188c, 202c,
	214c, 235d, 242b, 255d.
tanta, 160a.
tantas, 245c.
tanto, 66d, 98d, 129b, 140b, 177b, 192b, 233a.
tanxo, 87a.
tardar, 30c, 88a.
tardaremos, 88d.
te, 11a, b, 12a, 27c, d, 28c, d, 30b, 129d, 139d, 142Ba, 144e, 165c, 167c,
	232d.

132

tememos, 252b.
tenedes, 54c.
tenet, 137c.
tengo, 127a.
tengome, 35d.
tenia, 42a, 211b, 212d, 236c.
tenian, 90c, 115d.
tenie, 235b.
teniendolo, 209a.
teologia, 58d.
tercero, 117d, 186c.
tercia, 243a.
ternia, 120b, 196a.
tesorero, 254b, 258a.
theologia, 29c, 39c.
ti, 93c, 138b, 143d, 162b, 164c.
tiempo, 16a, 30a, 43d, 72a, 154a, 236a, 269b.
tienda, 72a.
tierra, 210d.
tio, 34a, 35a, 36a, 46b.
tirada, 219d.
tirosele, 176b.
todavia, 15d, 39b, 45c, 64a, 153d, 179c.
todia, 12c.
todo, -a, -os, -as(adj.), 10b, 13c, 16c, 20a, 24a, c, 25a, b, 26d, 29a, b,
  33d, 34b, 35b, 36a, b, c, d, 39a, 41a, 46a, 58c, 63d, 64c, 70a, 73b,
  80c, 83d, 88c, 89b, 91b, d, 97a, b, 114b, 122d, 124a, 125b, 130c,
  135c, 136b, 137d, 147a, d, 150a, 151a, 154a, 157b, 161b, c, 165a,
  169b, 171a, 174a, 178b, 184a, 186a, d, 190c, 195b, 200d, 206b,
  220a, 228a, c, 229d, 230b, c, 235a, 236d, 237a, 239a, c, 240c, 241a,
  c, 260a, 267b.
todo, -s, -as (pron.), 17b, 19b, 22c, 26c, 40d, 41c, 47b, c, 48a, 50d,
  51d, 54d, 55c, 56a, 57a, 80a, 83a, 84a, 87d, 90b, c, 92c, 93b, c, d,
  96d, 100d, 112a, 114d, 120a, 123d, 126a, 127d, 129a, 131a, 138d,
  139a, 144e, 148c, d, 149b, 150b, c, 151c, 156b, 157a, 162c, 166b, c,
  167b, c, 171b, 172b, 173c, 182c, d, 183b, 184b, d, 185b, 186d,
  194a, b, 196d, 197b, 198d, 199c, 200b, 203a, 204a, 206c, 207a,
  212c, 213c, 215a, 217b, 221a, 227c, 230a, 232b, d, 233c, d, 240a,
  242c, 244c, 247b, 248a, 251a, b.

toledano (adj.), 262a.
toledanos (sust.), 228a.
Toledo, 1d, 42d, 51c, 120b, 184c, 232a, 234c, 260d, 263a, 264d.
tolliele, 21d.
tollole, 121a.
tomaba, 23b, 239d.
tomado, 188c.
tomar, 17a, 56c, 65c, 67c, 74d, 78a, 88b, 140d, 156a.
tomare, 100c.
tomaron, 242c.
tomaroos, 112c.
tomasen, 150a.
tomastes, 111b.
tomat, 222c.
tomǒ, 78a, 248b, 249b.
tomola, 211c.
tomolo, 18b.
tornada, 120d.
tornar, 60c.
tornarme, 73c.
tornaron, 228c.
(ca)tornaronse, 172b.
torne, 42d.
torno, 53c, 243d.
tornose, 57c, 211b.
toste, 101c.
tobe, 99b.
tobien, 167b.
tobo, 104c.
trabaja, 142B a.
trabajado, 44c, 177b.
trabajar, 84b, 166b.
trabajasen, 167c.
trabajastes, 45a, 58a.
trabajé, 58b.
trabajo (sust.), 46a, 186b, 188c.
trabajó (verbo.), 122a, 170a.
traer, 79b, 122b, 231b, 233b.
traia, 3d, 15d, 211c.

traidores, 168c, 210b.
traya, 268b.
trayame, 43d.
Trenidat, 10a.
tres, 28d, 37a, 117a, 243b, 262d.
tribulada, 13c.
Trinidad, 164c.
tu(adj), 8 bis c, 136c, 138b, 142b, 161c, 162a, 163b, d, 165b, d, 166a, b,
    167d, 168b, d.
tu (pron.), 10b, 30b, 138a, 143a, b, 163c, 164b, 169c.
tuerto, 20b, 242d.
ture, 97b.
tuyos, 169a.

Ubeda, 269b.
un, 1c, 2b, 3c, 5c, 14a, 18c, d, 49d, 77a, 78c, 83a, d, 104d, 132a, 146b,
    147b, 170b, 175a, 177a, 184b, 205a, 211c.
unguento, 244b.
uno, -a, -s, 1b, 7b, 21a, 56c, 57b, 66a, 74a, 125c, 141a, 151a, 182c,
    184b, 194b, 195c, 205a, b, 247c, 250a, 255d, 266b.
urde, 157b.
usar, 116a.

vaganoso, 155b.
val, 83d.
valdríe, 97c.
vale, 83d.
valer, 49d.
valieralo, 250d.
vallan, 143b.
van, 40d, 150d.
vanagloria, 158c.
varon, 6c.
vayan, 252d, 271b.
veces, a las-, 155b.
vedes, 128b.
veemos, 87d.
vegada, -s, 37a, 122a.
veia, 17c, 113d, 239d.

velo, 214a.
veme, 27d.
vencia, 19b.
venga, 111c.
vengado, 96d.
vengas, 28c.
vengo, 8 bis c, 35c, 84c, 95a.
vengovos, 177a.
venia, 104c, 131c.
venian, 65d, 185a.
venianlo, 56c.
veniase, 51c.
venida, 220b, 261c.
venir, 7b, 82a.
ventura, véase también *aventura*, 223b, 256b, 272b.
veo, 8 bis d, 58c, 62d, 63b, 70a, 270c.
ver, 8b, 187a, d, 228a.
ber, 192d.
verano, 262d.
verdadera, 62d.
verdat, 116a, 133c, 165c, 171b, 210c, 266c.
veremos, 48b.
verginidad, 142b.
verian, 22d.
verna, 46d.
vesitado,—a, 231c, 232c.
vesitar, 60d, 121b.
vesitole, 133b.
vesitome, 62b.
vesnistes, 8b.
vestia, 94b.
vestidura, -s, 28a, 223a, 256a.
vestieronle, 91c.
vestió, 76c.
vestir, 76c, 224b, 252c, 254c, 255a.
vestira, 223c.
vete, 28b, 30c.
vevistes, 63c.
veyen, 116b.

136

veyendo, 33a.
via, 39a, 45d, 48a, 100d, 113c, 157c, 186b, 204a, 211a.
vibio, 236a.
vicario, 221a.
vicio, -s, 5d, 43a, 69a, 228b.
vida, 1c, 22c, 31b, 63c, 72a, 83a, 122c, 134c, d, 136b, 139d, 157d,
    178d, 196d, 209b, 220a, 248b.
vido, 68a, 81a.
viejo, 241b.
vientre, 164b.
vier, 213c.
viera, 18d.
vieron, 18a, 217a.
viesemos, 197d.
viestes, 213a.
vil, -es, 72c, 214d.
villa, 51c.
villano, 77a.
vinian, 245a.
viniendo, 160d.
vinieron, 263b.
viniestes, 213b.
vino, 9a, 38a, 61c, 81d, 152b, 156a, 189d, 205a, 215a, 227a.
vió, 7b, 24c, 33b, 42a, 82a, 106a, 175d, 218b, 249a.
violada, 191b.
viole, 78b.
Virgen, 1a, 7c, 8 bis a, 13d, 14c, 15b, 16b, 37b, 48d, 61b, 63a, 73c,
    103c, 112c, 115c, 119c, 123c, 132c, 133b, 138a, 140a, 141c, 146d,
    172b, 173a, 175c, 176d, 179d, 193c, 198c, 199c, 202b, 205b, d,
    210a, 212a, 215d, 219c, 220a, 227a, 244d, 250c, 251c, 255b, 258c,
    259b, 266b.
virgenes, 219b.
virgindat, 190a.
virginidat, 165d, 170b, 195d, 198c.
virtud, -es, 16c, 38a, 135b, 147d, 229a, 230b.
vision, 7b, 141c.
visios, 228b.
visitada, 13a.
visitar, 67d.

vistades, 222c.
visto, 223b.
viven, 194d.
vivia, 269c.
vivian, 184b.
viviendo, 124a.
vivir, 73b, 108c.
voluntad, 212d.
voluntat, 10b, 33d, 68a, 90b, 115b, 160c, 163c, 173c, 179c, 184b, d,
198d, 235b, 241c.
boluntat, 50d.
voces, 218d.
vos, 3a, 8b, 31c, 34a, 43d, 44a, c, d, 46b, d, 48c, d, 54b, 57d, 63b, 84c,
85b, c, d, 95a, b, 96b, c, 98a, c, 100a, 101d, 108d, 109b, c, 111a, c,
112a, 126c, 128b, c, d, 129a, b, c, 134b, 135a, b, c, 137b, 177c, d,
178b, d, 180d, 181a, c, 196c, 197b, 200d, 201a, b, 202b, 205c,
213b, 215b, 220c, 222b, 223a, c, 224b, 235c, 251d, 260a, 263b,
265a.
vuestro, -a, 34a, b, 35b, 43c, 44b, 45c, 46b, 49b, c, 82c, d, 86a, b, c, 96a,
112d, 133d, 134a, 136d, 137a, 193b, 195a, 198a, 220a, 252a.
vusco, 105c.

y (conj.), 16a, 64b, 93a, 112a, 266c.
y (adv.), 55c, 72b, 74c, 80a, 183d, 201c, 209c, 219a, 261c.
ya, 133a, 148b, 160d.
yacuanto, 160d.
yantar, 203a.
yase, 72b, c.
yerbas, 167a.
yerras, 28d.
yo, 8a, 8 bis c (dos veces), 9a, c, 23c, 25a, 27d, 35c, 43c, 44b, 62a, 68c,
70c, 73a, 75a, 83c, 84a, 85c, 87c, 97b, 99a, 100b, 109a, 113a, d,
134b, 135a, 178d, 180c, 181b, 196a, 202c, 262b.
yuso, 74a.

zapato, 83d.

INDICE ALFABETICO DE
FRECUENCIAS DE LA
TRANSCRIPCION DEL MANUSCRITO

a, prep., 185.
a, pres. de *haber*. 1.
ababamiento, por
   alabamiento, 1.
abad, 4.
abadia, 2.
abat, 16.
abondado, 1.
aborrir, 1.
abrazado, 1.
abrazar, 3.
abrir, 1.
acabado,—a, 8.
acabar, 1.
acompañada, 2.
acordado, 2.
acordar, 1.
acordaronse, 1.
acordo, 1.
acorriese, 1.
acorriolos, 1.
acuciaba, 1.
acuerdo, 1.
Adan, 1.
además, 1.
adosir, 1.
adresar, 1.
aduyas, 1.
advenimiento, 1.
afirmaba, 1.
afuera, 1.
agora, 3.
aguisaba, 1.

aguisado, 1.
ahora, 1.
al, contracción, 36.
al, pron., 5.
alabamiento, 1.
alaban, 1.
alabar, 1.
alavo, 1.
albores, 1.
alegre, 2.
alegría, 7.
Alfonso, 34.
algo, 3.
algun,—a, adj., 4.
alguno, —s, pron., 4.
Alifonso, 1.
alma, 7.
alongado, 1.
alta, 1.
altamente, 3.
altar, 5.
altesa, 1.
alumbradores, 1.
alzado, 1.
alzando, 1.
alzo, 1.
allegóse, 1.
allí, adv. tiempo, 5.
allí, adv. lugar, 1.
amaba, 2.
amaban, 1.
amado,—s, 3.
aman, 1.

amar, 2.
amanescio, 1.
Ambrosio, 1.
amenasando, 1.
amigo,—s, 4.
amonestat, 1.
amor, 4.
amos, 1.
amostro, 1.
anda, 1.
andaba, 1.
andaban, 1.
andar, 'marchar', 1.
andar, 'ir', 1.
andande, por *andante*, 1.
Andalucía, 1.
angel, —es, 6.
anima,—s, 2.
animo, 1.
ante, 5.
antecesor, 2.
antes, 3.
año,—s, 5.
aparejado, 1.
aprender, 2.
aprendia, 2.
aprendio, 1.
apreso, 1.
apresurado, 1.
apreto, 1.
apresta, 1.
apurada, 1.
aque, por *aquel*, 1.
aquel,—lla, adj., 11.
aquel, pron., 1.
aquello, pron., 1.
aqueste,—a, adj., 8.
aquesto, pron., 1.
aqui, 11.

arcediano, 1.
arcidiano, 3.
ardientes, 1.
arenas, 1.
argumentos, 1.
arguso, 1.
arrogar, 1.
arte, 2.
arzobispo, 12.
asas, assas, 3.
asentado, 1.
asentar, 1.
asi, adv., 22.
asi como, comp., 4.
asi como si, loc., 1.
armando, 1.
asosegado, —a, 2.
astragaban, 1.
aun, 1.
Ave María, 2.
avedes, 1.
aventura, 1; véase *ventura*.
ayna, 1.
ayudar, 1.
ayudare, 1.
ayudas, 1.
ayudes, 1.
ayudo, 1.
ayuno, 1.
ayuntado,—s, 2.

barba, 1.
batisar, 1.
bautizado, 1.
beber, 1.
bendesian, 1.
bendesir, 1.
bendeciendo, 1.
bendicion, 3.

bendicto,—a, 5.
bendicho,—a, 5.
bendito, 3.
bendixo, 1.
beneficiado, 1.
veneficio, 1.
benignidat, 3.
benigno, 1.
besando, 1.
besar, 4.
besasen, 1.
beso, 1.
vestia 'animal', 1.
bezena, 1.
bien, 41.
bien,—es, 6.
bien como si, 1.
bien aventurado,—a.
bienaventurado, 6.
vienaventurado, 1.
blanco, 1.
bofordando, 1.
boluntat, véase *voluntat*, 1.
bondad, bondat, 8.
bueno,—a,—os,—as, 38.

ca, 15.
cabada, 1.
caballeria, 1.
cabeza, 1.
cabildo, 2.
cabo, 1.
cada uno, 3.
cae, 1.
caer, 1.
calongia, 4.
camara, 1.
campo, 1.
canónigo,—s, 2.

canos, 1.
cantaban, 1.
cantando, 1.
cantar, 2.
cantat, 1.
capellan, 1.
capilla, 1.
cara, 1.
caridat, 4.
carnal, 2.
carrera, 1.
cartas, 5.
castidat, 3.
castigaba, 2.
castigado, 3.
casulla, 5.
cathedral, 1.
cavallero,—s, 2.
cayedes, 1.
celestial, 1.
cendal, 2.
cerca, 1.
cercada, 1.
cercados, 1.
cerrose, 1.
certificados, 1.
ceso, 1.
cibdat, ciudad, ciudat,
    cibdades, 13.
ciegos, 1.
cielo,—s, 8.
cien, ciento, 2.
cierto, 2.
cintura, 1.
cirios, 1.
clara, 3.
claridat, 4.
cleresia, 1.
clerescia, 8.

clerigo, —s, 7.
clerisia, 'conjunto de
    canónigos', 1.
clerisia, 'instrucción', 1.
cobdicia, 1.
cobrado, 1.
cobrando, 1.
cobraria, 1.
codicia, 1.
cofrade, 1.
color, 1.
com', 1.
comensaron, comenzaron, 5.
comenzastes, 1.
comenso, comenzo, 2.
comer, 1.
comido, 2.
comienzo, 1.
como, adv., 36.
como quier que, 1.
compaña, 3.
compañeros, 1.
compañía, 2.
compasion, 1.
complido, —a, —os, 8.
complimiento, 1.
complir 'colmar', 2.
complir 'efectuar', 10.
complire, 1.
compliese, 1.
componer, 2.
compusiestes, 1.
compuso, 2.
con, 69.
conbidar, 1.
concebir, 1.
confesor, 3.
confirmado, 1.
confonder, 1.

confondido, 1.
confondir, 1.
conmigo, con migo, 4.
con plasencia, 1.
conocer, 1.
conortado, 1.
conoscedes, 2.
conosciendo, 1.
conosciole, 1.
conplida, 2.
consejo, 2.
consentimiento, 1.
consentir, 3.
consigo, 1.
consolacion, 2.
consolada, 1.
consolados, 1.
consolola, 1.
contado, —as, 3.
contar, 2.
contemplacion, 1.
contienda, 1.
contigo, 1.
contra, 1.
contrario, 1.
conusco, 1.
comvento, convento, 3.
convertida, 2.
conviene, 2.
con vusco, 1.
corason, corazon, 8.
coronada, 6.
coros, 1.
corronper, 1.
cortada, 1.
cortesia, 1.
cosa, —s, 11.
Cosme, 1.
costumbres, 1.

creado, 1.
creciendo, 1.
creencia, 1.
creer, 4.
creo, 1.
crescia, 5.
crescian, 1.
cresciendo, 2.
creyentes, 1.
creyesen, 1.
cria, 1.
criado, —s, 8.
criastes, 1.
criatura, 3.
cristiandat, 3.
cristianos, 2.
Cristo, 1.
crueldat, 1.
cruz, 1.
cual, 4.
cuanto, 1.
cuano, 5.
cuan no, 1.
cuanto, —a, —os, 15.
cuarto, 1.
cuchillo, 2.
cuerdas, 1.
cuerdo, 1.
cuerpo, 4.
cuidado, 7.
cuidar, 2.
cuidemos, 1.
cuita, 1.
cuja, 1.
cumple, 1.
cumplir, 3.
cumplire, 1.
cura, 4.
cuyo, 2.

Cyriaco, 1.

chicos, 1.
christiano, 1.
Christo, 1.

D, 1.
da, 2.
dad, 1.
dado, —a, 4.
damos, 1.
dando, 1.
daña, 1.
dañar, 1.
dar, 13.
dará, 1.
daria, 1.
das, 2.
dat, 2.
de, 245.
de, por *do,* 1.
de quier que, 1.
de, del verbo *dar,* 2.
debe, 2.
debemos, 3.
deben, 1.
debo, 3.
debras, 1.
decia, 1.
defendio, 1.
dejar, 1.
dejedeste, 1.
dejolo, 1.
del, 35.
del, de + él pron., 7.
delante, 3.
della, —s, 2.
demandado, 1.
demandó, 2.

demas, 1.
demostrado, 1.
demostrar, 1.
dende, 1.
dende en adelante, 1.
dendo, 1.
dentro, 2.
deprender, 1.
derecho, 1.
des ende, 1.
desaguisada, 1.
desamparados, 1.
descender, 3.
descogido, 1.
desde, 4.
deseando, 1.
deseno, 1.
deseosa, 1.
desestado, 1.
desgradecer, 1.
deshonrado, 1.
desi, 1.
desia, 3.
desian, 3.
desiades, 1.
desierto, 1.
desir, 10.
desleal, 1.
desmamparado, 1.
desmamparamiento, 1.
desmampararemos, 1.
desomo, 1.
des«p»amparado, 1.
despedicion, 1.
despegado, 2.
despender, 1.
despidiose, 1.
despresiolo, 1.
despues, 15.

despues que, 9.
desputaron, 1.
deste, 2.
desterrados, 1.
destraidores, 1.
destruir, 2.
desuso, 1.
desviar, 2.
detenencia, 1.
deudo, 1.
Deum, 1.
devocion, 10.
devosion, 1.
dexanonse, 1.
dexole, 1.
deznardar, 1.
día, — s, 18.
de dia, 3.
diablo, 1.
dictado, 3.
dicho, 1.
de dicho, 1.
dichos, sust., 1.
dieran, 1.
diese, 1.
diesen, 2.
digna, 1.
dignamente, 1.
dignidat, 1.
digno, — s, 3.
digo, 1.
dijeron, 4.
dijieron, 2.
dijo, 20.
dio, 7.
Dios dado, Diosdado, 7.
Dios dar, 'Diosdado', 1.
dis, 1.
discipulo, 3.

dise, 1.
disen, 1.
disia, 2.
disian, 3.
disiendo, 3.
distes, 2.
dixerades, 1.
dixieronle, 1.
dixo, 22.
doce, 1.
doctrina, 1.
documentos, 1.
doletvos, 1.
doliendo, 1.
dolientes, 1.
dolor, 1.
don, 35.
dona, 3.
donde, 4.
doña, 11.
dos, 4.
dose, 1.
dote, 1.
drescer, 1.
dubda, 1.
dubdar, 1.
duelo, 3.
dueña, — s, 14.
dulce, — s, 3.
dura, 2.

e, 316.
é, 1.
echaban, 1.
echada, 1.
echando, 1.
eche, 1.
echó, 1.
echose, 1.

edat, 2.
edificacion, 1.
el, art., 154.
él, pron., 50.
ella, — s, 19.
ello, — s, 17.
ematarte, 1.
empero, 2.
empezo, 1.
en, 162.
en, error del manuscrito, 1.
en ante, 1.
en cabo de, 1.
en demas, 1.
en derredor, 1.
en tanto, 1.
encarnacion, 1.
encimado, 1.
encimastes, 1.
encomienda, 2.
en(c)omienda, 1.
encontrada, 1.
ende, 13.
ende, vid. *onde*, 1.
enemigo, 3.
enfamada, 1.
enfermedat, 2.
enfermos, 1.
engañar, 1.
engaño, 2.
engañoso, 1.
(en)grado, 1.
enmienda, 1.
ensalzada, 2.
entender, 2.
entendimiento, 1.
entera, 2.
enterro, 1.
entienda, — s, 3.

entincion, 1.
entonce, 3.
entones, 1.
entrado, 3.
entrar, 2.
entre, 3.
envia, 2.
enviados, 1.
enviar, 1.
envidia, 1.
envio, 2.
envolvio, 1.
era, 'había', 16.
eran, 5.
eres, 4.
errar, 2.
erredes, 2.
es, 40.
esa, 3.
escarnir, 1.
esciencia,—s, 8.
escodriñar, 1.
escoger, 2.
escogieron, 1.
escogiesen, 1.
escogiestes, 1.
escorrir, 1.
escrito, 1.
escrituras, 1.
escusa, 1.
en escuso, 1.
ese, 3.
esfuerzo, 1.
eso, 1.
espacio, 1.
espantados, 1.
espanto, 1.
España, 1.
Españas, 2.

especia, 1.
especial, 1.
esperando, 1.
espicio, 1.
espidieron, 1.
espidiose, 1.
espinar, 1.
espiritu, 1.
espiritual, 4.
esposa, 1.
esposo, 1.
esta,—s, 22.
esta,—s, pron., 2.
esta, verbo, 2.
estaba, 7.
estaban, 2.
estado, 5.
estando, 4.
estar, 2.
estat, 1.
este, adj., 13.
este, pron., 7.
Estevan, 7.
estido, 1.
esto, 19.
estorcer, 1.
estos, 1.
estragos, 1.
estraño,—a, 2.
estrella, 2.
estudiar, 1.
estudio, 1.
et, 3.
eternal, 1.
Eugenio, 13.
Evangelio, 1.

fabla, 1.
fablado, 1.

fablando, 2.
fablar, 4.
fablo, 3.
fablosa, 1.
facer, 1.
facia, 1.
facion, 1.
fadado, 1.
faga, 2.
fagamos, 2.
fagas, 1.
falencia, 1.
falsedat, 1.
falso,—s, 2.
fallaban, 1.
fallamos, 1.
fallan, 2.
falle, 1.
fallese, 1.
falleseron, 1.
fallir, 2.
fallo, 3.
fama, 2.
faré, 2.
faremos, 1.
farian, 1.
fas, 3.
de fas, 1.
fasaña, 1.
fasedat, 1.
fasele, 1.
fasen, 1.
faser, 7.
fasetgelo, 1.
fasetme, 1.
fasia, 5.
fasian, 3.
fasienda, 3.
fasianse, 1.

fasiendo, 2.
fasiendoles, 1.
fasnos, 1.
fasta, 3.
fasta que, 2.
fe, 1.
fea, 1.
fecho, 3.
de fecho, 1.
feo, 1.
fere, 1.
fermosa, 1.
ficiesen, 1.
fiel, 1.
fiesta, 7.
figo, 1.
fijo,—a,—as, 51.
fijo, adv., 1.
filosofia, 2.
finado, 1.
finar, 1.
finca, 3.
fincaba, 1.
fincar, 1.
fincara, 1.
fincaredes, 2.
finco, 12.
fine, 1.
finquedes, 1.
finó, 2.
finque, 1.
firmando, 1.
firmamento, 1.
fis, 1.
fise, 1.
fisica,—s, 2.
fisiera, 1.
fisiéredes, 1.
fisieron, 3.

fisiese, 1.
fisiesemos, 1.
fisiesen, 1.
fisistes, 1.
fiso, 25.
fizo, 1.
flor, 5.
folgar, 3.
folgasen, 1.
folgura, 1.
folia, 1.
follia, 1.
fruto, 2.
fue, verbo *ser,* 36.
fue, verbo *ir,* 17.
fuemos, 1.
fuera, verbo *ser,* 2.
fuera, adv., 4.
fuere, 4.
fueredes, 2.
fueren, 1.
fueron, 7.
fueron, verb. *ir,* 4.
fuerte,—s, 3.
fues, 3.
fuese, verbo. *ser,* 7.
fuese, verbo. *ir,* 8.
fuesedes, 1.
fuesele, 2.
fuesen, 1.
fuesle, 1.
fui, 1.
fuiste, 4.

galardonado, 1.
ganar, 1.
ganariamos, 1.
ganaste, 1.
gane, 1.

gelo, 1.
ge lo, 1.
gente,—s, 7.
gloria, 3.
glorificada, 1.
glorificado, 3.
gloriosa, 11.
glotoneria, 1.
gobernaria, 1.
godos, 1.
gosaban, 1.
gosar, 1.
goso, 1.
gososo,—a, 5.
gozo, 1.
gracia, 11.
gracias, 4.
graciosa, 2.
grada, 1.
gradado, 1.
gradecet, 1.
gradesciolo, 1.
grado, 2.
de grado, 4.
de grado en grado, 1.
(en) grado, 1.
gradoso, 1.
gran, 14.
gra(n)d, 3.
grand, 36.
granada, 1.
grande, 5.
grandes, 5.
grant, 7.
gradescia, 1.
gradescer, 1.
gravemente, 1.
gualardon, 3.
guardado, 4.

guardandole, 1.
guardar, 4.
guardare, 1.
guardares, 1.
guardarvos, 1.
guardat, 3.
guia, 1.
guie, 1.
guisa, 2.
guisado, 2.
guisar, 1.
guisas, 2.

ha, 11.
habedes, 12.
habemos, 2.
haber, 4.
habera, 1.
habetle, 1.
habia, 18.
habian, 3.
habie, 2.
habien, 1.
haviendo, 1.
habiendole, 1.
habito, 4.
habra, 2.
habredes, 1.
hai, 1.
han, 2.
has, 2.
haya, 3.
hayades, 1.
hayamos, 1.
hayas, 1.
he, 13.
heredala, 1.
heregía, 3.
hipocresia, 1.

hir, 1.
hobieron, 3.
hobiese, 3.
hobiesen, 2.
hobo, 15.
hombre, 1.
home, 3.
honor, 3.
honrra, —s, 7.
honraban, 1.
honrada, —s, 16.
honrradamente, 1.
honrado, —s, 12.
honrar, 10.
honrrare, 1.
honrraren, 2.
honrró, 1.
hora, —s, 7.
hoy, 1.
humanidat, 1.
humildat, 8.
humildoso, 1.
humilla, 1.
humillades, 2.
humillose, 1.
humilloso, 1.

iba, 8.
ibala, 1.
ibase, 1.
yba, 1.
ybales, 1.
iban, 2.
yban, 1.
ybanse, 1.
iglesia, 3.
yglesia, 1.
igual, 1.
imponer, 1.

151

ingenio, 1.
de inojos, 1.
intención, 1.
intincion, 1.
ir, 4.
yr, 1.
yrá, 1.
irado, 2.
iras, 1.
irme, 1.
Ysidro, 8.

jamas, 3.
Jesucristo, 3.
Jesuchristo, 1.
jugando, 1.
Juliano, 1.
juntada, 1.
juntados, 1.
juntar, 2.
junto, 2.
justos, 2.

la, art., 224.
la, pron., 20.
las, art., 31.
las, pron., 2.
laudamus, 1.
le, 32.
leal, 2.
leanse, 1.
lebaba, 1.
lebantose, 1.
ledo, 3.
leer, 1.
lei, 1.
lengua,—s, 2.
Leocadia, 2.
leon, 1.

les, 8.
letrado,—s, 2.
letras, 1.
levandola, 1.
levanta, 1.
levantado, 1.
levantose, 1.
levar, 2.
levaron, 2.
leyenda, 1.
leyendo, 2.
leyolas, 1.
libertadme, 1.
libro, 2.
licencia, 3.
licenciado, 1.
licion, 2.
ligados, 1.
limpieza, 1.
lo, art., 14.
lo, pron., 61.
loa, 1.
loado,—a, 2.
loan, 1.
loar, 2.
Locadia, 1.
loco, 1.
logar, 4.
loores, 3.
los, art., 64.
los, pron., 3.
losa, 1.
losania, 1.
losano, 1.
Losia, 1.
lozano, 1.
Lucia, 2.
luego, 18.
luengo, 1.

lugar, 2.
lumbre, 1.
lumbrera, 1.
lus, 3.
Lusia, 10.
luxuria, 1.

llamaban, 2.
llamanle, 1.
llamar, 1.
llamaronle, 1.
llamaronlo, 1.
llamas, 2.
llamo, 1.
llanto, 1.
llegando, 1.
llegar, 1.
llegaron, 1.
llegó, 3.
llegose, 1.
lleno,—a, 3.
llevaban, 1.
lleve, 1.
lloraba, 1.
llorando, 3.
llorat, 1.

maborrecer, 1.
madre, 28.
maestre, 5.
maestro,—s, 12.
Magdalena, 1.
maguer, 2.
mal, sust., 7.
mal, adj., 2.
mal, adv., 3.
mala,—s, 5.
malamente, 2.
mal aventurado, 2.

malenconia, 1.
malos, 3.
mancebo,—s, 3.
mancilla, 1.
mandabangelo, 1.
mandado, sust., 5.
mandado,—s, part., 3.
mandamiento, 1.
mandares, 1.
mandaron, 1.
mando, sust., 1.
mando, verbo, 8.
manera,—s, 9.
mano,—s, 10.
mano a mano, 1.
mansedumbre, 1.
manso, 2.
mantubieron, 1.
maña,—s, 2.
mar, 2.
marabilla, 1.
maravillado,—a,—os, 4.
Maria, 21.
marido, 2.
martirizada, 1.
martyr, 1.
marzo, 1.
mas, adv., 17.
mas, conj., 23.
mas (lectura deturpada), 1.
matar, 1.
mayor,—es, 4.
maytine,—s, 2.
me, 31.
medecina, 1.
medio, 1.
medio dia, 1.
mejor, 9.
menester, 4.

menguado,—a,—os, 3.
menor, 2.
mensage, 1.
mentar, 1.
menudo, 1.
mercet, 1.
merecian, 1.
merescedes, 2.
merescer, 3.
meresciestes, 1.
meresimiento, 1.
mesma, 1.
mesquina, 1.
mesura, 3.
mesurado, 3.
metio, 1.
metiose, 1.
mi,—s, adj., 29.
mi, pron., 16.
mia, 1.
mientes, 2.
mientra, 2.
mio, 4.
mis, 1.
misa, 4.
mision, 1.
mismo, 1.
mocho, 2.
moger, 1.
monasterio, 3.
monges, 1.
moraban, 1.
morir, 3.
moros, 1.
mortal, 5.
mostraba, 1.
mostrando, 2.
mostrar, 4.
mostredes, 1.

mostro, 3.
mover, 1.
mucho,—a,—s, 35.
muchos, pron., 5.
muere, 1.
muerte, 1.
muerto, 1.
muestra, 1.
muestre, 2.
muger, 2.
mujeres, 1.
mundo, 13.
muro, 2.
muy, 50.

nació, 1.
nada, 1.
nado, 1.
nascencia, 1.
nascer, 1.
nascio, 1.
nasiera, 1.
nasio, 1.
natura, 2.
natural, 1.
naturas, 1.
navidat, 1.
necesidat, 1.
negada, 1.
ni, 5.
nieve, 1.
nin, 17.
ninguno,—a, 5.
niño,—s, 3.
no, 7.
noble, 9.
noblesas, 1.
noche, 2.
de noche, 3.

nombrado,—a,—os, 3.
nombre, 1.
non, 86.
nones, 1.
nos, 32.
notario, 1.
nuestro,—a,—os, 9.
nuevo, 1.
nunca, 14.

o, 14.
obedescades, 1.
obedescer, 2.
obediencia, 2.
obispo,—s, 2.
ovo, 1.
obsequias, 1.
ocorres, 1.
ofender, 1.
oido, 1.
oistes, 2.
ojos, 1.
olor,—es, 2.
olvidaba, 1.
olvidar, 2.
olvido, 1.
ome,—s, 14.
omillose, 2.
omnipotente, 37.
onde, 3.
ora, 1.
oracion, 4.
orar, 1.
orden, 5.
ordenada, 1.
ordenalo, 1.
ordenamiento, 1.
ordenar, 4.
ordenes, 1.

ordenó, 4.
oro, 1.
oso, 1.
otorgado, 2.
otorgar, 1.
otorgase, 2.
otro,—a,—os,—as, 24.
otro si, 4.
oy, 3.
oydme, 1.
oyendo, 1.
oyeses, 1.
oyestes, 1.
oyo, 3.

paciencia, 1.
padre,—s, 26.
padrianos, 1.
pagado,—a, 11.
palabra,—s, 2.
palacio, 3.
paños, 1.
par, 2.
a par, 1.
al par, 1.
par, 1.
para, 28.
paradiso, 1.
parados, 1.
paraliticos, 1.
pararon, 1.
parescer, 1.
paresse, 1.
paridat, 1.
pariendo, 2.
pariente,—s, 3.
pario, 1.
parir, 1.
paro, 1.

partas, 1.
parte,—s, 4.
partia, 1.
partiose, 1.
partir, 2.
parto, 1.
pas, 1.
pasado, 1.
pasar, 1.
pastor, 4.
pecado,—s, 6.
pecadores, 2.
pecatris, 1.
peche, 1.
pedia, 1.
pedido, 1.
pedir, 1.
peligrar, 1.
peligrosa, 1.
penada, 1.
penitencia, 2.
pensaran, 1.
pesaron, 1.
penso, 1.
pequeño,—a,—os, 3.
perder, 2.
perdia, 2.
perdicion, 1.
perdido, 1.
perdidoso, 1.
perdiendo, 1.
perdon, 1.
perdonanlos, 1.
perdonar, 1.
perdonase, 1.
perfección, 1.
perfecta, 1.
perfecto, 1.
perlacion, 1.

perlado,—s, 18.
pero, 10.
pero que, 1.
perseveradamente, 1.
perseverando, 1.
perseveraria, 1.
perseveraste, 1.
pertenecian, 1.
pesa, 1.
pesandole, 1.
pesar, 7.
peso, 1.
petición, 2.
piadat, 2.
piadosa, 1.
pidiendole, 1.
pidiere, 1.
pidieronle, 1.
pie,—s, 3.
piedat, 3.
pien asi como, 1.
piensa, 2.
pierda, 1.
pintados, 1.
planta, 1.
plase, 1.
plasenos, 1.
plasenteria, 1.
plaser, 4.
plasia, 1.
plogo, 1.
plugo, 1.
poblada, 1.
poblaron, 1.
pobres, 5.
poco, 1.
podamos, 1.
podemos, 1.
poder, 1.

poderoso,—a, 2.
podia, 7.
podian, 3.
podra, 2.
podria, 5.
podriamos, 2.
podrian, 2.
pone, 3.
poner, 3.
ponga, 2.
pongades, 1.
ponia, 1.
poniendo, 1.
por, 94.
porcionero, 1.
pornia, 1.
por que, porque, 20.
por tal que, 1.
portal, 3.
pos, 1.
posada,—s, 3.
posedes, 1.
posiste, 1.
poso, 1.
post, 1.
preciaba, 1.
preciamos, 1.
preciosa, 6.
predicacion, 2.
predicar, 1.
prelados, 1.
presciado, 1.
presencia, 1.
presentada, 1.
presentale, 1.
presente, 1.
presentole, 1.
prestar, 2.
prestaré, 1.

priesa, 2.
primado, 1.
primer, 1.
primera, 1.
primero, 1.
primero, adj., 6.
principe, 2.
prior, 1.
privado, 1.
probare, 1.
probo, 1.
procesion, 1.
profesion, 1.
profundado, 1.
promesa, 1.
prometed, 1.
prometer, 1.
prometida, 1.
prometiestes, 1.
pudiera, 1.
pudieres, 1.
pudiese, 1.
pudo, 3.
pueblo, 8.
pueda, 2.
puede, 6.
puedeme, 2.
pueden, 2.
puelo, 1.
puerta, 5.
puerto, 1.
pues, causal, 10.
pues, temporal, 1.
pues que, causal, 5.
pues que, temporal, 8.
pugnaban, 1.
pugnan, 1.
pugnaron, 1.
en buen punto, 1.

en fuerte punto, 1.
en punto bueno, 1.
pura, 5.
puro, 2.
pusiera, 1.
puso, 4.

qual, 1.
qual, pron., 2.
quales, 1.
qualequier, 1.
qualquier que, 1.
quano, 11.
quanto,—s, 4.
que, conj., 90.
que, pron., 136.
que, interr., 2.
que, 'para que', 1.
quebrantados, 1.
quebranto, 3.
quedara, 1.
quedo, 1.
quexandose, 1.
quejedat, 1.
quexoso, 1.
quejumbre, 1.
queon, por *quien*, 1.
quepa, 1.
querades, 4.
queras, 1.
queredes, 3.
querella, 1.
queremos, 1.
queria, 8.
querian, 4.
querido, 1.
querien, 1.
queriendo, 1.
querria, 5.

quiebra, 1.
quien, 5.
quiera, 3.
quieran, 1.
quieras, 1.
quiere, 6.
quiero, 4.
quinto, 1.
quiquiera que, 1.
quisierdes, 1.
quisiere, 2.
quisieredes, 2.
quisieron, 1.
quisiese, 1.
quisiesen, 1.
quisiesedes, 1.
quisieste, 1.
quiso, 15.
quisola, 1.
quitar, 1.

rajado, 1.
rason, 1.
rato, 2.
razon, 4.
recabdo, 1.
recebir, 1.
reciben, 1.
recibido,—s, 2.
recivieron, 1.
recibieronle, 1.
recibió, 2.
reciviolos, 1.
reciviredes, 1.
recibiros, 1.
regina, 1.
regno,—s, 2.
reina, 1.
reyna, 7.

reynaba, 1.
reynado, 1.
reynar, 1.
reyno, 1.
religioso, 2.
reliquias, 1.
relosir, 1.
relumbraba, 1.
remembrar, 1.
removieron, 1.
rencura, 1.
rendian, 1.
resar, 1.
resare, 1.
rescebida, 1.
rescebir, 2.
rescivido, 1.
rescibió, 1.
rescibirlo, 1.
responder, 1.
respondieronle, 1.
respondió, 2.
resurrección, 1.
reverencia, 1.
revestir, 1.
rey, 5.
reyendo, 1.
rico, 4.
rienda, 1.
rimado,—a, 2.
rindian, 1.
riquesas, 1.
riqueza, 1.
rodilla, 1.
rogaba, 1.
rogar, 6.
rogaronle, 1.
romance, 1.
rosa, 3.

ruegame, 1.
ruego, 1.

sabe, 2.
sabed, 1.
sabedes, 2.
sábemos, 2.
saben, 1.
sabete, 1.
sabialo, 1.
sabidor, 1.
sabidoria, 1.
sabor, 3.
sabré, 2.
sabrosa, 2.
sacrificio, 1.
sagrada, 4.
salario, 2.
salian, 1.
saliet, 1.
salio, 6.
saliole, 1.
salir, 2.
salud, 2.
saludada, 2.
saludar, 1.
salvacion, 1.
salvar, 2.
san, 3.
sanaba, 1.
sancto, 1.
Sancho, 1.
sanidat, 1.
sano, 4.
sant, 19.
santidat, 7.
santificada, 1.
santo,—a,—as, 38.
saña, 1.

sañoso,—a, 2.
sapiencia, 2.
sazon, 1.
se, pron., 30.
se, verbo, 3.
se non, 1.
sea, 9.
seades, 2.
seamos, 1.
seavos, 2.
secta, 1.
seguia, 1.
seguian, 2.
seguiré, 1.
segun, 2.
segund, 3.
seguro, 1.
semeja, 1.
semejaba, 2.
sendente, 1.
sentiredes, 1.
señal, 1.
señalado,—a, 2.
señor,—a,—es, 50.
señudo, 1.
sepalo, 1.
sepoltura, 2.
ser, 6.
será, 8.
seré, 2.
seremos, 1.
seria, 3.
sermon, 1.
servia, 1.
servicio, 9.
servido,—a, 5.
servidor,—es, 2.
servimos, 1.
servir, 14.

servirel, 1.
seso, 1.
Sevilla, 2.
seya,—n, 4.
seyen, 1.
seyendo, 1.
si, pron., 9.
si, adv., 1.
si, conj., 40.
śi non, 1.
siempre, 23.
siendo, 1.
siervo, 3.
siglo, 1.
signo, 1.
siguio, 1.
silla, 2.
simple, 1.
simplicidat, 1.
sin, 11.
sinon, 2.
siquier, 1.
sirva, 2.
sirven, 1.
sirviesemos, 1.
so, verbo, 9.
so, prep., 1.
soberbio,—a, 4.
sobiesedes, 1.
sobir, 1.
sobre, 10.
sobrino, 2.
sodes, 3.
sofrir, 1.
sofrirtlo, 1.
solas, 3.
soldada, 3.
solemidat, 1.
solemindat, 1.

solemnidades, 1.
solemnidat, 4.
solia, —n, 4.
solo, 2.
somos, 8.
son, 1.
sopiesen, 1.
sopo, 3.
sopolo, 1.
sospiros, 1.
soterraron, 1.
sotil, 2.
su, —s, 79.
subditos, 1.
subiendo, 1.
suelen, 1.
susio, 1.
suso, 1.
suyo, 1.

tajar, 1.
tal, 13.
talante, 1.
talento, 3.
tamaña, 1.
tan, 16.
tanta, —s, 2.
tanto, 6.
tanxo, 1.
tardar, 2.
tardaremos, 1.
te, 13.
tenemos, 1.
tenedes, 1.
tenet, 1.
tengo, 1.
tengome, 1.
tenia, 4.
tenian, 2.

tenie, 1.
teniendolo, 1.
teologia, 1.
tercero, 2.
tercia, 1.
ternia, 2.
tesorero, 2.
theologia, 2.
ti, 5.
tiempo, 7.
tienda, 1.
tierra, 1.
tio, 4.
tirada, 1.
tirosele, 1.
todavia, 6.
todia, 1.
todo, —a, —os, —as, adj., 83.
todo, —s, —as, pron., 90.
toledano, adj., 1.
toledanos, sust., 1.
Toledo, 10.
tolliele, 1.
tollole, 1.
tomaba, 2.
tomado, 1.
tomar, 9.
tomare, 1.
tomaron, 1.
tomaroos, 1.
tomasen, 1.
tomastes, 1.
tomat, 1.
tomó, 3.
tomola, 1.
tomolo, 1.
tornada, 1.
tornar, 1.
tornarme, 1.

tornaron, 1.
(ca)tornaronse, 1.
torne, 1.
torno, 2.
tornose, 2.
toste, 1.
tobe, 1.
tobien, 1.
tobo, 1.
trabaja, 1.
trabajado, 2.
trabajar, 2.
trabajasen, 1.
trabajastes, 2.
trabajé, 1.
trabajo, sust., 3.
trabajó, 2.
traer, 4.
traia, 3.
traidores, 2.
traya, 1.
trayame, 1.
Trenidat, 1.
tres, 5.
tribulada, 1.
Trinidad, 1.
tu,—s, adj., 14.
tu, pron., 7.
tuerto, 2.
ture, 1.
tuyos, 1.

Ubeda, 1.
un, 23.
uno,—a, —s, 20.
urde, 1.
usar, 1.

vaganoso, 1.

val, 1.
valdrie, 1.
vale, 1.
valer, 1.
valieralo, 1.
vallan, 1.
van, 2.
vanagloria, 1.
varon, 1.
vayan, 2.
veces, a las—, 1.
vedes, 1.
veemos, 1.
vegada,—s, 2.
veia, 3.
velo, 1.
veme, 1.
vencia, 1.
venga, 1.
vengado, 1.
vengas, 1.
vengo, 4.
vengovos, 1.
venia, 2.
venian, 2.
venianlo, 1.
veniase, 1.
venida, 2.
venir, 2.
ventura, véase también *aventura*, 3.
veo, 6.
ver, 4.
ber, 1.
verano, 1.
verdadera, 1.
verdat, 6.
veremos, 1.
verginidad, 1.
verian, 1.

verna, 1.
vesitado, —a, 2.
vesitar, 2.
vesitole, 1.
vesitome, 1.
vesnistes, 1.
vestia, 1.
vestidura,—s, 3.
vestieronle, 1.
vestio, 1.
vestir, 5.
vestira, 1.
vete, 2.
vevistes, 1.
veyen, 1.
veyendo, 1.
via, 9.
vibio, 1.
vicario, 1.
vicio,—s, 3.
vida, 16.
vido, 2.
viejo, 1.
vientre, 1.
vier, 1.
viera, 1.
vieron, 2.
viesemos, 1.
viestes, 1.
vil,—es, 2.
villa, 1.
villano, 1.
vinian, 1.
viniendo, 1.
viniestes, 1.
vino, 10.
vio, 9.
violada, 1.
viole, 1.

Virgen, 47.
virgenes, 1.
virgindat, 1.
virginidat, 4.
virtud,—es, 5.
virtut, 1.
vision, 2.
visios, 1.
visitada, 1.
visitar, 1.
vistades, 1.
visto, 1.
viven, 1.
vivia, 1.
vivian, 1.
viviendo, 1.
vivir, 2.
voluntad, 1.
voluntat, 13.
boluntat, 1.
voces, 1.
vos, 77.
vuestro,—a, 25.
vusco, 1.

y, conj., 5.
y, adv., 9.
ya, 3.
yacuanto, 1.
yantar, 1.
yase, 2.
yerbas, 1.
yerras, 1.
yo, 34.
yuso, 1.

zapato, 1.

INDICE NUMERICO DECRECIENTE
DE FRECUENCIAS DE LA
TRANSCRIPCION DEL MANUSCRITO

En el siguiente índice el número que precede a las palabras indica la cantidad de apariciones en el texto.

316. e.
245. de.
224. la, art.
185. a, prep.
162. en.
154. el, art.
136. que, pron.
 94. por.
 90. que, conj.; todo, -a, -s, pron.
 86. non.
 83. todo, -a, -os, -as, adj.
 79. su, -s.
 77. vos.
 69. con.
 64. los, art.
 61. lo, pron.
 51. fijo, -a, -s.
 50. el, pron.; muy, señor, -a, -es.
 47. Virgen.
 41. bien.
 40. es, si, conj.
 38. bueno, -a, -os, -as, santo, -a, -s.
 37. omnipotente.
 36. al, contrac.; como, adv.; fue, verbo *ser*; grand.
 35. del, don, mucho, -a, -os.
 34. Alfonso, yo.
 32. le, nos.
 31. las, art.; me.
 30. se.
 29. mi, -s, adj.
 28. madre, para.

26. padre, -s.

25. fiso, vuestro, -a.

24. otro, -a, -os, -as.

23. mas, conj.; siempre.

22. asi, adv.; dixo, esta, -s.

21. Maria.

20. dijo, la, pron.; por que, porque; uno, -a, -s.

19. ella, -s, esto, sant.

18. dia, -s, habia, luego, perlado,-s.

17. ello, -s, fue, verbo *ir;* más, adv.; nin.

16. abat, era 'había', honrada, -s; mi, pron.; tan, vida.

15. ca, cuanto, -a, -os, despues, hobo, quiso.

14. dueña, -s, gran; lo, art.; nunca, o, ome, -s, servir, tu, -s, adj.

13. cibdat, ciudad, ciudat, cibdades; dar, ende, este, adj., Eugenio, he, mundo, tal, te, voluntat.

12. arzobispo, finco, habedes, honrado, -s, maestro, -s.

11. aqui, cosa, -s, doña, gloriosa, gracia, ha, pagado, -a, quano, sin. .

10. complir 'efectuar', desir, devocion, Lusia, mano, -s, pero, pues, causal; sobre, Toledo, vino.

9. despues que, España, manera, -s, mejor, noble, nuestro, -a, -os, sea, servicio, si, pron.; so, verbo; tomar, via, vio, y adv.

8. acabado, -a, aqueste, -a, bondat, cielo, -s, complido, -a, -os; corason, corazon; criado, -s, esciencia, -s, fuese, verbo *ir;* humildat, iba, Ysidro, les; mando, verbo *mandar;* pues que, temporal; queria, pueblo, sera, somos.

7. alegria, -s, alma, clerigo, -s, cuidado; del, de el, pron.; Dios dado, Diosdado; este, pron.; estaba, Estevan, faser, fiesta; fuese, verbo *ser;* gente, -s, grant, honrra;-s, hora,-s; mal, sust.; no, pesar, podia, reyna, santidat, tiempo; tu, pron.

6. angel, -s, bien,-s; bien aventurado,-a, bienaventurado; coronada, pecado,-s, preciosa; primero, adj.; puede, quiere, rogar, salio, ser, tanto; todavia, veo, verdat.

5. al, pron.; altar, allí (adv. tiempo), ante, año,-s, bendicto,-a, bendicho,-a, cartas, casulla, comensaron, comenzaron, crescia, cuano, eran, estado, fasia, flor, gososo,-a, grande, grandes, maestre, mala,-s; mandado, sust.; muchos, pron.; muerte, ni, ninguno,-a, orden, pobres, podria, puerta; pues que, causal; pura, querria, quien, rey, servido,-a, ti, tres, vestir, virtud,-es; y, conj.

4. abad; algun, -a, adj.; alguno, s-, pron.; amigo, -s, amor; asi como, comp.; besar, calongia, claridat; conmigo, con migo; creer, cual, cuerpo, dado, -a, desde, dijeron, donde, dos, eres, espiritual, estando, fablar; fuera, adv.; fuere, fueron, fuiste, gracias, de grado, guardado, guardar, haber, habito, ir, logar, maravillado, -a, -os, mayor, -es, menester, mio, misa, mostrar, oracion, ordenar, ordeno, otro si, parte, -es, pastor, plaser, puso, quanto, -s, querades, querian, razon, sagrada, sano, seya, -n, soberbio, -a, solempnidat, solia, -n, tenia, tio, traer, vengo, ver, virginidat.

3. abrazar. agora, algo, allegose, amado, -s, antes, arcidiano; asas, assas; bendicion, bendito, benignidat, cada uno, castidat, castigado, clara, confesor, consentir, contado, -s; comvento, convento; criatura, cristiandat, cumplir, debemos, debo, delante, descender, desia, desian, de dia, dictado, digno, -s, discipulo, disian, disiendo, dona, duelo, dulce, -s, enemigo, entienda, -s, entre, esa, ese, et, fablo, fallo, fas, fasian, fasienda, fasta, fecho, finca, fisieron, folgar, fuerte, -s, fues, gloria, glorificado, gra(n)d, gualardon, guardat, habian, haya, heregia, hobieron, hobiese, home, honor, iglesia, jamas, Jesucristo, ledo, licencia, loores; los, pron.; lus, llegó, lleno, -s, llorando, llorar; mal, adv.; malos, mancebo-s; mandado, -s, part.; menguado, -a, -os, mereser, mesura, mesurado, monasterio, morir, niño, -s, nombrado, -a, -os, onde, oy, palacio, pariente, -s, pequeño, -a, -os, pies, -s, piedat, podian, pone, poner, portal posada, -s, pudo, quebranto, queredes, quiera, rosa, sabor, san; se, verbo; segund, seria, siervo, sodes, solas, soldada, sopo, talento, tomó; trabajo, sust.; traia, veia, ventura, vestidura, -s, vicio, -s, ya.

2. abadia, acompañada, acordado, alegre, altamente, amaba, amar, anima, -s, antecesor, aprender, aprendia, arte, asosegado, -a, Ave Maria, ayuntado, -s, cabildo, canonigo, -s, cantar, carnal, castigaba, cavallero, -s, cendal; cien, ciento; cierto, comenso, comenzo, comido, compañia, complir 'colmar', componer, compuso, conoscedes, conplida, consejo, consolacion, contar, convertida, conviene cresciendo, cristianos, cuchillo, cuidar, cuyo, da, das, dat; de, del verbo *dar;* debe, della, demandó, dentro, despegado, deste, destruir, desviar, diesen, dijieron, disia, distes, dura, edat, empero, encomienda, enfermedat, engaño, ensalzada, entender, entera, entrar, envia, envio, errar, erredes, escoger, Españas; esta, -s, pron.; esta, verbo; estaban, estar, estraño, -a, estrella, fablando, faga, fagamos, falso, -s, fallan, fallir, fama, faré, fasiendo, fasta que, filosofia, fincaredes, finó, fisica, -s, fruto; fuera, ver-

bo *ser;* fruto; fuera, verbo *ser;* fueredes, fuesele, fuesle, graciosa, grado,
guisa, guisado, guisas, habemos, habie, habra, han, has, hobiesen,
honrraren, humillades, iban, irado, juntar, junto, justos; las, pron.;
leal, lengua,-s, Leocadia, letrado,-s, levar, levaron, leyendo, libro, licion, lóado,-a, loar, Lucia, lugar, llamaban, llamas, maguer; mal, adj.;
malamente, mal aventurado, manso, maña,-s, mar, marido, maytine,-
s, menor, merescedes, mientes, mientra, mocho, mostrando, muestre,
muger, muro, natura, noche, obedescer, obediencia, obispo,-s. oistes,
olor,-es, olvidar, omillose, otorgado, otorgase, palabra,-s, par, pariendo, partir, pecadores, penitencia, perder, perdia, peticion, piadat,
piensa, poderoso,-a, podra, podriamos, podrian, ponga, predicacion,
prestar, priesa, principe, pueda, puedeme, pueden, puro; qual, pron.;
que inter.; quisiere, quisieredes, rato, recibido,-s, recibió, regno,-s, religioso, rescebir, respondió, rimado,-a, sabe, sabedes, sabemos, sabré,
sabrosa, salario, salir, salud, saludada, salvar, sañoso,-a, sapiencia, seades, seavos, seguian, segun, semejaba, señalado,-a, sepoltura, seré, servidor,-es, Sevilla, silla, sinon, sirva, sobrino, solo, sotil, tanta,-s, tardar,
tenian, tercero, ternia, tesorero, theologia, tomaba, torno, tornose,
trabajado, trabajar, trabajastes, trabajó, traidores, tuerto, van, vayan,
vegada,-s, venia, venian, venida, venir, vesitado,-a, vesitar, vete, vido,
vieron, vil,-es, vision, yase.

1. a, pres. de *haber;* ababamineto, por *alabamiento;* abondado, aborrir, abrazado, abrir, acabar, acordar, acordaronse, acordo, acorriese,
acorriolos, acuciaba, acuerdo, Adan, ademas, adosir, adresar, aduyas,
advenimiento, afirmaba, afuera, aguisaba, aguisado, ahora, alabamiento, alaban, alabar, alavo, albores, Alifonso, alongado, alta, altesa,
alumbradores, alzado, alzando, alzo, allegóse, allí (adv. lugar), amaban, aman, amanescio, Ambrosio, amenasando, amonestat, amos,
amostro, anda, andaba, andaban; andar, 'marchar'; andar, 'ir'; andande, por *andante;* Andalucia, animo, aparejado, aprendio, apreso, apresurado, apreto, apuesta, apurada; aque, por *aquel;* aquel, pron.; aquello, pron.; aquesto, pron; arcediano, ardientes, arenas, argumentos,
arguso, arrogar, asentado, asentar; asi como si, loc.; asmando, asocorrer, astragaban, aun, avedes, aventura, ayna, ayudar, ayudare, ayudas,
ayudo, ayuno, barba, batisar, bautizado, beber, bendesian, bendesir,
bendiciendo, bendixo, beneficiado, veneficio, benigno, besando, besasen, beso, vestia 'animal', bezena, bien como si, vienaventurada,
blanco, bofordando, boluntat, cabada, caballeria, cabeza, cabo, cae,

caer, camara, campo, canos, cantaban, cantando, cantat, capellan, cara, caridat, carnal, carrera, cathedral, cayedes, celestial, cerca, cercada, cerrada, cerrados, cerrose, certificados, ceso, ciegos, cintura, cirios, cleresia; clerisia, 'conjunto de canónigos'; clerisia, 'instrucción'; cobdicia, cobrado, cobrando, cobraria, codicia, cofrade, color, con, comenzastes, comer, comienzo, como quier que, compañeros, compasion, complimiento, complire, compliese, compusieste, conbidar, concebir, confirmado, confonder, confondido, confondir, con plasencia, conocer, conortado, conosciendo, conosciole, consentimiento, consigo, consolada, consoladas, consolola, contemplacion, contienda, contigo, contra, contrario, conusco, con vusco, coros, corronper, cortada, cortesia, Cosme, costado, costumbres, creado, creciendo, creencia, creo, crescian, creyentes, creyesen, cria, criastes, Cristo, crueldat, cruz, cuanto, cuan no, cuarto, cuerdas, cuerdo, cuidemos, cuita, cuja, cumple, cumplire, Cyriaco, chicos, christiano, Christo, D., dad, damos, dando, daña, dañar, dará, daria; de, por *do;* de quier que, deben, debra, decia defendio, dejar, dejedeste, dejolo, demandado, demas, demostrado, demostrar, dende, dende en adelante, dendo, deprender, derecho, des ende, desaguisada, desamparados, descogido, deseando, deseno, deseosa, desestado, desgradecer, deshonrado, desi, desides, desierto, desleal, desamparado, desmamparamiento, desmampararemos, desomo, desam«p»arado, despedición, despender, despidiose, despresiolo, desputaran, desterrados, destraidores, desuso, detenencia, dendo, Deum, devosion, dexanonse, dexole, deznardar, diablo, dicho, de dicho, dichos, dieran, diese, digna, dignamente, dignidat, digo; Dios dar, 'Diosdado'; dis, dise, disen, dixeredes, dixieronle, doce, doctrina, documentos, doletvos, doliendo, dolientes, dolor, dose, dôte, drescer, dubda, dubdar, é, echaban, echada, echando, eche, echó, echose, edificacion, ematarte, empezo; en, error del manuscrito; en ante, en cabo de, en demas, en derredor, en tanto, encarnacion, encimado, encimastes, en(c)omienda, encontrada, ende, enfamada, enfermos, engañar, engañoso, (en)grado, enmienda, entendimiento, enterro, entincion, entones, enviados, enviar, envidia, envolvio, escarnir, escodrinar, escogieron, escogiesen, escogiestes, escorrir, escrito, escrituras, escusa, en escuso, esfuerzo, eso, espacio, espantados, espanto, especia, especial, esperando, espicio, espidieron, espidiose, espinar, espiritu, esposa, esposo, estat, estido, estorcer, estos, estragos, estudiar, estudio, eternal, Evangelio, fabla, fablado, fablosa, facer, facia, facion, fadado, fagas, falencia, falsedat, fallaban, fallamos, falle, fallese, falleseron, fa-

remos, farian, de fas, fasaña, fasedat, fasele, fasen, fasetgelo, fasetme,
fasiange, fasiendoles, fasnos, fe, fea, de fecho, feo, fere, fermosa, ficiesen, fiel, figo; fijo, adv.; finado, finar, fincaba, fincar, fincara, fine, finquedes, finque, firmando, firmamento, fis, fise, fisiera, fisieres, fisiese,
fisiesemos, fisiesen, fisistes, fizo, folgasen, folgura, folia, follia, fuemos, fueren, fuesedes, fuesen, fuesle, fui, galardonado, ganar, ganariamos, ganaste, gane; gelo, ge lo; glorificada, glotoneria, gobernaria, godos, gosaban, gosar, goso, gozo, grada, gradado, gradecet, gradesciolo,
de grado en grado, (en)grado, gradoso, granada, gradescia, gradescer,
gravemente, guardandole, gudardare, guardares, guardarvos, guia,
guie, guisar, habera, habetle, habien, haviendo, habiendole, habredes,
hai, hayades, hayamos, hayas, heredala, hipocresia, hir, hombre, honraban, honrradamente, honrrare, honrró, hoy, humanidat, humildoso, humilla, humillose, humilloso, ibala, ibase, yba, ybales, yban,
ybanse, yglesia, igual, imponer, ingenio, de inojos, intencion, intincion, yr, yra, iras, irme, Jesuchristo, jugando, Juliano, juntada, juntados, laudamus, leanse, lebaba, lebantose, leer, lei, leon, letras, levandola, levanta, levantado, levantose, leyenda, leyolas, libertadme, licenciado, ligados, limpieza, loa, loan, Locadia, loco, losa, losania, losano, Losia, lozano, luengo, lumbre, lumbrera, luxuria, llamanle, llamar, llamaronle, llamaronlo, llamo, llanto, llegando, llegar, llegaron,
·llegose, llevaban, lleve, lloraba, llorat, maborrecer, Magdalena, malenconia, mancilla, mandabangelo, mandamiento, mandares, mandaron; mando, sust.; mano a mano, mansedumbre, mantubieron, marabilla, martirizada, martyr, marzo, mas (lectura deturpada), matar, medecina, medio, medio dia, mensage, mentar, menudo, mercet, merecian, meresciestes, meresimiento, mesma, mesquina, metio, metiose,
mia, mis, mision, mismo, moger, monges, moraban, mostraba, mostredes, mover, muere, muerto, muestra, mujeres, nació, nada, nado,
nascencia, nascer, nascio, nasiera, nasio, natural, naturas, navidat, necesidat, negada, nieve, noblesas, nombre, nones, notario, nuevo, obedescades, ovo, obsequias, ocorres, ofender, oido, ojos, olvidaba, olvido, ora, orar, ordenada, ordenalo, ordenamiento, ordenes, oro, oso,
otorgar, oyd, oyendo, oyeses, oyestes, paciencia, padrianos, paños, a
par, al par, paradiso, parados, paraliticos, pararon, parescer, paresse,
paridat, pario, parir, paro, partas, partia, partiose, parto, pas, pasado,
pasar, pecatris, pecatris, peche, pedia, pedido, pedir, peligrar, peligroso, penada, pensaran, pensaron, penso, perdicion, perdido, perdidoso,
perdiendo, perdon, perdonanlos, perdonar, perdonase, perfección,

perfecta, perfecto, perlacion, pero que, perseveradamente, perseverando, perseveraria, perseveraste, pertenecian, pesa, pesandole, peso, piadosa, pidiendole, pidiere, pidieronle, pien así como, pierda, pintados, planta, plase, plasenos, plasenteria, plasia, plogo, plugo, poblada, poblaron, poco, podamos, podemos, poder, pongades, ponia, poniendo, porcionero, pornia, por tal que, pos, posedes, posiste, poso, post, preciaba, preciamos, predicar, prelados, presciado, presencia, presentada, presentale, presente, presentole, prestaré, primado, primer, primera, primero, prior, privado, probare, probo, procesion, profesion, profundado, promesa, prometed, prometer, prometida, prometiestes, pudiera, pudieres, pudiese, puelo, puerto; pues, temporal, pugnaban, pugnaron, en buen punto, en fuerte punto, en punto bueno, pusiera, qual, quales, qualesquier, qualquier que, que 'para que', quebrantados, quedara, quedo, quexandose, quejedat, quexoso, quejumbre; queon, por *quien;* quepa, queras, querella, queremos, querido, querien, queriendo, quiebra, quieran, quieras, quinto, quiquiera que, quisierdes, quisieron, quisiese, quisiesedes, quisiesen, quisieste, quisola, quitar, rajado, rason, recabdo, recebir, reciben, recivieron, recibieronle, reciviolos, reciviredes, recibiros, regina, reina, reynaba, reynado, reynar, reyno, reliquias, relosir, relumbraba remembrar, removieron, rencura, rendian, resar, resare, rescebida, rescivido, rescibió, rescibirlo, responder, respondieronle, resureccion, reverencia, revestir, reyendo, rienda, rindian, riquesas, riqueza, rodilla, rogaba, rogaronle, romance, ruegame, ruego, sabed, saben, sabete, sabialo, sabidor, sabidoria, sacrificio, salian, saliet, saliole, saludar, salvacion, sanaba, sancto, Sancho, sanidat, santificada, saña, sazon, se non, seamos, secta, seguia, seguiré, seguro, semeja, sendente, sentiredes, señal, señudo, sepalo, seremos, sermon, servia, servimos, servirel, seso, seyen, seyendo; si, adv.; si non, siendo, siglo, signo, siguio, simple, simplicidat, siquier, sirven, sirviesemos; so, prep.; sobiesedes, sobir, sofrir, sofrirtlo, solemidat, solemindat, solemnidades, son, sopiesen, sopolo, sospiros, soterraron, subditos, subiendo, suelen, susio, suso, suyo, tajar, talante, tamaña, tanxo, tardaremos, tenemos, tenedes, tenet, tengo, tengome, tenie, teniendolo, teologia, tercia, tienda, tirada, tirosele, todia; toledano, adj.; toledanos, sust.; tolliele, tollole, tomado, tomare, tomaron, tomaroos, tomasen, tomastes, tomat, tomola, tomolo, tornada, tornar, tornarme, tornaron, (ca)tornaronse, torne, toste, tobe, tobien, tobo, trabaja, trabajasen, trabajé, traya, trayame, Trenidat, tribulada, Trinidat, ture, tuyos, Ubeda, urde, usar, vaganoso, val, valdrie, vale, valer,

valieralo, vallan, vanagloria, varon, veces (a las), vedes, veemos, velo,
veme, vencia, venga, vengado, vengas, vengovos, venianlo, veniase,
ver, verano, verdadera, veremos, verginidad, verian, verna, vesitole,
vesitome, venistes, vestia, vestieronle, vestio, vestira, vevistes, veyen,
veyendo, vibio, vicario, viejo, vientre, vier, viera, viesemos, viestes, villa, villano, vinian, viniendo, vinieron, viniestes, violada, viole, virgenes, virginidat, virtut, visios, visitada, visitar, vistades, visto, viven, vivia, vivian, viviendo, voluntad, boluntat, voces, vusco, yacuanto, yantar, yerbas, yerras, yuso, zapato.

CONCORDANCIAS LEMATIZADAS
DE LA EDICION RECONSTRUIDA

a (208)

    a (167), 3a, 4a, d, 5a, b, 6b (dos veces), 7c, 9b, 14c, 15b, 17b, c, d, 18c, 19b, d, 22a, b, 27b, 30a, 37b, 41c (dos veces), 42d, 43a, b, d, 50c, 51b (dos veces), c (dos veces), d, 52c, 53c, 56a, b, 57c, 59b, 60b, 61b, c, 65d (dos veces), 66c, 68b, 69c, 73c, d, 76a, 77a, b, 78b, c, 79b, 81c, 82b, 90d, 92c, 95a, d (dos veces), 96b (dos veces), c, 97b, 98d, 99a, 103c, 106c, 107d, 112a, d, 114d, 115c, 116c, 125b, 127c, 130a, c, d, 131a, c, 138d (dos veces), 140d (dos veces), 144b, 146a, d, 148c, 149b, 153a, 154b, 155b, 156b, 157a, 159d, 160b, d, 162a, 166c, 170c, 172a, b, 173b, c, 175d, 178b, 179d, 182b (dos veces), d, 183b, 184c, 185b, 186d, 187a (dos veces), b, 196b, d, 199c, 202b, 203a, 207d, 212a, 216c, 217c, 219c, 224b, c, 225a, 226c, 227a, 228a, d, 233c, 234b, 235c (dos veces), 236d, 238a, 244d, 246d, 247a, c, 248a, 250c, 251b, 254a, 255c, 256d, 258d, 259b, 262d, 263d, 265b, 268a, d, 271a (dos veces).

    al (41), 5b, 6d, 12b, 17a, 37a, b, 42b, 50d, 55a, b, 60c, 61d, 62c, 75b, c, 77c, 82a, 104a, 120d, 129d, 135b, 136d, 139d, 145d, 105b (dos veces), 191c, 208b, 211b, 215c, 218c, 226a, 236c, 243d (dos veces), 244d, 256b, 258a, 269b, 271b, 272c.

abad (19)

    abad (2), 81c, d.

    abat (16), 82a, 85a, 87a, 90a, 91a, 92b, 94d, 95b, 98a, 104b, 105a, 106a, 114c, 119b, 124b, 130a.

    abades (1), 183d.

abadía (2)

    abadía (2), 74a, 150b.

abondado (1)

    abondado (1), 143c.

MANUEL ALVAR EZQUERRA

aborrecer (1)
aborrecer (1), 69d.

aborrir (1)
aborrir (1), 109c.

abrazar (4)
abrazar (3), 52a, 107b, 208d.
abrazado (1), 209a.

abrir (2)
abrir (2), 104b, 217c.

acabado (5). Vid también **cabado.**
acabado (4), 26b, 123c, 147d, 179d.
acabada (1), 180c.

acabar (4)
acabar (1), 167d.
acabado (1), 170c.
acabada (2), 140c, 174b.

acompañado (2)
acompañada (2), 103b, 219a.

acordar (4)
acordar (1), 126c.
acordáronse (1), 247b.
acordado (1), 149a.
acordados (1), 194c.

acorrer (3)
acorres (1), 166c.
acorriólos (1), 241d.
acorriese (1), 246c.

acuciar (1)
acuciaba (1), 41b.

178

acuerdo (2)
    acuerdo (1), 125b.
    acordo (1), 173b.

Adán (1)
    Adán (1), 189c.

adelante (1)
    adelante (1), 258c.

además (1)
    además (1), 152a.

adrezar (1)
    adrezar (1), 27a.

aducir (2)
    adozir (1), 109b.
    adugas (1), 12b.

advenimiento (1)
    advenimiento (1), 163b.

afirmar (3)
    firmar (1), 32d.
    afirmaba (1), 192a.
    firmando (1), 159b.

afuera (1)
    afuera (1), 131c.

agradecer (6)
    gradescer (2), 109a, 233c.
    gradesco (2), 90d, 178b.
    grasdecía (1), 59b.
    gradecetle (1), 88b.

aguisar (1)
    aguisaba (1), 41c.

ahora (4)
 ahora (1), 265a.
 agora (3), 75a, 209d, 213a.

aína (1)
 aína (1), 268b.

airado (2)
 irado (2), 79a, 155d.

ajo (1)
 ajos (1), 49d.

ajuntado. Véase **juntado.**

ajuntar. Véase **juntar.**

al. Véase **a** y **el.**

ál (5)
 ál (5), 14b, 84a, 113d, 129c, 160b.

alabado (1)
 alabado (1), 199d.

alabamiento (1)
 alabamiento (1), 146d.

alabar (4)
 alabar (1), 9b.
 alabas (1), 10b.
 alaban (1), 115c.
 alavó (1), 165c.

albor (1)
 albores (1), 144c.

alegre (3)
 alegre (3), 13b, 119a, 179b.

alegría (7)
    alegría (7), 12b, 52d, 59d, 102d, 108c, 150c, 230a.

Alfonso (San Ildefonso) (40)
    Alfón (2), 32a, 125d.
    Alfonso (37), 14b, 21c, 27b, 40d, 54c, 55d, 56b, 65d, 74d, 78b,
      81a, 82a, 87b, 94b, 99a, 120a, 123a, 127c, 128a, 132a, 141b,
      145a, 150d, 161a, 185a, 189b, 203c, 204b, 206a, 209b, 210c,
      212d, 215c, 219c, 234b, 250c, 263d.
    Alifonso (1), 259a.

Alfonso XI (1)
    Alfonso (1), 267a.

algo (3)
    algo (3), 8b, 13c, 65c.

alguno (8)
    alguno (2), 21b, 131c.
    algún (1), 6c.
    algunos (2), 154c, 203c.
    alguna (3), 10c, 21b, c.

allí (6)
    allí (6), 52c, 122c, 170a, 198d, 218c, 242c.

alma (8). Vid también **ánima**.
    alma (7), 21d, 83c, 112d, 136c, 137d, 140d, 237a.
    almas (1), 265c.

alongar (1)
    alongado (1), 81a.

altamente (2)
    altamente (2), 182a, 190a.

altar (5)
    altar (5), 75b, 92a, 207a, 217d, 218a.

181

alteza (2)
　alteza (2),. 2c, 163d.

alto (1)
　alta (1), 189a.

alumbrador (1)
　alumbradores (1), 144d.

alzado (1)
　alzado (1), 249a.

alzar (2)
　alzó (1), 176c.
　alzando (1), 228d.

amanecer (1)
　amanesció (1), 108b.

amar (8)
　amar (2), 14c, 67a.
　aman (1), 9b.
　amaba (2), 20a, 39b.
　amaban (1), 154b.
　amado (2), 105c, 151c.

ambos (1)
　amos (1), 52c.

Ambrosio (1)
　Ambrosio (1), 43b.

amenazar (1)
　amenazando (1), 80c.

amigo (4)
　amigo (3), 3b, 27c, 266b.
　amigos (1), 213a.

amonestad (1)
    amonestat (1), 33b.

amor (4)
    amor (4), 16b, 66a, 99a, 173d.

amos. Vid **ambos.**

amostrar. Vid **mostrar.**

Andalucía (1)
    Andalucía (1), 267c.

andante (1)
    andant^x (1), 63d.

andar (6)
    andar (2), 203b, 268b.
    anda (1), 83b.
    andaba (1), 235a.
    andaban (2), 53d, 240a.

ángel (7)
    ángel (2), 164a, 191a.
    ángeles (5), 9b, 141a, 218d, 219b, 237b.

ánima (2). Vid también **alma.**
    ánima (1), 84b.
    ánimas (1), 271b.

ánimo (1)
    ánimo (1), 38b.

ante (1)
    ante (1), 238a.

antecesor (2)
    antecesor (2), 248c, 253a.

antes (6)
antes (2), 192c, 215b.
ante (4), 102a, 132c, 212b.

año (5)
año (1), 132a.
años (4), 15a, 24a, 43a, 45a.

aparejado (1)
parejado (1), 236c.

aprender (5)
aprender (2), 18d, 36c.
aprendió (1), 39a.
aprendía (1), 19a.
apreso (1), 143b.

apresurado (1)
apresurado (1), 35c.

apretar (1)
apretó (1), 256b.

arriesa (1)
apriesa (1), 55b.

apuesto (1)
apuesta (1), 14a.

apurar (1)
apurada (1), 210c.

aquel (11)
aquel (7), 75c, 109b, 148b, 154a, 214a, 237a, 262c.
aquella (4), 122a, 246d, 257c, 266a.

aquél (3)
aquél (3), 70b, 71a, 261d.

184

aquello (1)
aquello (1), 210a.

aquese, adj. (1)
aques' (1), 85c.

aquese, pron. (2)
aquese (2), 70b, 71a.

aqueste, adj. (9)
aqueste (2), 96d, 101d.
aquesta (7), 2a, 8b, 62b, 64a, 134c, 223a, 251a.

aqueste, pron. (1)
aqueste (1), 29a.

aquesto (1)
aquesto (1), 7a.

aquí (11)
aquí (11), 105c, 108c, 112c, 126a, 127d, 194b, 196b, 199a, 213b, d, 222a.

arcediano (4)
arcediano (1), 67b.
arcidiano (3), 85a, 89a, 95c.

ardiente (1)
ardientes (1), 216b.

arena (1)
arenas (1), 167a.

argumeto (1)
argumentos (1), 40c.

arguso (1)
arguso (1), 175d.

arte (2)
arte (2), 166b, c.

arzobispo (11)
arzobispo (10), 26a, 53a, 56a, 65a, 94c 97c, 174c, 207b, 208a, 249a.
arzobispos (1), 183c.

asaz (2)
asaz (2), 42a, 57a.

asentar. Vid **sentar.**

así (26)
así (26), 41a, 59c, 71d, 113b, 116a 131a, 148a, 156b, 157b, 183b, 185a, 198a, 199b, 200c, 201a, 225b, 227c, 229b, 235d, 243b, 249c, 253b, 255a, 256b, 259a, 264a.

asmado (1)
asmados (1), 254a.

asmar (1)
asmando (1), 160a.

asosegar. Vid **sosegar.**

astragar (1)
astragaban (1), 267c.

atán. Vid **tan.**

atanto. Vid **tan** y **tanto.**

aturar (1)
aturare (1), 97b.

aún (1)
aún (1), 128b.

186

Ave María (1)
Ave María (1), 15b.

avenir (1)
avínole (1), 38a.

ayudar (4)
ayudar (1), 84d.
ayudo (1), 24d.
ayudas (1), 166c.
ayudare (1), 1a.

ayuno (1)
ayuno (1), 69b.

ayuntar. Véase **juntar.**

barba (1)
barba (1), 119b.

bautizar (2)
batizar (1), 245d.
bautizado (1), 243a.

beber (1)
beber (1), 69a.

bendecir (7)
bendezir (1), 61a.
bendezían (1), 244d.
bendixo (1), 234b.
bendicha (2), 63a, 142b.
bendicta (1), 133d.
bendiciéndole (1), 64c.

bedición (4)
bendición (4), 47a, 49c, 93c, 106c.

bendito (13)
    bendito (3), 49a, 76a, 92b.
    bendicho (3), 52b, 57c, 68a.
    bendicto (4), 26a, 108b, 170a, 236a.
    bendictos (1), 183d.
    bendicha (1), 91d.
    bendicta (1), 197d.

beneficiado (1)
    beneficiado (1), 269b.

beneficio (1)
    veneficio (1), 43c.

benignidad (3)
    benignidat (3), 133d, 198a, 206a.

benigno (1)
    benigno (1), 153c.

besar (6)
    besar (4), 17d, 52b, 60b, 107a.
    besó (1), 51b.
    besando (1), 53b.

bestia (1)
    bestia (1), 28a.

bien, adv (34)
    bien (33), 4b, 5b (dos veces), 23d, 26b, 33c, 40b, 47a, 60d, 63d,
        71d, 72b, 73b, 76b, 83b, 100a, 103b, 110a, 122b, 128b, c,
        135a, 136b, 143b, 164a, 183a, 200c, 208b, 209d, 213d, 219a,
        253b, 254a.
    vien (1), 62d.

bien, sust (14)
    bien (11), 12c, 54c, 99b, 109b, 119c, 156a, 168d, 196a (dos ve-
        ces), 231c, 233a.

188

bienes (2), 4b, 201a.
vienes (1), 25b.

bienaventurada, sust 1 (1)
bien aventurada (1), 208c.

bienaventurada, sust 2 (1)
vienaventurada (1), 232d.

bienaventurado, adj (4)
bien aventurado (3), 23d, 35d, 143b.
bienaventurado (1), 188a.

bienaventurado, sust (1)
bienaventurado (1), 123d.

blanco (1)
blanco (1), 242b.

bohordar (1)
bofordando (1), 53d.

bondad (8)
bondad (2), 142a, 144a.
bondat (6), 24d, 82c, 154a, 161b, 184a, 190b.

bueno (39)
bueno (4), 125c, 149c, 160d, 211c.
buen (17), 30b, 32a, 87d, 96d, 105b, 112b, d, 125d, 145b (dos veces), 147c, 152b, 156c, 173b, 199c, 202a, 232a.
buenos (7), 40a, b, 69d, 130c, 144a, 263a, c.
buena (9), 4a, 6a, 8d, 65a, 103a, 104a, 106a, 119a, 272b.
buenas (2), 103b, 121a.

ca (22)
ca (22), 8d, 12d, 47d, 63b, 70d, 88c, 93d, 104c, 110c, 111a, 118b, 128c, 144d, 172b, 177c, 181b, 196c, 201b, 211b, 221a, 255c.

caballería (1)
caballería (1), 239c.

caballero (2)
cavallero (1), 2b.
cavalleros (1), 152b.

caber (1)
quepa (1), 181c.

cabeza (1)
cabeza (1), 176b.

cabildo (2)
cabildo (2), 79a, 247a.

cabo (2)
cabo (2), 76d, 191d.

cabado (1)
cabada (1), 122c.

cada (3)
cada (3), 200b, 207d, 264b.

caer (3)
caer (1), 252b.
cae (1), 71c.
cayades (1), 101d.

calongía (4)
calongía (4), 74c, 80c, 94d, 152a.

cámara (1)
cámara (1), 65a.

campo (1)
campo (1), 167a.

190

cano (1)
    canos (1), 228b.

canónigo (2)
    canónigo (1), 145b.
    canónigos (1), 114c.

cantar (4)
    cantar (2), 92b, 218d.
    cantat (1), 129d.
    cantando (1), 92a.

capellán (1)
    capellán (1), 221b.

capilla (2)
    capilla (2), 176b 219d.

cara (1)
    cara (1), 174c.

caridad (3)
    caridat (3), 90d, 154b, 165a.

carnal (3)
    carnal (3), 118a, 157c, 196d.

carrera (1)
    carrera (1), 248c.

carta (5)
    cartas (5), 27a, d, 28b, 32b, 33b.

castidad (3)
    castidat (3), 69b, 124c, 173d.

castigar (3)
    castigaba (2), 21c, 130d.
    castigado (1), 35a.

casulla (5)
casulla (5), 222c, 225c, 227b, 250b, 258a.

catedral, adj (1)
cathedral (1), 151b.

cedo (1)
cedo (1), 120d.

celestial (1)
celestïal (1), 225d.

cendal (2)
cendal (2), 214a, 225c.

cerca (1)
cerca (1), 211b.

cercar (1)
cercada (1), 219b.

cerrado (1)
cerrados (1), 40c.

cerrar (1). Vid también **encerrar.**
cerrada (1), 208b.

certificar (1)
certificados (1), 40d.

cesar (1)
cesó (1), 172a.

chico (1)
chicos (1), 19b.

ciego (1)
ciegos (1), 240c.

cielo (8)
    cielo (3), 172a, 265d, 271b.
    cielos (5), 9c, 140d, 143c, 144c, 270c.

cien (1)
    cien (1), 86c.

ciencia. Vid **esciencia.**

ciento (1)
    ciento (1), 183d.

cierto (2)
    cierto (2), 72a, b.

cintura (1)
    cintura (1), 256c.

Ciriaco (1)
    Ciriaco (1), 159b.

cirio (1)
    cirios (1), 216b.

ciudad (13)
    ciudad (1), 53c.
    ciudat (1), 232a.
    cibdat (10), 1d, 2a, 50b, 184c, 186a, 205c, 234c, 241a, 246d, 261a.
    cibdades (1), 260c.

claridad (5)
    claridat (5), 10c, 217a, 229a 230a, 237b.

claro (3)
    clara (3), 62c, 106b, 173c.

clerecía (11)
  clerezía (10), 25c, 29a, 87a, 149a, 150a, 152d, 186a, 204b, 230c, 239a.
  clerezía (1), 45b.

clérigo (8)
  clérigo (3), 28c, 32c, 147b.
  clérigos (5), 126a, 154b, 171d, 184a, 216a.

cobrar (3)
  he cobrado (1), 177d.
  cobrando (1), 170d.
  cobraría (1), 239b.

codicia (1)
  cobdicia (1), 158b.

cofrade (1)
  cofradre (1), 145b.

color (1)
  color (1), 227d.

comenzar (8)
  comienzan (1), 52c.
  comenzó (2), 92d, 176d.
  comenzastes (1), 109d.
  comenzaron (4), 107d, 153a 217b, 218d.

comer (3)
  comer (1), 69a.
  hobieron comido (1), 57a.
  hobiesen comido (1), 203b.

comienda (3)
  comienda (3), 73c, 246d, 271a.

comienzo (1)
  comienzo (1), 30b.

como (38)
    como (33), 7d, 16a, 65b, 83a, 84a, 90b, 94b, 112b, 113b, 117d,
    128d, 135a, 151c, 156a, 157a, 161a, 183a, 184a, 185a, 190d,
    200c, 206a, 217b, d, 222b, 225b, 242b, 253a, c, 255a, 258d,
    270b.
    com' (5), 159b, 207d, 212b, 229b, 259c.

cómo (8)
    cómo (8), 19a, 95b, 189c, 190c, 191a, b, c, 232b.

compañero (1)
    compañeros (1), 22a.

compañía (4)
    compañía (2), 87b, 200a.
    compaña (2), 21a, 91b.

compasión (1)
    compasión (1), 16d.

componer (5)
    componer (2), 1b, 170b.
    compuso (2), 175b, 266a.
    compusiestes (1), 177c.

con (69)
    con (69), 4b, 6b, 8d, 12c, 15b, 16c, 21a, c, 22d, 27d, 42b, 47c,
    50a, b, c, 52c, 55b, 56c, 57b, 58c, 65b, 68d, 80b, 82b, 86a, 93a,
    98b, 102d, 103b, c, 104b, c (dos veces), 106b, 110a, 114b,
    115b, 120c, 121a, b, 139a, 145b, 149a, 150a (dos veces), c (dos
    veces), d, 154b, 184d, 185b, 187d, 189a, 195b, 203c, 204b,
    206, c, 207a, 214b, 216a, 237b, 238b, 246a, b, 248a, 258b,
    259d, 265d.

concebir (1)
    concebir (1), 7c.

confesor (3)
    confesor (3), 1c, 32b, 264c.

confiar (1)
confío (1), 46d.

confirmar (1)
confirmado (1), 130b.

confundir (3)
confonder (1), 268c.
confondir (1), 156b.
ha confondido (1), 96b.

conmigo (4)
conmigo (4), 98c, 100b, 126c, 222b.

conocer (5)
conocer (1), 18a.
conoscedes (2), 54b, 113c.
conosciol' (1), 77a.
conosciendo (1), 171b.

conortar (1)
conortado (1), 131d.

consejo (2)
consejo (2), 257b, 267d.

consentir (3)
consentir (3), 169a, 224a, 255b.

consigo (1)
consigo (1), 3d.

consolación (2)
consolación (2), 47b, 141d.

consolado (1)
consolada (1), 140b.

consolar (2)
consolola (1), 132c.
consolados (1), 245b.

contar (5)
contar (2), 148b, 258b.
he contada (1), 205c.
he contadas (1), 260a.
contado (1), 151d.

contemplación (1)
contemplación (1), 207b.

contienda (2)
contienda (2), 71a, 271b.

contigo (1)
contigo (1), 12d.

contra (1)
contra (1), 178a.

contrario (1)
contrario (1), 89d.

conusco (1)
conusco (1), 48b.

convenir (2)
conviene (2), 60c, 265a.

convento (2)
convento (2), 146c, 183c.

convertir (2)
convertida (1), 178b.
hobo convertida (1), 261d.

convidar (1)
conbidar (1), 56a.

convusco (1)
convusco (1), 105c.

corazón (8)
corazón (8), 8b, 36a, 47c, 64c, 67a, 118a, 139a, 207c.

coro (1)
coros (1), 219b.

coronada, sust (1)
coronada (1), 191d.

coronado, adj (6)
coronada (6), 13d, 119c, 140a, 180a, 193c, 219c.

corromper (1)
corronper (1), 69b.

cortar (1)
cortada (1), 133d.

cortesía (1)
cortesía (1), 172d.

cosa (12)
cosa (8), 115d, 169a, 212c, 213c, 214c, 235d, 251a, **266d.**
cosas (4), 155c, 182d, 214d, 260b.

cosimente (1)
cosimente (1), 37c.

Cosme (1)
Cosme (1), 75b.

costado (1)
costado (1), 131c.

costumbre (1)
   costumbres (1), 21d.

crecer (9)
   creciá (2), 16b, 154c.
   cresciá (3), 16d, 153b, d.
   crescián (1), 16c.
   creciendo (1), 16a.
   cresciendo (2), 38a, 179c.

creencia (1)
   creencia (1), 86c.

creer, sust. (1)
   creer (1), 49c.

creer, verbo (5)
   creer (3), 2d, 192c, 257b.
   creo (1), 46c.
   creyesen (1), 160b.

creyente (1)
   creyentes (1), 245d.

criado (8)
   criado (1), 31a.
   crïado (5), 23b, 27b, 44b, 52b, 55a.
   crïados (2), 40a, 263c.

criar (2)
   cría (1), 158b.
   criastes (1), 43a.

criatura (3)
   criatura (3), 14a, 137b, 161a.

cristiandad (3)
   cristiandat (3), 162a, 173b, 190c.

cristiano (3)
 christiano (1), 262c.
 cristianos (2), 166a, 263a.

Cristo (3)
 Cristo (2), 1a, 7c.
 Christo (1), 255b.

crueldad (1)
 crueldat (1), 130d.

cruz (1)
 cruz (1), 67d.

cual (6)
 cual (1), 139d.
 qual (3), 11b, 185c, 262b.
 quales (2), 263b, 264d.

cuál (3)
 cuál (2), 100d, 227d.
 quál (1), 264a.

cualquier (2)
 qualquier (1), 239d.
 qualesquier (1), 245a.

cuando (23)
 cuando (6), 15a, 22a, 106a, 116b, 175d, 267a.
 cuan' (5), 17c, 18a, 59a, 81d, 161b.
 cuano (2), 42a, 82a.
 quan' (8), 61d, 155b, 216c, 222a, d, 227a, 242a, 269c.
 quano (2), 102c, 140c.

cuanto, adj (2)
 cuantos (1), 40c.
 cuanta (1), 78a.

cuanto, adv (2)
    cuanto (1), 66d.
    quanto (1), 30d.

cuanto, pron (18)
    cuanto (12), 17a, 44c, 46d, 55d, 80a, 83b, d, 98c, 108d, 129b,
       138a, 185d.
    quanto (2), 86d, 203d.
    cuantos (2), 55c, 65c.
    quantos (2), 194d, 200a.

cuarta (1)
    cuartas (1), 28d.

cuarto (1)
    cuarto (1), 187b.

cuchillo (2)
    cuchillo (2), 211c, 214b.

cuerda (1)
    cuerdas (1) 71c.

cuerdo (1)
    cuerdo (1), 153b.

cuerpo (4)
    cuerpo (4), 38b, 145a, 242a, 246a.

cuidado (3)
    cuidado (3), 123b, 153d, 179c.

cuidar (8)
    cuidar (2), 84a, 155c.
    cuidemos (1), 108c.
    haviá cuïdado (1), 76b.
    cuïdado (1), 136c.
    cuidado (3), 73a, 101a, 259a.

cuita (1)
cuita (1), 95á.

cumplido, adj (7)
cumplido (1), 142a.
complida (4), 2a, 133b, 190b, 196c.
conplida (2), 14c, 134a.

cumplido, sust (1)
complido (1), 124a.

cumplimiento (1)
complimiento (1), 146a.

cumplir (22)
cumplir (3), 35c, 84c, 220d.
complir (12), 8c, 11a, 31b, 58a, 61b, 76b, 137c, 183b, 199b,
    201a, 252a, 254a.
compliré (1), 33d.
cumpliré (1), 34b.
cumpla (1), 35b.
complies' (1), 103d.
complido (2), 124c, 138c.
complidos (1), 93b.

cura (4)
cura (4), 14b, 137c, 223c, 256d.

cuyo (2)
cuyo (1), 266b.
cuja (1), 234b.

dado, sust. (1)
dado (1), 177a.

Damián (1)
Damián (1), 75b.

dañar (3)
>dañar (2), 156b, 268c.
>daña (1), 21d.

dar (42)
>dar (10), 6c, 17b, 30b, 36b, 41c, 65a, 99b, 185c, d, 203d.
>do (1), 28a.
>das (2), 144b, 163c.
>da (1), 110c.
>damos (1), 129a.
>dio (7), 18c, 38b, 67d, 106c, 111a, 152c, 170c.
>distes (2), 135b, 180b.
>dará (1), 112d.
>darvos ha (1), 110b.
>dárgelo he (1), 8 bis c.
>diese (1), 244b.
>dieran (1), 232d.
>diesen (2), 120b, 250b.
>daría (1), 61d.
>ha dado (1), 101b.
>hobo dada (1), 250c.
>dé (2), 48d, 272b.
>dat (2), 88a, 145d.
>dad (2), 31b, 180d.
>dadas (1), 260b.
>dando (1), 257b.

de (296)
>de (233), 1c, 2a, c, 3b, d, 4d, 5c, 6d, 8 bis b, 9c (dos veces), 10b,
>11c, 12a, d (dos veces), 14c (dos veces), 15a, 16b, c, d, 17d, 19a,
>21a, 24c, 26c, 27c, 28a, c, 29a, c (dos veces), 30d, 31a, d, 33b, c,
>d, 36d, 38c (dos veces), 39a, 40b, c, d, 41c, 42a, 45a (dos veces),
>47c, 48c, 50b, d, 51a (tres veces), 55c, 57c, 60b, 61d, 63b, 64c,
>65c, 67a, 69a, 70a, 72a, 76b, d, 81d, 85b, 86d, 89a, 90b, 91b,
>92b, 93b, 94c, d, 96c, 98d, 100d, 101a (dos veces), 107c, d,
>109c, 113d, 114a, 115a, 123b, c, 124a, c, d, 125a, d, 126a,
>131b, d (dos veces), 132b, c, 133b, c, 134b, 135b, d, 136c, 137a,
>c, d, 141a, 142a, 143a (dos veces), c, 144a (dos veces), c (dos ve-
>ces), 145a, c, 146c, d, 148a, c, 149c, 151c, 152a, c, d (dos veces),

153a, d, 155c, 157d, 159a, 161b, 162b, 165a, b, c, 166a, d,
167c, 168c, d, 169a, d, 170b, 172c (dos veces), 173a, 174c,
167c, 168c, d, 169d, 169a, d, 170b, 172c (dos veces), 173a, c,
174c, 176d, 178a, 183a, c, d (dos veces), 185d, 186b, 188b,
190a, b (dos veces), d, 191d, 192a, d, 194a, 195c, d (dos veces),
196c, 197b, 198b, d, 199c, 200a, 201a, b, 202b, 203a, b, 206b,
209b, 210d, 212c, 214d, 215d, 219b, 222a, 223b, 225c, 226c,
227c, d, 229d, 230b, 231d, 232a, b, c, 234a, 235d, 236c, d,
237a, 238d (dos veces), 241b, c, 242c, 248a, c, 251d, 252b, c,
257a, 258c, 261d, 262d, 263d, 267b, 269a, b, 270c, 272a.
d' (30), 47d, 49d, 67c, 73a, 75c, 83a, 91d, 101c, 107c, 118a, 131c,
d, 139d, 148d, 154a, 163a, 184b (dos veces), 196b, 205b, 208a,
219b, 245b, 247d, 257c, 259b, d, 262c, 264b, 268d.
del (33), 5c, 9a, 53a, 54b, 68a, 74a, 94d, 101b, 115b, 116a, 133c,
135d, 138c, 146b, 149c, 163b, 164a, 167a (dos veces), 171c,
172a, 186b, 191a, b, c, 197c, 218a, 221a, 225d, 232c, 242b,
265c, 267b.

deber (11)
    debo (4), 61a, 84a, b, 85c.
    debe (2), 2d, 231d.
    debemos (3), 166b, 226b, 252a.
    deben (1), 116d.
    debrá (1), 101c.

deceno (1)
    dezeno (1), 215a.

decir (81)
    dezir (11), 11b, 31a, 61c, 95a, 117a, 204c, 215d, 227b, d, 250a,
        255d.
    digo (1), 3a.
    diz' (6), 57d, 58a, b, 77c, 85a, 192b.
    dezides (1), 98b.
    dizen (1), 12a.
    deciá (1), 18d.
    dezía (1), 159b.
    deziá (2), 68c, 119b.

dizía (1), 215b.
diziá (1), 230c.
desián (1), 4a.
dezián (2), 93c, 209c.
dizían (1), 262b.
dizián (1), 152b.
dijo (18), 8a, 8 bis a, 27c, 34b, 42c, 46a, 77b, 82c, 108a, 125c,
    128a, 133c, 138a, 142a, 145c, 202a, 209a, 220a.
dixo (20), 23c, 33c, 54a, c, 61a, 62b, 87b, 89a, 90a, d, 95a, 97c,
    105a, 161b, 177a, 180a, 193a, 210a, 213a, 252c.
dijeron (4), 87d, 127d, 129a, d.
dijieron (2), 189a, 198d.
dixieron (1), 3a.
dixéredes (1), 222d.
dicho (1), 188b.
diziendo (3), 239b, 240b, 242d.

defender (1)
    defendió (1), 251c.

dejar (5)
    dejar (1), 134d.
    dejó (1), 78c.
    dexó (1), 211a.
    dexaron (1), 92b.
    dejedes (1), 99d.

del. Vid **de** y **el.**

delante (3)
    delante (3), 53d, 216b, 218a.

demandado (1)
    demandado (1), 31d.

demandar (2)
    demandó (2), 81c, 250b.

demás (2)
    demás (2), 192b, 235a.

demientra (2)
    demientra (2), 187a, 222c.

demostrar (2)
    demostrar (1), 182d.
    habedes demostrado (1), 199a.

dende (2)
    dende (2), 10c, 258c.

dentro (2)
    dentro (2), 81b, 216c.

deprender (1)
    deprender (1), 25c.

derecho (1)
    derecho (1), 259d.

derredor (1)
    derredor (1), 244c.

desaguisado (1)
    desaguisada (1), 193a.

desamparar (3)
    hobo desamparado (1), 249c.
    desamparado (1), 101c.
    desamparados (1), 162b.

descender (3)
    descender (3), 55b, 181a, 231a.

descoger (1)
    descogida (1), 261b.

desde (5)
 desde (1), 243a.
 desd' (4), 108c, 122a, c, 170a.

desear (1)
 deseando (1), 114d.

desende (1)
 desend' (1), 174a.

deseoso (1)
 deseosa (1), 62a.

deserrado (1)
 deserrados (1), 162c.

deservir (1)
 deservir (1), 95b.

desgradecer (1)
 desgradecen (1), 116c.

deshonrar (1)
 deshonrado (1), 96b.

desí (2)
 desí (1), 229c.
 disí (1), 261c.

desierto (1)
 desierto (1), 72c.

desleal (1)
 desleal (1), 160a.

desmamparamiento (1)
 desmamparamiento (1), 163a.

desmamparar (2)
  desmamparáremos (1), 163b.
  desmamparado (1), 259d.

desomar (1)
  desomó (1), 176b.

despedición (1)
  despedición (1), 47d.

despedir (1). Véase también **espedir.**
  despidió (1), 50a.

despegado (1)
  despegado (1), 131b.

despender (1)
  despender (1), 192b.

despreciar (1)
  desprezió (1), 259c.

después (13). Véase también **pués.**
  después (13), 60d, 110d, 112d, 143c, 164d, 191b, d, 192a, 203a,
    236a, 260b, 263d, 269c.

destraidor (1)
  destraidores (1), 168d.

destruir (2)
  destruir (2), 95d, 168c.

desviar (2)
  desvïar (2), 78b, 156c.

detenencia (1)
  detenencia (1), 252d.

208

deudo (1)
 deudo (1), 98c.

devoción (11)
 devoción (10), 6b, 8 bis d, 16b, 64b, 93b, 110a, c, 189a, 207a, d.
 devozión (1), 114b.

día (23)
 día (22), 4c, 12c, d, 37a, 45a, 48b, 60a, 87d, 93a, 94a, 96d, 108b,
  140c, 152b, 172c, 175a, 186c, 187b, 205a, 215a, 243d, 247a.
 días (1), 262d.

diablo (1)
 dïablo (1), 155a.

dicho, sust. (2)
 dichos (1), 114a.
 de dicho e de fecho (1), 131d.

dictado (2)
 dictado (2), 170b, 177c.

dignamente (1)
 dignamente (1), 209c.

dignidad (1)
 dignidat (1), 130b.

digno (4)
 digno (2), 147c, 202c.
 dignos (1), 166d.
 digna (1), 7c.

Dios (51)
 Dios (50), 5a, 6b, 19d, 30b, 38b, 43d, 44d, 46c, 47a, 48c, d, 58b,
  59b, 69c, 74b, 76a, 82c, 84d, 90d, 93c, 99c, 101a, c, 105d,
  110c, 116c, 118c, 123b, 124b, 125d, 126b, 127a, 148a, 152c,
  155d, 157d, 172a, 183a, 188b, 190d, 201a, 228d, 229a, 235c,

236b, 238a, 241d, 249c, 268d, 270c.
Dïos (1), 165a.

Diosdado (9)
Diosdado (9), 75c, 81c, 85a, 92d, 95b, 105a, 119b, 124b, 125c.

discípulo (3)
discípulo (3), 44b, 49a, 50a.

disputar (1)
desputaran (1), 40c.

do. Vid **donde.**

doce (2)
doz' (2), 43a, 45a.

doctrina (1)
doctrina (1), 45c.

doler (2)
dolet (1), 137a.
doliendo (1), 171c.

doliente (1)
dolientes (1), 245a.

dolor (1)
dolor (1), 16d.

don, 'regalo' (2)
don (1), 230d.
dones (1), 174d.

don, título (24)
don (24), 3a, 27b, 40d, 56b, 59b, 65d, 77b, 78b, 94a, 102a, 122a,
123a, 132a, 145a, 189c, 210c, 212d, 219c, 250c, 262b, 263d,
267a, b.

donde (17)
do (13), 4c, 5d, 27d, 42d, 74b, 136a, 141b, 155c, 158b, 174b, 180c, 218c, 272c.
ond' (2), 184d, 256d.
onde (2), 126b, 165d.

doña (14)
doña (14), 4a, 15a, 19c, 59c, 100a, 102c, 103a, 108a, 118d, 120d, 132b, 208c, 211a, 267b.

doquier (1)
doquier (1), 41d.

dos (4)
dos (4), 15a, 24a, 117c, 219b.

duda (1)
dubda (1), 219d.

dudar (1)
dubdar (1), 226b.

duelo (3)
duelo (3), 107d, 148d, 239c.

dueña (15)
dueña (10), 6a, 13c, 14a, 103a, 104a, 119a, 197a, 266b, 270a, b.
dueñas (5), 103b, 107d, 114b, 115c, 146c.

dulce (3)
dulce (1), 15c.
dulz' (1), 63c.
dulces (1), 218d.

durar (2)
dura (2), 70d, 272c.

e (243)

e (239), 1a, 3b, 4c, 5a, 6b, 7b, 9b, 10b, 12b, c, d, 13b (dos veces), 16b, d, 17a, 18b, 19b, c (dos veces), d, 20a, 22c, 23a, d, 26a, 27c, 28a, 29c (dos veces), 30d, 31c, 35a, c, d, 36b, 37b, 38c, 39b, c (dos veces), 42c, 44a, b (dos veces), d, 45a, b, 46c (dos veces), d, 47a, 48c, d, 49c, 50d, 51a, 53c, 54d, 57b, 61a, 62b, 63c, d, 65b, d, 66a, b, 67d, 68b, c, 69a, c, 73a, 74b, 75b, 77b, 78c, 82c, 84c, 86b, 90a, 91b, 94d, 95d (dos veces), 99b, 100a, 102b, 104c, 108a, 110c, 111a, b, 112b, 113b, 114c, 115b, 116d, 119a, 121b, d, 122c, 123a, 125a, 126b, 127a, b, 131d, 134a (dos veces), 135d, 138b (dos veces), d, 141d (dos veces), 143b, c, 144a, c, e, 145b, c, d, 146d, 147a, 148d, 150a, c (dos veces), 151c, 152d, 153b, c (dos veces), 155a, d, 156b, 157c, 158a, b, c (dos veces), d (dos veces), 162b, 163c, d, 166c, 167a, b, c, 169d (dos veces), 172c, d, 173d, 174d, 176c, 178c, d, 179b, c, 180d, 184b, 186b, 187c, d, 188a, 189d, 190c, 193d, 195b, 197b, c, d, 198c, 199b, 200a, b, 201c, 204a, 207c, 208d (dos veces), 210c, d, 211a, c, 212b, 213c, 214b, 216a, b, 217c, 218b, 219b, 220b, 221b, 224a, 226b, c, 227d, 228b (dos veces), c, 229a, 230c, 232b, 235c, 236b, d, 238d, 239c, 240c, 244d, 245a, b, 246b, d, 253b, 254c, d, 258d, 259b, d, 260b, 262c, 264b, 266c, 267b, 268b, c (dos veces), 271a, 272b, c.

et (1), 251d.

y (3), 16a, 64b, 112a.

echar (6)

echaban (1), 5d.
echó (2), 79b, 82b.
eche (1), 268d.
echada (1), 210d.
echando (1), 256a.

edad (2)

edat (2), 24a, 241b.

edificación (1)

edificación (1), 93d.

212

el, los (279)

el (121), 2d, 4c, 9d, 15b, 21d, 23a, 24b, 30a, 31a, 32b, c, 33a, 36a, 38a, b (dos veces), 46a, 49a, 50a, b, 52b, 53b, 55a, 56a, 57c, 60a, 65a, 68d, 70a, 72c (dos veces), 76a, 79a (dos veces), 81c, d, 85a, 87a, 89a, 90a, 91a, c, 93a, 94a, b, c, 95c, 96a, 97c, 98c, 101a, 104b, 106a, b, 107a, 114c, 115a, 117d, 118a, b, 120c, 121a, b, d, 123d, 124a, b, 127b, 129d, 143a, 145a, 148c, 149a, 150a, 151d, 155a, 160a, 164b, 165b, c, 170a, 174c, 175b, d, 187b, 188c, 189b, 192d, 199d, 204c, 207a, b, c, 214b, 217d, 222a, 229c, 230c, 231b, c, 233a, 236a, 239c, 242a, 244a, 246a, c, 247a, 249a, b, 254c, 257a, 259c, 262a, b, d, 264c (dos veces), 265d, 269a, 272a.

'l (19), 81b, 87a, 92a, b, 94c, 95b, 98a, 105a, 119b, 139b, 140d, 147a, 151a, 186c, 208a, 215a, 243c, 254b, 267c.

al (41), 5b, 6d, 12b, 17a, 37a, b, 42b, 50d, 55a, b, 60c, 61d, 62c, 75b, c, 77c, 82a, 104a, 120d, 129d, 135b, 136d, 139d, 145d, 150b, 155b, 191c, 208b, 211b, 215c, 218c, 226a, 236c, 243d (dos veces), 244d, 256b, 258a, 269b, 271b, 272c.

del (33), 5c, 9a, 53a, 54b, 68a, 74a, 94d, 101b, 115b, 116a, 133c, 135d, 138c, 146b, 149c, 163b, 164a, 167a (dos veces), 171c, 172a, 186b, 191a, b, c, 197c, 218a, 221a, 225d, 232c, 242b, 265c, 267b.

los (65), 4b (dos veces), 9b, c, 16d, 17c, 22d, 25b, 51a, 53d, 56c, 66a, b, 69d, 82b, 91b, 114a, c, 116a, 117c, 130c, 140d, 143c, 144b, c (dos veces), d, 152a, b, 153d, 154a, b, 166a, 167d, 168a, c, 169a, 171d, 182b, 184a, 198b, 207c, 209c, 210b, 215d, 218d, 226c, 227c, 228a, b (cuatro veces), c, 236d, 237b, 240a, 261b, 263b (dos veces), d, 264d, 267c, 268c, 270c.

él, ellos (62)

él (52), 16c, 21a, 25c, 28c, 29b, 30a, c, 41c, d, 50b, 51b, 55b, 57c, 64b, 6c, 92c, 101c, 104d, 107c (dos veces), 111a, 114d, 130a, 131b, d, 132b, 135c, 138d, 142a, 148d, 149b, 171b, 179b, 180a, 188a, 202a, 206c, 210a, 213a, 214b, 216a, 218c, 225c, 226b, 245b, 248a, 252c, 255c, 267a, d, 268c, 272c.

ellos (10), 40b, 73a, 100d, 173d, 187d, 245b, 264b, 265d, 268d, 271a.

ella, ellas (25)
  ella (23), 7a, 8a, 13b, 49d, 64c, 105b, 107c (dos veces), 109b, c, 110b, 145c, 177a, 197a, 229a, c, 252d, 254b, 255c, 259d, 270a, b.
  ellas (2), 28a, 32c.

ello (4)
  ello (4), 35d, 84d, 100c, 106c.

empero (2)
  empero (2), 24a, 160c.

empezar (1)
  empezó (1), 31a.

en (160)
  en (157), 1d, 2a, 5a, 7a, b, 10a, 13a, c, 15d, 16a, 18d, 22c, 23b, 24c, 25a, b, d, 26b, d, 29b, 31c, 32c, 35b, 36b, 36c, b, 38b (dos veces), 41b, 44c, 46c, 53a, 54d (dos veces, 55d, 58a, d, 62b, 63c, 64a, 72c, 73b, c, 76d, 79b, 82d, 83b (dos veces), 84d, 88c, 90c, 93c, d, 96d, 97a, 100c, 101d, 105d, 108c, d, 110c, d, 111c, 116b, 118c, 122b, 123b, 126d, 128c, 130b, 132b, 133a, 134c, d, 135c, 136b, 139b, 140a, 141c, 143c, 144d, 147d, 151a, b, 153a, b, 154c, 156c, 157b, 158a, d, 159b, 162b, 164b, c, 166b, 168b, 169a, b, 175a (dos veces), 176a, 178d (dos veces), 180d, 181c, 182c, 186a, 187b, c, 189c, 191d, 192c, d, 193b, c, 194b, c, 196d, 199d, 200d, 205c, 208a, 209a, 214a, 220a, 221a, c, 222d, 229a, 230a, 232a, 235a, 240c, 241a, d, 242d, 244a, c, 246c, d, 247b, c, 249d, 250d, 252b, 258c, 260c, 263a, 265d, 266a, d, 269c, 270c, 271a, 272a, b.
  'n (3), 71d, 159a, 207a.

enante (1)
  enant' (1), 269a.

encerrar (1). Véase también **cerrar.**
  encerróse (1), 212b.

encimar (1)
    encimastes (1), 134c.
    encimado (1), 23c.

encomienda. Vid comienda.

encontrada (1)
    encontrada (1), 193b.

ende (14)
    ende (5), 140a, 155d, 223c, 256d, 259a.
    end' (9), 106c, 117c, 137c, 139b, 141d, 144e, 176a, 224d, 243c.

enemigo (3)
    enemigo (3), 118b, 157a, 265c.

enfamar (1)
    enfamada (1), 210b.

enfermedad (2)
    enfermedat (2), 133a, 229d.

enfermo (1)
    enfermos (1), 228c.

engañar (1)
    engañar (1), 68d.

engañoso (1)
    engañoso (1), 155a.

englud (2)
    englud (2), 38c, 135d.

enmienda (1)
    enmienda (1), 73a.

ensalzar (2)
    ensalzada (2), 232b, 234c.

entender (5)
    entender (2), 25a, 257a.
    entiendas (1), 10c.
    entienda (2), 71b, 73d.

entendimiento (1)
    entendimiento (1), 86b.

entero (2)
    entera (2), 159d, 165d.

enterrar (1)
    enterró (1), 145a.

entonces (4)
    entonces (1), 90a.
    entonz' (2), 26a, 184a.
    entonze (1), 91a.

entrar (5)
    entrar (2), 116b, 226c.
    ha entrado (1), 81b.
    entrado (2), 214c, 262d.

entre (3)
    entre (3), 11a, 168a, 260d.

entretanto (1)
    entretanto (1), 104d.

enviar (6)
    enviar (1), 27d.
    envía (2), 223a, 230d.
    envïaba (1), 187a.
    emvió (1), 182b.
    envió (1), 35a.

envidia (1)
    envidia (1), 158a.

envolver (1)
    envolvió (1), 214a.

errar (5)
    errar (2), 88d, 126d.
    yerras (1), 28d.
    erredes (2), 98d, 128a.

escorrir (1)
    escorrir (1), 50c.

escarnir (1)
    escarnir (1), 95c.

esciencia (9)
    esçiençia (1), 86d.
    esciencia (3), 34a, 42a.
    esciencias (5), 26d, 36b, 39a, 58c, 65c.

escoger (5)
    escoger (2), 1126d, 247b.
    escogiesen (1), 149b.
    escogiestes (1), 253c.
    escogieron (1), 247c.

escribir (1)
    escrito (1), 71d.

escritura (1)
    escrituras (1), 41a.

escudriñar (1)
    escodriñar (1), 80a.

escusa (1)
    escusa (1), 129c.

escuso (1)
   escuso (1), 175a.

ese, esa (7)
   es' (1), 247d.
   esa (6), 1d, 119b, 205d, 209a, 248c, 250d.

ése (1)
   ése (1), 143b.

esfuerzo (1)
   esfuerzo (1), 242c.

espacio (1)
   espacio (1), 104d.

espantar (1)
   espantados (1), 212c.

espanto (1)
   espanto (1), 104b.

España (10)
   España (7), 170d, 171a, 174a, 178a, 192c, 193c, 260c.
   Espania (2), 26c, 63d.
   Españas (1), 147a.

especia (1)
   especia (1), 244b.

especial (1)
   especial (1), 193d.

espedir (2). Vid también **despedir.**
   espidió (1), 115a.
   espidieron (1), 204a.

esperar (1)
   esperan (1), 91d.

espicio (2)
espicio (2), 5c, 127b.

espíritu (1)
espíritu (1), 165c.

espiritual (4)
espiritual (4), 70d, 118c, 139c, 145d.

esposa (1)
esposa (1), 169d.

esposo (1)
esposo (1), 112c.

estado (6)
estado (6), 68b, 170d, 243d, 247d, 249d, 269c.

estar (19)
estar (3), 22d, 120c, 218b.
está (3), 174b, 191c, 208b.
estaba (7), 4c, 41d, 136a, 141b, 212b, 219a, 243c.
estaban (1), 217b.
estido (1), 243b.
estat (1), 33c.
estando (3), 151a, 207a, 208a.

este, estos, esta, estas (43)
este (17), 12a, 23b, 32a, 43c, 70c, '75a, 83a, 108b, 110c, 163a,
    171a, 177c, 247d, 266a, 268d, 272a, b.
est' (2), 23c, 77c.
estos (1), 265b.
esta (19), 6a, 13a, 14a, 15c, 47d, 51c, 91d, 102c, 113c, 130b,
    139d, 157c, 191d, 196d, 212c, 220c, 222c, 241d, 261a.
estas (4), 27d, 28b, 39b, 260a.

éste, ésta, esto (20)
éste (1), 3a.
est' (1), 233c.

ésta (1), 8 bis a.
esto (17), 28d, 31b, 49a, 54d, 71b, 112d, 117a, 118a, 161b, 162b,
169c, 199a, 203a, 213b, d, 215a, 269c.

Esteban (7)
Estevan (7), 3a, 59b, 77b, 78a, 94a, 102a, 122a.

estorcer (1)
estorcer (1), 257c.

estragar (1)
estragados (1), 240c.

estrella (2)
estrella (2), 9c, 229b.

estudiar (1)
estudiar (1), 22b.

estudio (1)
estudio (1), 65b.

et. Vid **e.**

eternal (1)
eternal (1), 157d.

Eugenio (13)
Eugenio (13), 3b, 18b, 23a, 27a, 52a, 54a, 59a, 67a, 121c, 149c,
261c, 263c, 264a.

evangelio (1)
evangelio (1), 67c.

extraño (2)
estraños (1), 76c.
estraña (1), 115d.

220

fablar (11)
 fablar (4), 52d, 167b, 168b, 176d.
 fablan (1), 57b.
 fabló (4), 190a, 191a, d, 225a.
 hobo fablado (1), 179a.
 fablando (1), 64a.

fabloso (1)
 fablosa (1), 212d.

fación (1)
 fación (1), 1b.

fadado. Vid **malhadado.**

falencia (1)
 falencia (1), 252b.

fallar (8)
 falla (1), 155b.
 fallamos (1), 71d.
 fallan (2), 29b, 144d.
 fallaban (1), 147b.
 falló (3), 77b, 80b, 104d.

fallecer (2)
 falleze (1), 72b.
 fallesceremos (1), 162c.

fallir (3)
 fallir (2), 109d, 201c.
 fallida (1), 178a.

falsedad (2)
 falsedat (2), 154c, 210d.

falso (2)
 falso (1), 160a.
 falsos (1), 168c.

fama (2)
    fama (2), 69c, 193a.

farto (1)
    fartas (1), 28a.

fasta. Vid **hasta.**

faz (3)
    faz (3), 57c, 197d, 270c.

fazaña (1)
    fazaña (1), 21c.

fazer (81)
    fazer (8), 55c, 59c, 73a, 179d, 215b, 231c, 233a, 253c.
    fer (1), 195b.
    faz' (2), 155c, 157c.
    fazen (1), 118a.
    fizieron (3), 124d, 125b, 130a.
    fazía (1), 267a.
    faziá (5), 5a, 6a, 66d, 122d, 239c.
    fazián (2), 207c, 245d.
    fazian (3), 66a, 204c, 242d.
    fiz' (3), 8a, 46b (dos veces).
    fize (2), 46c, 220c.
    fizistes (1), 139a.
    fizo (26), 1c, 18b, 67b, 67c, 80a, 92c, 98a, 119c, 122c, 146b, c,
        165b, 181a, 185c, 186c, 189b, 207b, 213b, 217c, 218a, 226c,
        256c, 261c, 263c, 269c, 270a.
    faré (2), 54d, 83c.
    faremos (1), 195c.
    hobo fecho (1), 146a.
    faga (2), 43d, 44d.
    fagamos (2), 99d, 129c.
    fiziera (2), 160b, 173b.
    fiziese (1), 241c.
    fiziésemos (1), 201c.
    fiziéredes (1), 127c.

ficiesen (1), 20b.
fiziesen (1), 258d.
faz (1), 12c.
faset (1), 136d.
fazet (1), 82d.
fecho (1), 151d.
faciendo (1), 141b.
faziendo (2), 164b, 186d.
farián (1), 125b.

fazienda (3)
fazienda (2), 73b, 122b.
facienda (1), 89a.

fe (1)
fe (1), 187c.

fecho (2)
fecho (1), 163a.
de dicho e de fecho (1), 131d.

feo (1)
fea (1), 255d.

fer. Vid **fazer.**

fermoso (1)
fermosa (1), 2c.

fiar (2)
fío (1), 46c.
fió (1), 190d.

fiel (1)
fiel (1), 221b.

fiesta (7)
fiesta (7), 195c, 205a, 206b, c, 215b, 250a, 262c.

figo (1)
figo (1), 3c.

fija (4)
fija (4), 8 bis a, 62a, 138a, 169d.

fijo (40)
fijo (37), 6c, 9a, 11b, 33c, 46a, 53b, 54a, 58a, 79b, 80b, 105c, 107a, 108a, 110a, 113a, 115a, b, 121b, 136d, 137a, 138b, c, 162a, 165b, 178b, c, 191c, 196c, 197c, 220a, b, 221a, 223a, 224a, 225a, b, 267b.
fijos (3), 87b, 117a, 200c.

filosofía (2)
filosofía (2), 29b, 152c.

finar (5)
finar (1), 148a.
finó (1), 132b.
fine (1), 266d.
finara (1), 124b.
finado (1), 149c.

fincar (22)
fincar (1), 203c.
finca (2), 155c, d.
fincades (1), 48b.
fincaba (2), 238d, 241a.
fincó (11), 13b, 120a, 123a, 140b, 165d, 174a, 176c, 179b, 191b, 204b, 226b.
fincaredes (1), 194d.
finque (1), 193b.
finquedes (1), 47c.
fincara (1), 159d.
finca (1), 12c.

firmar. Vid **afirmar**.

224

firmemente (1)
firmemente (1), 239a.

física (2)
física (1), 29c.
físicas (1), 39c.

flor (3)
flor (3), 152c, 195d, 244a.

foir (2)
foir (2), 217b, 224d.

folgar (4)
folgar (3), 22a, 97c, 250d.
folgasen (1), 186c.

folgura (1)
folgura (1), 144d.

folía (2)
folía (1), 94c.
follía (1), 80b.

fruto (2)
fruto (2), 91d, 101b.

fuera (4)
fuera (4), 5c, 54b, 74a, 226c.

fuerte (4)
fuerte (3), 70b, 80c, 247c.
fuertes (1), 52c.

galardón (3)
gualardón (3), 110b, 197c, 202a.

galardonado (1)
galardonado (1), 188b.

ganar (5)
ganar (1), 30a.
ganaste (1), 169c.
ganastes (1), 48a.
gane (1), 196c.
ganariamos (1), 89d.

ge. Véase **se.**

gente (7)
gente (4), 78a, 122d, 178a, 192d.
gent' (1), 235a.
gentes (2), 216a, 245c.

gloria (3)
gloria (3), 143c, 156a, 238b.

glorificado (4)
glorificado (3), 230d, 231d, 243b.
glorificada (1), 191c.

Gloriosa (5)
Gloriosa (2), 218b, 225d.
Glorïosa (3), 179a, 226a, 235c.

glorioso (8)
glorïosa (8), 63a, 141c, 169c, 175c, 212a, 233b, 234a, 251c.

glotonía (1)
glotonía (1), 158a.

gobernar (1)
gobernariá (1), 86c.

godo (1)
godos (1), 261b.

gozar (2)
gozar (1), 116d.
gozaban (1), 152a.

gozo (7)
gozo (7), 56c, 64b, 139c, 141d, 150c, 151d, 204c.

gozoso (5)
gozoso (2), 91a, 188a.
gozosa (3), 63d, 107b, 235a.

gracia (10)
gracia (10), 12c, 31c, 38b, 46d, 47a, 48c, d, 49b, 110c, 157d.

gracias (4)
gracias (4), 19d, 129a, 145d, 228d.

graciosa, sust (1)
gracïosa (1), 140b.

gracioso (1)
graciosa (1), 115a.

grada (1)
grada (1), 208a.

gradado (1)
gradado (1), 153c.

gradescer. Vid **agradecer.**

grado (9)
grado (8), 17d, 81d, 105d, 143a, 153a, 199c, 236d, 254b.
grad' (1), 153a.

gradoso (1)
gradoso (1), 23d.

granado (3)
    granado (1), 85b.
    granada (1), 89a.
    granadas (1), 260c.

grande (71)
    gran (18), 47a, 56c, 57b, 64b, 81c, 85c, 93b, 95a, 104b, 141d (dos
      veces), 150c, 195c, 206a, b, 236a, 239d, 246a.
    grand (36), 2b, 5c, 43a, 50a, c, 52d, 59a, 64b, 68b, 69a, 82b, 85b,
      99a, 113a, 121b, 124d, 137a, 141a, 146c, 148d, 150c, 163a,
      180b, 181a, 183c, 184d, 185b, 189a, 201b, 207d, 217a, 242d,
      246b, 249b, 259d, 264d.
    grand' (2), 134a, 188c.
    grande (4), 2c, 21a, 174d, 261b.
    grant (8), 11c, 12b, 33b, 42b, 102d, 137d, 237b, 242c.
    grandes (3), 19b, 125a, 174d.

gravemente (1)
    gravemente (1), 171c.

guardar (16)
    guardar (4), 37c, 65d, 98d, 258c, 265b.
    guardó (1), 38c.
    guardarvos ha (1), 110b.
    guardar' (1), 83c.
    guardares (1), 112b.
    guardat (3), 101d, 111b, 251d.
    guardado (3), 127b, 213d, 214d.
    guardando (1), 137d.

guía (1)
    guía (1), 9d.

guiar (1)
    guíe (1), 196d.

guisa (4)
    guisa (2), 6d, 99c.
    guisas (2), 157b, 240c.

guisado (3)
> guisado (3), 85c, 199b, 236b.

guisar (1)
> guisar (1), 27c.

haber (101)
> haber (3), 62a, 101a, 251d.
> he (10), 8 bis c (fut), 31d, 70c, 73c (fut), 75a (aux), 134b (aux), 180c (aux), 205c (aux), 260a (aux), 263b (aux).
> has (1), 138a (aux).
> á (1), 117a.
> ha (8), 71a, 81b (aux), 96b (aux), 101b (aux), 110b (fut), 112c (fut), 113d, 193c.
> hay (2), 126a, 270b.
> habemos (1), 252c.
> havemos (1), 47b.
> habedes (9), 98b, c, 125d, 138d (aux), 177b (aux), 188c (aux), 194a, 199a (aux), 261a (aux).
> havedes (1), 178c (aux).
> avedes (1), 44c (aux).
> han (1), 240c.
> había (6), 4b, 15c, 21b, 40a, 66c, 80a.
> habiá (7), 5c, 20b, 41d, 177d (aux), 207d, 214b (aux), 220d (aux).
> habié (2), 2b, c.
> havía (1), 55d.
> haviá (3), 40b, 74a, 76b (aux).
> hovies' (1), 61d.
> habian (1), 185d.
> habién (1), 203d.
> havián (2), 171d, 256d.
> havién (1), 57b.
> hobo (14), 13a (aux), 14b, 141d (aux), 146a (aux), 179a (aux), 236b, 249c (aux), 250c (aux), 255c, 259a, 261d (aux), 262a, 263a, 269a (aux).
> hovo (1), 59a.
> ovo (1), 148a.
> hobieron (1), 148d.

hovieron (1), 57a (aux).
habrá (3), 12a, 223c, 224c.
habredes (2), 139c, 221c.
hayas (1), 11b.
haya (4), 11c, 73c, 224b, 271a.
hayades (1), 202a.
hobies' (1), 246d.
hobiese (1), 23c.
hobiesen (2), 183a, 203b (aux).
habet (1), 136c.
habiendo (1), 99a.

hábito (4)
hábito (4), 74d, 88a, 91c, 94b.

hacer. Vid. **fazer.**

hasta (6)
fasta (6), 28c, 76d, 92a, 147a, 186c, 236b.

hecho. Vid **fecho.**

heredar (1)
hereda (1), 110d.

herejía (2)
heregía (2), 159a, 172a.

hermoso. Vid **fermoso.**

higo. Vid **figo.**

hija. Vid **fija.**

Hijo (1). Véase también **fijo.**
Hijo (1), 192a.

hincar. Vid **fincar.**

230

hinojos (1)
>   inojos (1), 208a.

hipocresía (1)
>   hipocresía (1), 158d.

holgar. Vid **folgar.**

holgura. Vid **folgura.**

hombre (17)
>   home (3), 117a, 223b, 259c.
>   ome (13), 3d, 25a, 26b, 71b, 72b, 73d, 77c, 83b, 85b, 143a, 147d, 155b, 256b.
>   omes (1), 154a.

honor (3)
>   honor (3), 99b, 146d, 264d.

honra (7)
>   honrra (6), 46d, 121b, 180c, 185b, 193d, 220d.
>   honrras (1), 260a.

honradamente (1)
>   honrradamente (1), 238b.

honrado (22)
>   honrado (2), 75b, 136a.
>   honrrado (3), 26c, 68c, 127a.
>   honrados (1), 90c.
>   honrrados (2), 194d, 263d.
>   honrada (6), 1c, 89b, c, 205a, 238b, 270b.
>   honrrada (7), 103a, 119b, 174c, 197a, d, 205d, 250a.
>   honradas (1), 146c.

honrar (25)
>   honrar (6), 67b, 88c, 126b, 153a, 206b, 259b.
>   honrrar (3), 56b, 182a, 206c.
>   honrran (1), 69d.

231

honraban (1), 66d.
honrró (1), 111a.
honrraron (2), 121d, 235d.
honraré (1), 178d.
havedes honrada (1), 178c.
honrado (1), 125a.
honrrado (1), 259b.
honrados (1), 86a.
honrrados (1), 200d.
honrada (2), 220b, 270a.
honrrada (2), 197b, 260d.
honrradas (1), 260d.

hora (7)
    hora (4), 209a, 215c, 238a, 243a.
    horas (3), 5b, 36d, 243b.

hoy (4)
    hoy (1), 93d.
    oy (3), 45c, 152b, 234c.

huir. Vid **foir.**

humanidad (1)
    humanidat (1), 190d.

humanidad (8)
    humildat (8), 20a, 50a, 82b, 85b, 90c, 130c, 195b, 246b.

humildoso (2)
    humildoso (1), 153c.
    humilloso (1), 112a.

humillar (6)
    humilla (1), 51b.
    humillades (2), 129b, 202b.
    humilló (1), 107a.
    omilló (2), 31a, 53b.

iglesia (4)
iglesia (4), 73d, 97a, 102d, 174b.

igual (1)
igual (1), 24c.

Ildefonso. Vid **Alfonso.**

imponer (1)
imponer (1), 25b.

ingenio (1)
ingenio (1), 24b.

intención (3)
intención (1), 106a.
entinción (1), 36c.
intinción (1), 106b.

ir (72)
ir (6), 22a, 48c, 60b, 67d, 76a, d.
hir (1), 217d.
van (2), 40d, 150d.
iba (13), 5b, 16a, 17b, d, 21a, 22b (dos veces), 32c, 60d, 103a, 131d, 160a, 211a.
yban (1), 216a.
fui (1), 220b.
fue (32), 13b, 32a, 38a, 49a, 52a, b, 53a, 55b, 78b, 79a, 81b, 94c, 102b, d, 106b, 107a, b, 118d, 119a, 121b, 140a, d, 171a, 175c, d, 179a, 206b, 208d, 212a, 217d, 226a, 254b.
fueron (5), 150b, 171b, 203a, 204a, 206c.
irás (1), 139d.
irm' he (1), 73d.
irme (1), 45d.
vayan (2), 252d, 271b.
fuese (1), 170d.
fuerades (1), 222a.
fuesen (1), 187b.
ve (3), 27d, 28b, 30c.

ira (1)
> ira (1), 158c.

irado. Vid airado.

Isidro (8)
> Isidro (8), 25d, 26b, 28b, 32a, 40a, 41b, 46a, 51a.

jamás (4)
> jamás (4), 31d, 48a, 121d, 134b.

Jesucristo (3)
> Jesucristo (2), 169d, 189d.
> Jesucristo (1), 268a.

jugar (1)
> jugando (1), 53c.

Julián (1)
> Juliano (1), 262b.

juntado (1)
> ajuntados (1), 200b.

juntar (7)
> juntar (1), 187b.
> ajuntar (1), 182c.
> ajuntó (1), 183c.
> juntó (1), 247a.
> ayuntado (1), 151a.
> ajuntados (1), 194b.
> ajuntada (1), 164c.

justo (2)
> justos (2), 144e, 236d.

la, las, art (258)

la (221), 1a, 4c, 6a, 7c, 9c, 8 bis a (dos veces), 10a, 12c, 13d, 14c,
15b, d, 16b, 17a, 33a, 36b, 39c, 42a, d, 45c, 47a, 48d (dos veces), 49b, 50b, 52d, 53c, 60b, 61a, b, 62d, 63a, b (dos veces),
67d, 68a, 71c, d, 72a (dos veces), 73c, d, 74b, 77a, 80c, 83a,
86a, b, d, 87a, 89c, 90c, 91b, 92d, 93a, 94d, 97a, 100d, 102b
(dos veces), d, 103c, d, 104a, 107b, 110a, d, 112c, 115a, b, c,
116b, 119a, c, 122d, 123c, 128c, 132a, c, 133b, c, 134a, 135b,
136c, 137d, 138a, 140a, b, c, d, 141c, 142b, 146a, d, 149a,
150a, 151b, 154c, 157d (dos veces), 159c, 160c, 161c, 163d,
164c, 165a, b, d, 168c, 171b, 172a, b, d, 173a, b, 174b, c, 175c,
d, 176b (dos veces), c, d, 178a, 179a, d, 180c, 184c, 186a (dos
veces), b, 187c, 190a, b, c, d, 193c, 195a, d, 197d, 198b, c, 199c,
202b, 204b, 205c, 206b, c, 207b, 208a, b, c, 209b (dos veces),
210a, c, d (dos veces), 212a (dos veces), b, d, 215b, d, 216c,
217c, 218b, 219a, c, d, 220a, c, d, 223c, 225a, c, d, 226a, 227a, b,
229d, 230a, b, 231a, 232c, d, 233b, 234a, c, 235a, b, c, 238a, b,
239a, c, 241a, 243a, 244d, 246c, 248a, b (dos veces), 250a, b, c
(dos veces), 251c, 252a, 255b, 256a, c, 258a, d, 259b, 262c,
266c, 269a, 270a, c.

las (37), 5b, 11a, 17d, 18a, 21d, 32b, 26d, 33b, 35b, 36b, d, 39a,
41a, 51b, 52b, 53b, 58c, 60b, 65c, 71c, 107a, d, 115b, 115c,
147a, 155b, 167a, 176c, 200d, 222d, 228d, 245c, 258b, 260b,
d, 265c, 271b.

la, las, pron (27)

la (26), 7d (dos veces), 13a, d, 15d, 60d, 110d, 113b, 132c, 133b,
134c, 141a, 182a, 217a, c, 224b, c, 225d, 228a, 237b, 251d,
252c, 254c, 255a, 261b, d.
las (1), 41a.

lazdrar (1)

lazdre (1), 145c.

le, les (98)

le (64), 3d, 4d, 16b, d, 21d, 24d, 25b, 27c, 31a, d, 32b, 36b, 38a,
c, 50c, 51d, 53b, 60b, 64c, 65a, 66a, b, d, 67b, c, d, 68b, 75c,
78b, 88a, b, 90a, 91a, c, 92a, 99b, c, 102c, 103d, 104b, 105b,
111b, 120b, 121a, 123d, 124c, d, 130a, 136c, 153b, d, 155c,

172c, 173d, 175c, d, 200c, 219d, 235d, 236d, 246b, 249d, 250b, 251a.

l' (20), 15a, 20b, 25c, 28b, 38b, 52b, 60c, 66c, 77b, 92b, 99a, 101b, 103d, 106c (dos veces), 107a, b, 116c, 130a, 153a, 198a, 211c, 236c, 246b, 250d, 257b.

les (14), 6c, 17d, 92d, 131a, 182b, d, 185c (dos veces), d, 186c, d, 189b, 191a, 246c.

leal (2)
    leal (2), 139a, 225a.

lección (2)
    lición (2), 36b, 41c.

ledo (3)
    ledo (3), 120a, 179b, 226b.

leer (6)
    leer (1), 18c.
    leí (1), 262b.
    leyó (1), 32b.
    lean (1), 198b.
    leyendo (2), 171a, 175b.

lengua (2)
    lengua (1), 15d.
    lenguas (1), 167b.

Leocadia (3)
    Locadia (3), 205d, 208c, 211a.

león (1)
    león (1), 72c.

letra (1)
    letras (1), 18a.

letrado (2)
    letrado (1), 147c.

letrados (1), 40b.

levantar (3)
levanta (1), 91a.
lebantó (1), 176a.
levantó (1), 215c.

levar. Véase **llevar.**

leyenda (1)
leyenda (1), 71d.

librar (1)
librad (1), 135d.

libro (2)
libro (2), 171a, 175b.

licencia (2)
licencia (2), 42c, 252c.

licenciado (1)
licenciado (1), 58d.

ligado (1)
ligados (1), 162a.

limpieza (1)
limpieza (1), 112b.

llamar (9)
llamar (1), 27b.
llamas (1), 8 bis d.
lama (1), 75b.
llaman (1), 75c.
llamaban (2), 66b, 123d.
llamó (1), 219c.
llamaron (2), 14b, 90a.

llanto (1)
    llanto (1), 241c.

llegar (8)
    llegó (5), 87a, 104a, 105b, 217c, 219d.
    llegaron (1), 184c.
    llegado (1), 77a.
    llegando (1), 53a.

lleno (3)
    lleno (2), 70a, 94c.
    llena (1), 173a.

llevar (9)
    levar (2), 236c, 258a.
    levaron (2), 92a, 237b.
    lebaban (1), 216b.
    llevaban (1), 242a.
    lleve (1), 272c.
    levado (1), 254d.
    levando (1), 141a.

llorar (8)
    llorar (3), 52c, 107d, 242d.
    lloraba (1), 239a.
    llore (1), 145c.
    llorando (3), 50d, 114b, c.

lo, art (12)
    lo (12), 8a, 32c, 41b, 61c, 70d, 85d, 109d, 118c, 177d, 187d, 209d, 213a.

lo, los, pron (109)
    l' (13), 18b, 21c, 30d, 37c, 59a, 73d, 77a, 79b, 87c, 121c, 209a, 211a, 251c.
    lo (88), 2d, 8 bis c, 14b, 17b, 18b, c (dos veces), 22d, 30b, c, 35c, 40d, 41c, 44d, 46b, c, 52a, 54c, d, 56c, 59b, c, 67a, b, 71d, 76b, 78c, 81d (dos veces), 84a, c (dos veces), 87c, 88b, 90b, 94a, 96a, 98a (dos veces), b, 99d, 100a, b, 101a, 105d (dos veces),

109a, 111c, 113c, d, 114d, 115d, 117a, 118c, 128c, 136d, 137c,
139a, 170c, 173c, 177d, 181b, 194c, 195a, b, 196a (dos veces),
199b, 201c, 203d, 204c, 208d, 211b, 213b, 214b, 233b, c,
236c, 239b, d, 249c, 255b, 256b, c, 257b, 259c, 266a, 267a.
los (8), 17b, 19b, 92c, 172d, 185a, 187a, 226c, 241d.

loado (1)
loada (1), 208d.

loar (5)
loar (2), 61a, 167c.
loa (1), 209b.
loan (1), 144e.
loado (1), 58b.

loco (1)
loco (1), 249a.

loor (3)
loores (3), 145d, 167d, 168b.

losa (1)
losa (1), 212b.

lozanía (1)
lozanía (1), 158c.

lozano (2)
lozano (2), 3c, 257a.

Lucía (12)
Lucía (2), 4a, 12a.
Lozía (1), 108a.
Luzía (9), 15a, 19c, 59c, 100a, 102c, 103a, 118d, 120d, 132b.

luego (15)
luego (15), 30c, 60a, c, 67c, 71c, 93a, 94a, 107b, 132b, 151b,
205a, 228c, 248a, 252d, 254b.

luengo (1)
luenga (1), 186b.

lugar (7)
lugar (3), 75a, 78c, 268d.
logar (4), 75c, 97a, 121d, 226a.

lujuria (1)
luxuria (1), 158b.

lumbre (1)
lumbre (1), 63b.

lumbrera (1)
lumbrera (1), 62c.

luz (2)
luz (2), 61d, 152d.

madre (28)
madre (28), 6b, 9a, 17a, 60b, 61a, 95d, 107b, 115a, b, 133b, c,
135a, 136c, 137c, 145a, 146a, 159c, 168a, 169d, 195d, 196c,
197a, 231a, 232c, 233b, 234a, 266c, 272a.

maestr' (10)
maestr' (10), 55d, 94b, 99a, 120a, 123a, 127c, 128a, 129a, 150d,
204b.

maestro (8)
maestro (7), 18c, 26d, 29c, 44a, 58d, 66b, 76a.
maestros (1), 40b.

Magdalena (1)
Magdalena (1), 269a.

maguer (2)
maguer (2), 3c, 260c.

240

maitines (2)
maitines (2), 198b, 215d.

mal, adj (5)
mal (5), 38c, 83c, 135d, 160c, 257a.

mal, adv (1)
mal (1), 96b.

mal, sust (6)
mal (6), 70a, 104c, 139b, 157b, 158b, 171c.

mala, adv (1)
mala (1), 193a.

malamente (2)
malament' (2), 95c, 210b.

malatía (1)
malatía (1), 230b.

malaventurado (2)
malaventurado (2), 249b, 254c.

malenconía (1)
malenconía (1), 102b.

malhadado (1)
mal fadado (1), 259c.

malo (6)
malos (2), 117c, 240b.
mala (3), 21b, 224c, 255c.
malas (1), 3d.

man a mano (2)
man a mano (2), 77b, 150b.

mancebo (3)
mancebo (2), 128b, 241b.
mancebos (1), 53d.

mancilla (1)
mancilla (1), 176d.

mandado, adj (1)
mandados (1), 200c.

mandado, sust (5)
mandado (5), 35b, 58a, 96a, 105b, 254a.

mandamiento (1)
mandamiento (1), 183a.

mandar (12)
mandaba (1), 203d.
mandó (8), 27a, b, 56a, 59c, 65a, 106c, 132a, 185d.
mandaron (1), 258a.
mandares (1), 45d.
mandado (1), 96c.

manera (9)
manera (5), 13a, 62b, 224d, 248b, 266a.
maneras (4), 5a, 35b, 88c, 200d.

mano (9). Vid. también **man a mano.**
manos (9), 17d, 51b, 52b, 53b, 60b, 107a, 176c, 228d, 229c.

mansedumbre (1)
mansedumbre (1), 20a.

manso (2)
manso (2), 112a, 153c.

mantener (1)
mantubieron (1), 173d.

242

maña (2)
    maña (1), 21b.
    mañas (1), 3d.

mar (2)
    mar (2), 9c, 167a.

maravilla (1)
    maravilla (1), 51d.

marabillado (3)
    marabillado (1), 243c.
    marabillados (2), 19a, 114a.

maravillar (1)
    maravillada (1), 122d.

María (17). Vid también **Ave María.**
    María (17), 4d, 17c, 19d, 37b, 48d, 61b, 74b, 100c, 108d, 132c,
      150d, 159c, 172b, 196b, 202b, 215d, 267b.

marido (2)
    marido (2), 136a, 138b.

mártir (1)
    mártir (1), 264c.

martirizar (1)
    martirizada (1), 205b.

marzo (1)
    marzo (1), 262d.

mas (22)
    mas (22), 45d, 66c, 74c, 88b, 96c, 98c, 100c, 102c, 104d, 118d,
      126c, 132c, 135b, 139c, 166d, 178d, 193c, 212d, 241d, 245c,
      248b, 252b.

más (15)
> más (15), 19c, 32d, 66d, 67b, 70b, 71a, 72c, 75b, 89b, 97c, 98d,
> 129b, 183d, 192b, 250d.

matar (2)
> matar (1), 95d.
> matarte (1), 166d.

mayor (3)
> mayor (2), 32c, 92a.
> mayores (1), 91b.

me (46)
> me (34), 8bis b, d, 11c, 27d, 28d, 31b, 34a, 35d, 42c, 43a, d,
> 45b, d (dos veces), 47d, 57d, 58c, 61b, c, 62b, 68d, 69b, d, 82d,
> 84d, 105b, 134c, 135d, 136b, 137b, 180b, d, 195a, 272b.
> m' (12), 1a, 35a, 49b, 62b, 69d, 73c (dos veces), d, 105d, 134d,
> 178c, 202c.

medio (2)
> medio (2), 243d, 256c.

mejor (8)
> mejor (8), 48b, 100d, 127b, 192c, 221c, 249d, 254d, 264a.

menester (2)
> menester (2), 49b, 70c.

menguado (3)
> menguado (1), 117b.
> menguados (1), 17b.
> menguada (1), 238d.

menor (2)
> menor (2), 66d, 253c.

mensaje (1)
> mensage (1), 61c.

mentar (1)
    mentar (1), 17c.

menudo (1)
    menudo (1), 60d.

merced (1)
    mercet (1), 172c.

merecer (6)
    merescer (2), 181b, 233d.
    merescedes (1), 128d.
    merecian (1), 185b.
    meresciestes (1), 213c.
    merescades (1), 222b.

merecimiento (1)
    merezimiento (1), 163d.

Messía (1)
    Messía (1), 159d.

mester (2)
    mester (2), 185d, 203d.

mesura (3)
    mesura (3), 14c, 137a, 181a.

mesurado (3)
    mesurado (3), 131a, 136b, 153b.

meter 'enviar' (1)
    miso (1), 225d.

meter 'poner' (2)
    metió (2), 36a, c.

mezquina (1)
    mezquina (1), 157c.

mi, mis, mió (29)

mi (24), 12c, 25a, 42d, 44a (dos veces), 45d, 49c, 54b, 58a, 69c, 73b, 83c, d, 84b, 105c, 136a, 137a, 138c, 209b, 220c, 221a, b (dos veces), 223a.

mió (4), 35a (dos veces), 108a, 224a.

mis (1), 265a.

mí (16)

mí (16), 9b, d, 10a, b, 31c, 33c, 43b, 44c, d, 95d, 96c, 98d, 108b, 138d, 177b, 178a.

mientes (2)

mientes (2), 216c, 218b.

mío (2)

mío (1), 46a.

mía (1), 48c.

misa (4)

misa (4), 140c, 189a, 222d, 250a.

mismo (1)

mesma (1), 231b.

monasterio (3)

monasterio (3), 81b, 104a, 146b.

monje (1)

monges (1), 74c.

morar (1)

moraban (1), 74c.

morir (4)

morir (3), 224c, 249d, 255c.

muere (1), 83b.

moro (1)

moros (1), 267c.

mortal (5)

    mortal (5), 70b, 118b, 139d, 157a, 265c.

mostrar (16)

    mostrar (4), 45b, 46b, 113b, 187c.
    mostraba (2), 41a, 130c.
    amostró (1), 227b.
    mostró (3), 15a, 109c, 141c.
    había mostrada (1), 103d.
    muestre (2), 25c, 34a.
    mostredes (1), 105d.
    mostrando (2), 130d, 235b.

mover (1)

    mover (1), 92c.

mucho, adj (24)

    much' (2), 88c, 153b.
    mucho (3), 119c, 145b (dos veces).
    muchos (9), 5d, 40a, 86a, 126a, 160b, 216b, 256d, 263a, c.
    mucha (4), 51d, 152d, 154b, 270b.
    muchas (5), 5a, 103b, 129a, 170c, 216a.
    mucho (1), 130a.

mucho, adv (18)

    much' (5), 89c, 105c, 115d, 212c, 238b.
    mucho (12), 49b, 87c, 88b, d, 114a, 122b, c, 178c, 179b, 243c, 251c, 252b.
    mocho (1), 125a.

muerte (5)

    muerte (3), 178d, 255d, 257c.
    muert' (2), 224c, 255c.

muerto (1)

    muerto (1), 242a.

mujer (4)

    moger (1), 113a.

muger (2), 2c, 4a.
mugeres (1), 158d.

mundo (14)
    mundo (14), 12b, 61d, 62c, 70a, 83a, 109c, 110c, 116a, 118b,
    120d, 139b, 192d, 244a, 272a.

muro (2)
    muro (2), 5c, 74a.

muy (53)
    muy (53), 2c, 23a (dos veces) d, 42b, 43a, 47a, 50a, 52c, 58c, 64b,
    69a, 79a, 82b, 85c, 87d, 91a, 93b, 102a, d, 103b, 107b, 125d,
    133a, 148c, 161a, 174d, 175b, 184c, d, 188a, 189a, b, 190b,
    194a, 199c, 201b, 207d, 211c, 213d, 214a, 219a, 226b, 235a,
    237b, 246b, 249b, 254b, d, 257a, 260c, d, 270a.

nacer (6)
    nacer (1), 192a.
    nascer (1), 165b.
    nació (1), 1d.
    nasció (2), 156c, 272a.
    nascerá (1), 62c.

nada (1)
    nada (1), 89d.

nadie (1)
    nadie (1), 145c.

nado (1)
    nado (1), 247c.

nascencia (1)
    nascencia (1), 42d.

natura 'natural' (1)
    naturas (1), 39c.

248

natura 'naturaleza' (1)
natura (1), 161c.

natural (1)
natural (1), 225b.

Navidad (1)
Navidat (1), 196b.

necesidad (1)
necesidat (1), 246c.

negar (1)
negada (1), 164d.

ni (22)
ni (6), 25c, 109a, 147b, c (dos veces), d.
nin (16), 66c, 101b, 107c, 156a, 181b, 223c (dos veces), 233d, 241b (dos veces), 244a, b, 248b, c, 255b, 256d.

nieve (1)
nieve (1), 242b.

ninguno (4)
ninguno (2), 131b, 241a.
ninguna (2), 223b,. 224d.

niño (4)
niño (2), 23c, 38a.
niños (2), 21a, 228b.

no (99)
no (9), 5d, 28d, 36d, 66c, 73d, 121c, 160b, 202c, 227a.
non (90), 3c, d, 4d, 6d, 9d, 24b, c, d (dos veces), 25a, d, 30c, 31d, 32d, 48b, 49d, 52a, 54a, 60a, 70c, 71b (dos veces), 74c, 76c, 77c, 79b, 80b, 83c, d, 84b, 88a, 89b, d, 97a, b, 98a, d, 101a, d, 107c, 109a, d, 113b, 117c, 118d, 120b, c, 126d, 128a, d 129c, 131b, 134d, 135a, 139b, 147b, 151d, 159d, 161c, 164d, 166d, 169a, 181b, 191b, 193b, 201c, 204c, 217a, 224a, b (dos veces),

d, 226b, 227d, 233d, 241a, c, 242a, 245c, d, 248b, 253c, 254d,
255b, d, 256d, 257b, c, 258d, 264a.

noble (12)
noble (10), 51c, 74c, 106b, 177c, 184c, 189b, 205c, 235d, 251a,
261a.
nobles (2), 182b, 194a.

nobleza (1)
nobleza (1), 2a.

noche (5)
noche (5), 4c, 7b, 12d, 45a, 172c.

nodrescer (2)
nodrescer (1), 18b.
nudriré (1), 45c.

nombrado (1)
nombrada (1), 1d.

nombrar (2)
he nombrado (1), 75a.
he nombrados (1), 263b.

nombre (2)
nombre (2), 12a, 247d.

nos (37)
nos (37), 88c, 89d, 96b, 119c, 129c, 135b, 138d, 145c, 152b, c,
157a, b, c, 158a, 163b, c, 166d, 196d, 198d, 199a, 231c, d,
233a, 240c, 251b, 252b, c, 253b, c, 265b, c, 267d, 268a, b, 271a
(dos veces), 272c.

notario (1)
notario (1), 221b.

nuestro, adj (10)
nuestro (5), 72a, 127b, 244d, 253a, 268d.

250

nuestros (1), 240b.
nuestra (4), 47b, 87b, 135c, 189d.

nuevo (1)
nuevo (1), 128c.

nunca (13)
nunca (13), 14b, 18d, 20b, 22d, 28c, 41d, 43b, 113d, 156a, 167d, 223b, 239b, 244a.

o (4)
o (4), 22b, 83b, 117b, 229b.

obedecer (2)
obedescer (1), 55a.
obedescades (1), 202c.

obediencia (3)
obediencia (3), 34b, 111b, 252a.

obispo (2)
obispo (2), 148b, 262a.

obsequias (1)
obsequias (1), 124d.

ofender (1)
ofender (1), 69c.

oír (11)
oyó (3), 59a, 102c, 161b.
oístes (2), 227b, 258b.
oist' (1), 209d.
oyestes (2), 148b, 213d.
habedes oída (1), 261a.
oidme (1), 57d.
oyendo (1), 171d.

ojo (1)
  ojos (1), 227c.

olor (2)
  olor (1), 244b.
  olores (1), 144a.

olvidar (3)
  olvidar (2), 60a, 121c.
  olvidaba (1), 4d.

olvido (1)
  olvido (1), 79b.

omnipotente (1)
  omnipotente (1), 37b.

onde. Vid. **donde.**

oración (4)
  oración (4), 6a, 22b, 36d, 141b.

orar (2)
  orar.(1), 65b.
  ora (1), 209c.

orden (6)
  orden (5), 89c, 92d, 111b, 116b, 128c.
  órdenes (1), 67c.

ordenado (1)
  ordenada (1), 122b.

ordenamiento (1)
  ordenamiento (1), 146b.

ordenar (9)
  ordenar (4), 22c, 116c, 187d, 194c.

ordena (1), 118c.
ordenó (4), 108d, 148a, 190c, 231b.

oro (1)
oro (1), 229b.

osar (1)
oso (1), 117a.

otorgar (6)
otorga (1), 86d.
otorgase (2), 195a, 198a.
otorgad (1), 42c.
otorgado (2), 85d, 127d.

otro, adj (14)
otro (7), 139b, 140c, 221c, 249d, 262a, 264c, 269c.
otra (4), 6d, 99c, 244a, 252d.
otras (3), 216a, 258b, 260b.

otro, pron (7)
otros (7), 22d, 51b, 57b, 66b, 130d, 159a, 207c.

otrosí (4)
otrosí (4), 69a, 100b, 121c, 159a.

paciencia (1)
paciencia (1), 111c.

padre (24)
padre (22), 17a, 19c, 33a, 36a, 42b, 50b, 53a, 55a, 59b, 77c, 79a,
81a, 87d, 118c, 120c, 145d, 148c, 152c, 165a, 238d, 239b,
240b.
padres (2), 116b, 265b.

pagado (10)
pagado (5), 44d, 58c, 125d, 136d, 179b.
pagada (5), 13b, 119a, 180d, 208d, 270c.

palabra (2)
    palabra (1), 15c.
    palabras (1), 121a.

palacio (3)
    palacio (3), 54b, 55b, 60c.

paño (1)
    paños (1), 76c.

par (4)
    par (4), 18d, 49d, 175d, 191c.

para (22)
    para (22), 28b, 30c, 31b, 32a, 65b, 67b, d, 73a, 79a, 81b, 84c,
      94c, 102d, 106b, 108b, 138b (dos veces), 150d, 217d, 222b,
      231c, 235c.

paraíso (1)
    paradiso (1), 268b.

paralítico (1)
    paralíticos (1), 245a.

parar (4)
    parar (1), 175c.
    paró (1), 218b.
    pararon (1), 216c.
    parados (1), 244c.

parecer (2)
    parez' (1), 77c.
    parescia (1), 242b.

paridad (1)
    paridat (1), 24b.

254

pariente (2)
    pariente (1), 3b.
    parientes (1), 245b.

parir (4)
    parir (1), 61d.
    parió (1), 14a.
    pariendo (2), 159d, 164d.

parte (3)
    parte (2), 166a, 194a.
    partes (1), 170c.

partida (1)
    partida (1), 134c.

partir (6)
    partir (2), 50d, 256c.
    parte (1), 131b.
    partía (1), 4b.
    partió (1), 51a.
    partas (1), 28c.

parto (1)
    parto (1), 191b.

pasar (2)
    pasar (1), 78c.
    pasado (1), 215a.

pastor (4)
    pastor (4), 125d, 238d, 253b, 264b.

paz (1)
    paz (1), 272b.

pecado (6)
    pecado (5), 38c, 68d, 101d, 135d, 160c.
    pecados (1), 240b.

pecador (2)
pecadores (2), 144e, 168a.

pecatriz (1)
pecatriz (1), 8b.

pechar (1)
peche (1), 44d.

pedir (6)
pedir (1), 7a.
pediá (1), 42b.
pidieron (1), 246b.
pidiere (1), 8 bis b.
has pedido (1), 138a.
pidiendo (1), 172c.

peligrar (1)
peligrar (1), 9d.

peligroso (1)
peligrosa (1), 251b.

penado (1)
penada (1), 134d.

penitencia (2)
penitencia (2), 171d, 266d.

pensar (5)
pensó (1), 76d.
pensaron (1), 203b.
pensaran (1), 171c.
piensa (2), 27c, 30d.

pequeño (3)
pequeño (1), 78c.
pequeños (1), 125a.
pequeña (1), 241b.

perder (7)
> perder (2), 69c, 70d.
> perdía (1), 229d.
> perdiá (1), 36d.
> habiá perdido (1), ·177d.
> pierda (1), 161c.
> perdiendo (1), 102b.

perdición (1)
> perdición (1), 189c.

perdidoso (1)
> perdidoso (1), 155c.

perdón (1)
> perdón (1), 48a.

perdonar (3)
> perdonar (1), 268a.
> perdonó (1), 173c.
> perdonase (1), 172d.

perfección (1)
> perfección (1), 16c.

perfecto (1)
> perfecta (1), 237a.

perlacía (1)
> perlacía (1), 132a.

perlado (20)
> perlado (16), 26a, 44a, 57c, 68a, 125b, 126d, 127c, 128d, 147b, 149b, 170a, 236a, 247b, 253a, b, 264b.
> prelado (1), 23a.
> perlados (3), 182b, 194a, 200a.

pero (9)
> pero (9), 25a, 39b, 60c, 85d, 131a, 154c, 168a, 243d, 267d.

257

perseveradamente (1)
perseveradamente (1), 37a.

perseverar (2)
perseveraba (1), 7a.
perseverando (1), 199d.

persona (1)
persona (1), 89b.

pertenecer (1)
pertenecian (1), 185c.

pesar, sust (7)
pesar (7), 41d, 97b, 98b, 120c, 121a, 148d, 258d.

pesar, verbo (3)
pesa (1), 47d.
pesó (1), 256d.
pesando (1), 130a.

petición (2)
petición (1), 8 bis c.
peticiones (1), 11a.

piadoso (1)
pïadosa (1), 231a.

pie (3)
pie (2), 83b, 208b.
pies (1), 82b.

piedad (4)
pïedat (1), 173a.
piadat (1), 234a.
piedat (2), 133b, 134a.

placencia (1)
plazencia (1), 47c.

placentería (1)
    plazentería (1), 186d.

placer, sust (4)
    plazer (4), 55d, 100c, 181c, 242c.

placer, verbo (5)
    plaz' (2), 57d, 198d.
    plazia (1), 66c.
    plogo (1), 172a.
    plugo (1), 248a.

planta (1)
    planta (1), 91d.

poblado (1)
    poblada (1), 232a.

poblar (1)
    poblaron (1), 261b.

pobre (6)
    pobres (6), 4b, 16d, 17b, 153d, 228b, 240a.

poco (1)
    poco (1), 180b.

poder (42)
    puedo (1), 69c.
    puede (7), 9d, 68d, 69b, 88c, 89c, 209d, 257c.
    podemos (2), 89b, 126d.
    pueden (2), 69d, 156a.
    podia (1), 120c.
    podiá (4), 17a, 32d, 107c, 229c.
    podían (1), 227d.
    podián (3), 217a, 227c, 245c.
    pud' (1), 135a.
    pudo (3), 52d, 78a, 156c.
    podrá (1), 224d.

podamos (1), 265d.
pudiese (1), 182a.
pueda (2), 25b, 31c.
pudieres (1), 30d.
pudiere (1), 126b.
podría (1), 204c.
podria (3), 18a, 49d, 181b.
podriá (1), 25c.
podríamos (2), 88d, 192d.
podriamos (1), 201c.
podrían (1), 167d.
podrian (1), 233d.

poderoso (2)
    poderoso (1), 117b.
    poderosa (1), 169b.

poner (18)
    poner (3), 10a, 146c, 229c.
    pone (3), 158a, d, 159a.
    poniá (1), 230a.
    posiste (1), 93d.
    puso (4), 47a, 92b, 135c, 159b.
    pusiera (1), 229a.
    poniá (1), 230a.
    posiste (1), 93d.
    puso (4), 47a, 92b, 135c, 159b.
    pusiera (1), 229a.
    pongas (1), 31c.
    ponga (1), 93c.
    pongades (1), 129c.
    poniendo (1), 123b.
    pornía (1), 267d.

por (107)
    por (107), 9d, 20b, 35c, d (dos veces), 37c, 43c, 44c, d, 45b, c,
    46b (dos veces), c, d, 48a, 54c, 56b, 61c, 62a, 68c, 70c, 76a,
    79b, 81c, 82c (dos veces), 84d, 90c, 98c, 99b, c (dos veces), d,
    100b, 105d, 108d, 109b, 110b, 112c, 115d, 116a, d, 120b,

121d, 137a, 139b, c, 144e, 145c, 149b, 152c, 155d, 157c, d,
168c, 170d, 171a, b, 172d, 174b, 177b, d, 179d, 180b, 182a,
186b, 189c, d, 196a (dos veces), b, 199b, 200b, d, 202c, 206c,
210a, b, c, 213b, 215d, 220b, d, 224d, 231b, 232d, 234b, 236b,
243b, c, 249c, 250a, 252d, 253c, 254b, 255a, 256c, 259b, 260a,
b, 263b, 264d, 266b, 270a, 271b, 272c.

por que (1)
por que (1), 257c.

porcionero (1)
porcionero (1), 82d.

porque (9). Vid también **por que**
porque (8), 47b, 88b, 89c, 114d, 115d, 164d, 177b, 213b.
porqu' (1), 30a.

portal (3)
portal (3), 65b, 70c, 175a.

pos (3)
pos (1), 132b.
post (1), 53a.

posada (3)
posada (2), 140d, 250d.
posadas (1), 185c.

posar (1)
posedes (1), 54a.

poso (1)
poso (1), 112d.

preciado (2)
presciado (2), 214a, 225c.

preciar (2)
preciamos (1), 129b.
preciaba (1), 3c.

precioso (6)
preciosa (5), 115c, 123c, 159c, 195d, 205b.
preciosa (1), 173a.

predicación (1)
predicación (1), 93a.

predicar (3)
predicar (3), 92d, 187c, 218c.

prelado. Vid **perlado.**

presencia (1)
presencia (1), 86a.

presentar (3)
presentó (1), 32b.
presenta (1), 28b.
presentada (1), 238a.

presente (1)
presente (1), 231b.

prestar (3)
prestar (2), 126a, 148c.
prestaré (1), 28d.

prez (1)
preces (1), 144b.

priesa (2)
priesa (2), 81c, 171d.

primado (1)
primado (1), 26c.

primer (3)
primer (3), 60a, 93a, 94a.

primero (5)
primero (4), 52a, 255a, 261d, 264c.
primera (1), 248a.

príncipe (2)
príncipe (2), 207c, 211b.

prior (2)
prior (2), 75c, 129d.

privado (1)
privado (1), 176a.

privar (1)
pirvar (1), 160c.

probar (2)
probó (1), 255a.
probare (1), 224c.

procesión (1)
procesión (1), 141a.

profesión (1)
profesión (1), 23b.

profundado (1)
profundado (1), 26d.

promesa (1)
promesa (1), 62d.

prometer (4)
prometer (1), 177a.
prometiestes (1), 137b.

habiá prometida (1), 220d.
prometed (1), 42c.

pueblo (8)
pueblo (7), 149a, 151a, 218c, 230c, 239c, 243c, 262a.
puevlo (1), 150a.

puerta (4)
puerta (4), 9c, 77a, 216c, 217c.

puerto (1)
puerto (1), 242b.

pués (3). Vid también **después.**
pués (3), 189b, 218a, 263a.

pues (11)
pues (11), 54c, 59c, 70c, 80b, 109c, 111a, b, 113c, 134c, 177c,
213c.

pués que (15)
pués qu' (3), 13a, 146a, 203b.
pués que (12), 33b, 57a, 72b, 81a, 104d, 130b, 170c, 179a, 186a,
204a, 243a, 249a.

pues que (4)
pues que (4), 135b, 149c, 194b, 214c.

pugnar (3)
pugnan (1), 268c.
pugnaban (1), 55c.
pugnaron (1), 258c.

punto (3)
punto (3), 156c, 232a, 247c.

puro (5)
puro (1), 76b.
pura (4), 6b, 110a, 161b, 272a.

qué (5)
>qué (5), 8a, 57d, 105a, 192d, 209c.

que, conj (99)
>qu' (9), 10c, 25c, 35b, 70a, 72c, 149b, 192c, 213d, 266d.
>que (90), 4c, 8 bis d, 11b, 18a, d, 24a, 28c, 29b, 31c, 41d, 42a, d, 43d, 47d, 54a, 58b, 61d, 62d, 63b, c, 72c, 73d, 77c, 84a, d, 97d, 98b, 101b, 104c, 105d, 111c, 118d, 122d, 124b, 127a, 128b (dos veces), 129c, 131b, 137b, 138c, d, 148a, 152c, 154c, 159b, c, 160b, 161c, 164a, 166c, 167c, 169b (dos veces), 170d, 172d, 180b, 182a, c, d, 185b, 186c, 187b, 192c, 193b, 196b, d, 200d, 202c (dos veces), 215c, 220c, 221c, 224b, 232d, 235b, 236b, 239b, 242d, 249c, d, 250b, 251b, c, 254d, 256c, 265b, d, 269b, 271b.

que, pron (133). Vid también **por que.**
>qu' (1), 169d.
>que (132), 1c, d, 2b, 3a, 4b, 5d, 6c, d, 7c, 8a, b, 9a, d, 11a, c, 12a, 13c, 15c, d, 20b, 21d, 22d, 25b, d, 31d, 32c, 33d, 34a, 37c, 41b, 46b, 54b, d, 61b, c, 69d, 70b, d, 71a, b, 73c, 75a, 76c, 84b, 85d, 97b, 98b, d, 101a, b, 102a, 103d (dos veces), 105c, 109b, d, 116c, d, 118b, 123d, 124c, 134b, 135c, 136b, 137b, 143a, 144b, 148b, c, 151d, 155a, 160b, 166a, 168b, d, 171c, 175b, 177d, 180d, 181c, 187c, d, 188c, 197a, 199a, 204c, 205b, c, 208b, 209c, d, 210b, 211c, 213a, 214b, 215b, 220d, 222c, 223b, 227b, 229b, c, 230d, 231a, 232c, 233a, b, c, d, 235d, 236c, d, 238a, d, 239d, 241c, 244b, 246c, 250c, 255d, 258b, 260a, b, 261a, d, 263b, d, 268c, 270a, c, 272a.

quebrantado (1)
>quebrantados (1), 240a.

quebrantar (1)
>quebranta (1), 71c.

quebranto (3)
>quebranto (3), 104c, 116d, 239d.

quedar (1)
quedará (1), 97a.

quedo (1)
quedo (1), 120c.

quejarse (1)
quexándos' (1), 94d.

quejedad (1)
quejedat (1), 241d.

quejoso (1)
quexoso (1), 117c.

quejumbre (1)
quejumbre (1), 20b.

querella (1)
querella (1), 229d.

querer (72)
quiero (5), 10c, 11a, b, 27d, 54a.
quier' (4), 84a, 87b, 99c, 101a.
quiere (1), 101b.
queremos (1), 193b.
queredes (5), 48c, 54d, 85d, 100a, 134d.
quieren (1), 156b.
quisieron (1), 203c.
quería (2), 37c, 74d.
queria (2), 68b, 187c.
queriá (5), 116c, 182d, 187d, 215b, 255d.
querían (2), 5d, 168b.
querián (2), 65c, 168d.
querién (1), 22a.
quisieste (1), 105a.
quiso (16), 10a, 30b, 60a, 61b, 109b, 121c, 124b, 201a, 227a,
    231a, 233a, b, 236b, 254c, 255b, 257b.
querrás (1), 161c.

quieras (1), 30c.
quier' (1), 88b.
quiera (3), 13d, 224a, 268a.
querades (3), 84d, 88a, 109d.
quieran (1), 265b.
quisiese (1), 6c.
quisiesedes (1), 195b.
quisiesen (1), 182c.
quisiere (1), 267d.
quisierdes (2), 86d, 87c.
quisieredes (1), 126c.
queriendo (1), 55a.
querría (4), 1b, 87c, 100b, 113b.
querriá (1), 45d.

querido (1)
    querido (1), 151c.

qui (5)
    qui (5), 2d, 71c, 156c, 224c, 245d.

quien (4)
    quien (4), 8 bis b, 46c, 190d, 202b.

quién (1)
    quién (1), 125b.

quinto (1)
    quinto (1), 147a.

quiquiera (1)
    quiquiera (1), 111c.

quitar (1)
    quitar (1), 107c.

rato (1)
    rato (1), 83a.

razón (6)
    razón (6), 8 bis a, 64a, 186b, 199b, 201b, 220c.

recato (1)
    recáto (1), 83c.

recibir (18)
    recebir (1), 87c.
    resçebir (1), 89b.
    rescebir (3), 7d, 96a, 209d.
    reciben (1), 116d.
    recibió (2), 81d, 264d.
    recivió (2), 64b, 185a.
    rescibió (1), 174d.
    recibieron (1), 51d.
    recivieron (1), 90b.
    recibré (1), 105d.
    recibredes (1), 197c.
    he recibida (1), 134b.
    he recivido (1), 180c.
    recibidos (1), 184d.

reina (9)
    reina (2), 190b, 234a.
    regina (1), 142a.
    reïna (3), 144c, 169c, 180a.
    reÿna (1), 225a.
    reyna (2), 219a, 266c.

reinado (1)
    reinado (1), 147a.

reinar (2)
    reinar (1), 222b.
    reynaba (1), 267a.

reino (3)
    regno (1), 272c.
    reyno (1), 236c.

regnos (1), 86c.

reir (1)
    reyendo (1), 53c.

religioso (2)
    religioso (1), 112b.
    religïoso (1), 117d.

reliquia (1)
    reliquias (1), 258b.

relucir (1)
    relozir (1), 227c.

relumbrar (1)
    relumbraba (1), 229b.

remembrar (1)
    remembrar (1), 30d.

remover (1)
    removieron (1), 183b.

rencura (1)
    rencura (1), 137d.

rendir (2)
    rendián (1), 19d.
    rindián (1), 228d.

res (1)
    res (1), 52d.

responder (4)
    responder (1), 49a.
    respondió (2), 57d, 105b.
    respondieron (1), 251a.

resurrección (1)
resurrección (1), 110d.

reverencia (2)
reverencia (2), 42b, 218a.

revestir (1)
revestir (1), 227a.

rey (6)
rey (6), 37b, 133c, 135b, 225d, 230d, 267b.

rezar (2)
rezar (1), 4d.
reza (1), 2d.

rico (4)
rico (3), 68c, 71a, 120b.
ricos (1), 228b.

rimado (1)
rimada (1), 1b.

rimar (1)
hobo rimado (1), 269a.

riqueza (2)
riqueza (2), 2b, 99b.

rodilla (1)
rodilla (1), 176c.

rogar (10)
rogar (7), 84c, 85c, 182b, 187a, 265a, d, 268a.
ruega (1), 34a.
rogaba (1), 103c.
rogaron (1), 246b.

romance (1)
    romance (1), 2d.

rosa (3)
    rosa (3), 63b, 144a, 244a.

ruego (1)
    ruego (1), 33d,

saber, sust (1)
    saber (1), 25d.

saber, verbo (23)
    sé (3), 98b, 113b, 264a.
    sabe (2), 22c, 233c.
    sabemos (2), 164a, 169b.
    sabedes (2), 98a, 128c.
    saben (1), 100d.
    sabiá (1), 67a.
    sopo (4), 81d, 94a, 95b, c.
    sabré (2), 11b, 109a.
    sepas (1), 30a.
    sobiésedes (1), 196a.
    sopiesen (1), 167b.
    sabe (1), 138c.
    sabed (1), 47d.
    sabet (1), 118d.

sabidor (1)
    sabidor (1), 147b.

sabiduría (1)
    sabidoría (1), 113a.

sabor (3)
    sabor (3), 11c, 66c, 99d.

sabroso (3)
> sabrosa (3), 63c, 115b, 235b.

sacrificio (1)
> sacrificio (1), 5b.

sagrado (4)
> sagrada (4), 1a, 103c, 210a, 250b.

salario (2)
> salario (2), 221c, 222a.

salir (12)
> salir (2), 31d, 106c.
> salen (1), 50c.
> salían (1), 228a.
> salió (7), 7d, 50b, 62d, 80b, 104b, 208c, 226c.
> salieron (1), 254a.

salud (2)
> salud (2), 38b, 135c.

saludar (3)
> saludar (1), 15b.
> saludada (2), 164a, 191a.

salvación (1)
> salvación (1), 189d.

salvar (3)
> salvar (2), 9a, 265c.
> salvar' (1), 84b.

sanar (1)
> sanaba (1), 230b.

Sancho IV (1)
> Sancho (1), 267b.

sano (3)
 sano (2), 77c, 257b.
 sanos (1), 228c.

santidad (8)
 santidat (8), 24c, 82d, 124a, 152d, 165b, 195a, 234b, 237a.

santificar (1)
 santificada (1), 164b.

santo, adj (52)
 san (2), 18b, 259a.
 sancto (1), 175b.
 sant (15), 3b, 25d, 27a, 32a, 40a, 41b, 43b, 51a, 52a, 59a, 67a,
  121c, 261c, 263c, 264a.
 santo (15), 1c, 23a (dos veces), 33a, 36a, 42b, 50b, 104a, 136d,
  147c, 148b, 165c, 174c, 226a, 262c.
 santos (2), 183c, 265b.
 santa (17), 10a, 15c, 17c, 19d, 37b, 91b, 100c, 108d, 150d, 159c,
  161a, 164c, 196b, 205d, 214c, 256a, 262c.

santo, sust (1)
 santo (1), 175d.

saña (1)
 saña (1), 102b.

sañoso (2)
 sañoso (1), 155d.
 sañosa (1), 251d.

sañudo (1)
 señudo (1), 102a.

sapiencia (2)
 sapiencia (2), 86b, 111a.

sazón (1)
 sazón (1), 16a.

se (81)

se (54), 4d, 5d, 9d, 13b, 21d, 22c, 31a, 37c, 41a, 51b, c, 53b, 76d
(dos veces), 78b, 80b, 81b, 90c, 101b, 106b, 107a, 115a, 119a,
122d, 126b, 140a, 150a, b, 152a, 158b, 161c, 171c, 172b,
176b, 179a, 182c, 183b, 186b, 198b, 203c, 204a (dos veces),
211a, b, 212b, 217c, 219d, 224b, 226a, 227a, 245d, 247a, b,
249a.

ge (4), 8bis c, 109a, 136d, 203d.

s' (23), 10a, 21a, 51a, 57c, 66d, 75b, 79a, 81b, 82b, 87a, 92b,
94c, 116d, 120b, 141c, 148a, 156c, 171a, 175c, d, 212a, 217d,
270a.

secta (1)

secta (1), 168c.

seer. Véase **ser.**

seguir (5)

seguiá (1), 39b.
seguián (2), 154a, 184a.
siguió (1), 248b.
seguiré (1), 73b.

según (5)

según (2), 113c, 163d.
segund (3), 128b, 185b, 262b.

seguro (1)

seguro (1), 33c.

semejar (3)

semeja (1), 251b.
semejaba (2), 7d, 242a.

sendente (1)

sendente (1), 37d.

sentar (2)

asentar (1), 92c.
asentado (1), 151b.

274

CONCORDANCIAS DE LA EDICION RECONSTRUIDA

sentir (1)
  sentiredes (1), 139b.

señal (1)
  señal (1), 221c.

señalado (2)

  señalado (1), 247a.
  señalada (1), 193d.

señor (31)
  señor (24), 19c, 29a, 31b, 35a, 43a, 44a, 49b, 54c, 58b, 66b, 82c,
    85a, 88a, 95a, 96a, c, 108a, 224a, 232c, 233a, 240b, 244d,
    251d, 252a.
  señores (7), 118a, 125c, 128a, 188b, 193a, 202a, 265a.

señora (14)
  señora (14), 8a, 105a, 133c, 136a, 163c, 166a, d, 168a, b, 180a,
    181a, 190b, 197a, 209b.

sepultura (2)
  sepoltura (2), 208b, 212a.

ser (205)
  ser (2), 89c, 153b.
  seer (4), 101c, 113d, 168d, 231d.
  só (10), 9a, c, 25a, 58d, 68c, 113a, 128b, c, d, 202c.
  eres (4), 169b, d, 232b, c.
  es (42), 24a, 25d (dos veces), 29a, b, 30a, 49b, c, 70a, b (dos veces),
    d, 71a, b, 72a, b, c, 77c, 83a, 85b, 86c, 100d, 105c, 113c, 117c,
    118b, 143b, 155a, 157a, 160c, 169a, 178b, 196c, 197a, 199b,
    201b, 260d, 261b, 262c, 264a, 266d, 270a.
  somos (8), 86a, 162a, b, 166a, d, 200a, d, 253b.
  sodes (3), 63b, 221a, b.
  sois (1), 194b.
  son (2), 126a, 260c.
  era (20), 2b, 3b, c, 26a, 62a, 74b, 131a, 148c, 149c, 151c, 161a,
    206a, 214c, 227d, 234c, 247d, 251b, 253a, 266b, 269b.

eran (7), 19a, 55c, 114d, 244c, 245b, c, d.
seíen (2), 114a, c.
seyén (1), 244c.
fuiste (5), 44a, 164a, b, d, 232b.
fue (37), 7c, 8a, 8 bis a, 15a, 42d, 120d, 125c, 130b, 136b, 140c,
    149a, 151b, d, 160d, 164c, 170c, 178a, 186a, 188a, 191a, 205b,
    d, 210c, d, 220c, 238a, b, 243a, 244a, 247d, 248c, 250a, 259b,
    d, 263d, 264b, c.
fuemos (1), 189c.
fueron (6), 93b, 183d, 184d, 212c, 216c, 260b.
seré (2), 12d, 43c.
será (7), 63d, 96d, 127a, b, 138c, 163a, 222a.
seremos (2), 162c, 200c.
sea (10), 58b, 63a, 85d, 117b, 133d, 142b, 188b, 213d, 230d,
    266c.
seya (2), 4c, 176a.
seamos (1), 192b.
seades (1), 180d.
seyan (2), 114b, 209c.
fuera (4), 124c, 125a, 249d, 254d.
fues' (1), 6d.
fuese (4), 117d, 197b, 214d, 254d.
fuere (4), 13c, 89d, 96c, 225b.
fuéredes (2), 112a, 194c.
fueren (1), 117c.
sea (1), 127d.
siendo (2), 133a, 175a.
sería (3), 23d, 24d, 151d.
seriá (1), 137b.

sermón (1)
    sermón (1), 189b.

servicio (10)
    servicio (10), 5a, 6d, 43b, d, 66a, 123b, 179d, 180b, 181c, 193d.

servido (2)
    servido (1), 127a.
    servida (1), 178c.

276

servidor (2)
    servidor (1), 99c.
    servidores (1), 144b.

servir (25)
    servir (13), 9b, 11c, 31c, 65d, 76a, 109a, 126b, 143a, 167c, 181b, 201b, 233d, 235c.
    servimos (1), 199c.
    sirven (1), 236d.
    servia (1), 135a.
    habedes servido (1), 138d.
    sirva (2), 101b, 180d.
    sirviera (1), 43b.
    sirviésemos (1), 198c.
    servid (1), 110a.
    servido (1), 74b.
    servida (2), 197b, 220b.

Sevilla (2)
    Sevilla (2), 26b, 51a.

si (48)
    si (48), 1a, 5c, 21b, 23c, 24d, 25d, 28d, 45d, 48a, b, c, 68c, 83c, 84b, 87c, 88d, 89d, 96ç, 98a, 99c, 100a, c, 112a, 113c, d, 117a, c, d, 120b, 125c, 126b, c, 127c, 131c, 162a, b, 163b, 167a, 183a, 194c, 195a, 196a, 197b, 198a, 201c, 225b, 245a, 267d.

sí (5)
    sí (5), 24c, 185d, 200b, 231b, 256a.

siempre (23)
    siempre (23), 6a, 11c, 15d, 43c, 63a, c, 70d, 100b, 121d, 133d, 134b, 137c, 139c, 142b, 166b, 174b, 181c, 199d, 201b, 214d, 220b, 231d, 272c.

siervo (3)
    siervo (2), 123c, 231c.
    sïervo (1), 44b.

siglo (1)
siglo (1), 272b.

signo (1)
signo (1), 87a.

silla (2)
silla (2), 151b, 176a.

simple (1)
simple (1), 71b.

simplicidad (1)
simplicidat (1), 33a.

sin (11)
sin (11), 49d, 96a, 113a, 166c, 176d, 219d, 252d, 254b, 256b, 268c, 271b.

siquier (2)
siquier (2), 117b (dos veces).

so, prep (1)
so (1), 255c.

soberbia (3)
soberbia (2), 68d, 249b.
sobervia (1), 158a.

soberbio (1)
soberbio (1), 257a.

sobre (8)
sobre (6), 26c, 120a, 194d, 233c, 240a, 256a.
sobr' (2), 112d, 229c.

sobrino (2)
sobrino (2), 56b, 57d.

socorrer (1)
socorrer (1), 13d.

solaz (3)
solaz (3), 57b, 158d, 159a.

soldada (3)
soldada (3), 174d, 180b, 197c.

solemnidad (7)
solemnidat (6), 50c, 124d, 195c, 198b, 206b, 246a.
solemnidades (1), 222d.

soler (6)
suelen (1), 116a.
solía (2), 215c, 217d.
solia (1), 218c.
soliá (1), 76c.
solián (1), 192c.

solo (1)
solo (1), 76d.

sosegar (2)
asosegado (1), 123a.
asosegada (1), 174a.

soterraron (1)
soterraron (1), 246a.

su (94)
su (82), 4a, 6b, d, 17d, 19c (dos veces), 22c, 23b, 24a, b, 27b, 33a,
d, 36a, c, 37c, 38c, 47a, 48d, 53a, 56b, 59b, 60b, 61c, 67d,
74d, 76d, 79b, 80b, 81a, 88a, 90c, 93c, 95d, 97b, 99d, 106a, c,
112c, 122b, 123b, 125b, 130c, d, 131c, 133a, 135d, 136b, c,
137d, 145a, 146a, b, d, 170d, 172d, 175a, b, 176a, 183b, 192a,
196c, 197d, 198c, 199d, 203a, 204a, b, 207b, c, 211a, 221a,
225a, b, 226a, 243d, 247d, 248c, 250d, 254a, 261c, 266c.

sus (12), 22a, 27a, 36d, 82b, 116b, 121a, 144c, 182d, 201a, 228d, 229c, 245b.

súbdito (1)
súbditos (1), 200a.

subir (2)
sobir (1), 68b.
subién (1), 153a.

sucio (1)
suzio (1), 259c.

sufrir (2)
sofrir (1), 217a.
sofrit (1), 111c.

suso (2)
suso (2), 175c, 176c.

suspiro (1)
sospiros (1), 103c.

sutil (2)
sotil (2), 24b, 155a.

suyo (1)
suyo (1), 99d.

tajar (3)
tajar (2), 214c, d.
tajado (1), 214b.

tal (16)
tal (16), 2d, 25d, 43b, 49c, 56b, 86c, 118d, 160d, 169a, 181c, 182a, 213c, 230d, 239b, 244b, 247d.

talante (1)
talante (1), 184b.

talento (2)
talento (2), 163c, 183b.

tamaño, adj (1)
tamaña (1), 90d.

tan (20)
tan (18), 15c, 71b, 117c, 120b, 123c, 134a (dos veces), d, 135a, 147c (tres veces), d, 188c, 202c, 214c, 242b, 255d.
atán (1), 235d.
atanto (1), 140b.

tanto, adv (6)
tanto (5), 66d, 98d, 129b, 140a, 192b.
atanto (1), 233a.

tanto, pron (3)
tanto (2), 160a, 177b.
tantas (1), 245c.

tañer (1)
tanxo (1), 87a.

tardar (3)
tardar (2), 30c, 88a.
tardaremos (1), 88d.

te (17)
te (13), 11a, b, 12a, 27c, 28a, c, 30b, 138c, 139d, 143a, 144e, 166d, 232d.
t' (4), 27d, 28d, 165c, 167c.

te deum laudamus (1)
te deum laudamus (1), 129d.

temer (1)
tememos (1), 252b.

tener (19)
tengo (2), 35d, 127a.
tienes (1), 30b.
tiene (1), 24b.
tenedes (1), 54c.
tenía (1), 211b.
tenia (1), 42a.
teniá (2), 212d, 236c.
tenie (1), 235b.
tenián (2), 90c, 115d.
tobe (1), 99b.
tobo (1), 104c.
tobiesen (1), 167b.
tened (1), 137c.
teniendo (1), 209a.
ternía (1), 196a.
terniá (1), 120b.

teología (3)
teología (1), 58d.
theología (2), 29c, 39c.

tercero (2)
tercero (2), 117d, 186c.

tercia (1)
tercia (1), 243a.

tesorero (1)
tesorero (1), 254b.

tesoro (1)
tesoro (1) 258a.

tí (5)
tí (5), 93c, 138b, 144d, 162b, 164c.

282

tiempo (7)
tiempo (7), 16a, 30a, 43d, 72a, 154a, 236a, 269b.

tienda (2)
tienda (2), 71c, 72a.

tierra (1)
tierra (1), 210d.

tío (3)
tío (3), 34a, 35a, 46b.

tirado (1)
tirada (1), 219d.

tirar (1)
tiró (1), 176b.

todavía (3)
todavía (2), 64a, 179c.
todabía (1), 153d.

todo, adj (75)
tod' (1), 46a.
todo (8), 25a, 36a, 70a,•97b, 151a, 157b, 158b, 230c.
todos (7), 25b, 55c, 91b, 184a, 197b, 228a, c.
toda (43), 10b, 13c, 16c, 20a, 24a, c, 29a, b, 34b, 36b, c, 45c, 63d,
80c, 83d, 89c, 97a, 124a, c, 130c, 135c, 136b, 137d, 154a,
158c, 161b, c, 165a, 171a, 174a, 186a, d, 190c, 195b, 220a,
229d, 230b, c, 235a, 237a, 239a, 241a, 267c.
todas (14), 26d, 35b, 36d, 39a, 41a, 58c, 88c, 114b, 147a, d,
157b, 200d, 240c, 260a.
todo (2), 84a, 215a.

todo, adv (12)
toda (8), 15d, 33d, 39a, b, 45b, 48a, 122d, 241c.
todo (4), 8 bis b, 12c, 47c, 64c.

todo, pron (83)

todos (70), 19b, 26c, 40d, 41c, 47b, 50d, 51d, 56a, 57a, 87d, 90b, 91d, 92c, 93b, c, d, 112a, 114d, 120a, 123d, 126a, 127d, 129a, 131a, 144e, 148c, d, 149b, 150b, c, 151c, 156b, 157a, 162c, 166b, c, 167b, c, 171b, 172b, 173c, 182c, d, 185b, 186d, 194a, b, 196d, 198d, 199c, 200b, 203a, 206c, 207a, 213c, 217b, 227c, 230a, 232b, d, 233c, d, 236d, 240a, 242c, 244c, 247b, 248a, 251a, b.

toda (1), 178b.

todas (1), 115d.

tod' (2), 80a, 83a.

todo (9), 17b, 22c, 54d, 73b, 96d, 100d, 139a, 169b, 221a.

toledano (2)

toledano (1), 262a.

toledanos (1), 228a.

Toledo (10)

Toledo (10), 1d, 42d, 51c, 120b, 184c, 232a, 234c, 260d, 263a, 264d.

toller (2)

tollié (1), 21d.

tolló (1), 121a.

tomar (24)

tomar (9), 17a, 56c, 65c, 67c, 74d, 78a, 88b, 140d, 156a.

toman (1), 150a.

tomaba (2), 23b, 239d.

tomó (6), 18b, 78a, 211c, 225c, 248b, 249b.

tomastes (1), 111b.

tomaron (1), 242c.

tomarvos ha (1), 112c.

habedes tomado (1), 188c.

tomar (1), 100c.

tomat (1), 222c.

tornar (10)

tornar (1), 60c.

tornó (4), 53c, 57c, 211b, 243d.
tornaron (2), 172b, 228c.
tornarm' he (1), 73c.
torne (1), 42d.
tornada (1), 120d.

toste (2)
toste (2), 74d, 101c..

trabajar (11)
trabajar (2), 84b, 166b.
trabaja (1), 143a.
trabajé (1), 58b.
trabajastes (2), 45a, 58a.
trabajó (2), 122a, 170a.
avedes trabajado (1), 44c.
habedes trabajado (1), 177b.
trabajasen (1), 167c.

trabajo (3)
trabajo (3), 46a, 186b, 188c.

traer (9)
traer (4), 79b, 122b, 231b, 233b.
traía (1), 211c.
traiá (2), 3d, 15d.
traya, 43d, 268b.

traidor (2)
traidores (2), 168c, 210b.

tres (5)
tres (5), 28d, 37a, 117a, 243b, 262d.

tribulado (1)
tribulada (1), 13c.

Trinidad (2)
Trenidat (1), 10a.

Trinidat (1), 164c.

tu (18)
tu (15), 8 bis c, 138b (dos veces), 142b, 161c, 162a, 163b, d (dos veces), 165b, d, 166a, b, 168d, 170b.
tus (3), 144b, 167d, 168b.

tú (10)
tú (10), 10b, 30b, d, 138a, 139a, d, 144a, 163c, 164d, 169c.

tuerto (2)
tuerto (2), 20b, 242d.

tuyo (1)
tuyos (1), 169a.

Úbeda (1)
Úbeda (1), 269b.

un, uno, unos, una (48)
un (23), 1c, 2b, 3c, 5c, 18c, d, 49d, 74a, 77a, 78c, 83a, c, d, 132a, 146b, 147b, 170b, 175a, 177a, 184b, 205a, 211c, 242d.
uno (8), 125c, 151a, 182c, 194b, 200b, 207d, 247c, 264b.
unos (3), 56c, 57b, 66a.
una (14), 1b, 7b, 12b, 21a, 62a, c, 141a, 184b, 195c, 205a, b, 250a, 255d, 266b.

ungüento (1)
ungüento (1), 244b.

urdir (1)
urde (1), 157b.

usar (1)
usar (1), 116a.

vaganoso (1)
vaganoso (1) 155b.

valer (6)
valer (1), 49d.
val' (2), 83d (dos veces).
valan (1), 144b.
valiera (1), 250d.
valdríe (1), 97c.

vanagloria (1)
vanagloria (1), 158c.

vano (1)
vano (1), 30a.

varón (1)
varón (1), 6c.

veer. Vid **ver.**

vegada (2)
vegada (1), 122a.
vegadas (1), 37a.

velo (1)
velo (1), 214a.

vencer (1)
vencía (1), 19b.

vengar (1)
vengado (1), 96d.

venida (2)
venida (2), 220c, 261c.

venir (29)
venir (2), 7b, 82a.

vengo (5), 8 bis c, 35c, 84c, 95a, 177a.
venía (1), 102a.
venia (1), 104c.
veniá (2), 51c, 131c.
venían (1), 56c.
venián (1), 65d.
venian (1), 185a.
vinián (1), 245a.
vino (6), 9a, 61c, 152b, 165a, 189d, 215a.
viño (1), 205a.
venistes (1), 8b.
viniestes (1), 213b.
vinieron (1), 263b.
verná (1), 46d.
vengas (1), 28c.
venga (1), 111c.
viniendo (1), 160d.

ventura (4) ·
ventura (4), 68c, 223b, 256b, 272b.

ver (39)
ver (3), 8b, 187a, 228a.
ber (1), 192d.
veer (2), 187d, 213c.
veo (5), 8 bis d, 58c, 62d, 63b, 70a.
veemos (2), 48b, 87d.
vedes (1), 128b.
viestes (1), 213a.
veyen (1), 116b.
veía (3), 17c, 113d, 239d.
vido (3), 68a, 81a, 82a.
vio (8), 7b, 24c, 42a, 106a, 175d, 218b, 227a, 249a.
vïo (2), 33b, 78b.
vieron (2), 18a, 217a.
vea (1), 270c.
viera (1), 18d.
viésemos (1), 197d.

viendo (1), 33a.
verían (1), 22d.

verano (1)
verano (1), 262d.

verdad (5)
verdat (5), 116a, 133c, 165c, 171b, 210c.

verdadero (2). Vid también **vero.**
verdadera (2), 62d, 266d.

vero (1). Vid también **verdadero.**
vera (1), 266c.

vestidura (3)
vestidura (2), 223a, 256a.
vestiduras (1), 28a.

vestir (11)
vestir (5), 76c, 224b, 252c, 254c, 255a.
vestía (1), 94b.
vestió (1), 76c.
vistió (1), 223b.
vestieron (1), 91c.
vestirá (1), 223c.
vistades (1), 222c.

vez (1)
veces (1), 155b.

vezar (1)
vezase (1), 18c.

vía (13)
vía (13), 15d, 39a, b, 45c, d, 48a, 100d, 113c, 157c, 186b, 196d, 204a, 211a.

vicario (1)
vicario (1), 221a.

vicio (3)
vicio (3), 5d, 43a, 69a.

vida (16)
vida (16), 1c, 22c, 31b, 63c, 72a, 83a, d, 122c, 134d, 136b, 139d, 157d, 178d, 209b, 220a, 248b.

viejo (1)
viejo (1), 241b.

vientre (1)
vientre (1), 164b.

vil (2)
vil (1), 72c.
viles (1), 214d.

villa (1)
villa (1), 51c.

villano (1)
villano (1), 77a.

violado (1)
vïolada (1), 191b.

virgen (49)
virgen (48), 1a, 7c, 8 bis a, 13d, 14c, 15b, 16b, 48d, 61b, 63a, 73c, 74b, 103c, 112c, 115c, 119c, 123c, 132c, 138a, 140a, 141c, 146d, 159c, 172b, 173a, 175c, 176d, 179d, 193c, 198c, 199c, 202b, 205b, d, 210a, 212a, 215d, 219c, 220a, 227a, 244d, 250c, 251c, 255b, 258d, 259b, 266b, c.
vírgenes (1), 219b.

virginidad (6)
   virginidat (5), 165d, 170b, 190a, 195d, 198c.
   verginidad (1), 142b.

virtud (6)
   virtud (3), 38a, 135b, 230b.
   virtut (1), 229a.
   virtudes (2), 16c, 147d.

visión (3)
   visión (1), 103d.
   visïón (2), 7b, 141c.

visitar (8)
   visitar (1), 67d.
   vesitar (2), 60d, 121b.
   vesitó (2), 62b, 133b.
   vesitada (1), 232c.
   hobo visitada (1), 13a.
   vesitando (1), 231c.

vivir (8)
   vivir (2), 73b, 108c.
   vivimos (1), 194d.
   viviá (1), 269c.
   vivían (1), 184b.
   vibió (1), 236a.
   vevistes (1), 63c.
   viviendo (1), 124a.

voluntad (16)
   voluntad (2), 173c, 212d.
   boluntat (1), 50d.
   voluntat (13), 10b, 33d, 68a, 90b, 115b, 160c, 163c, 179c, 184b,
      d, 198d, 235b, 241c.

vos (85)
   vos (85), 3a, 8b, 9a, 31c, 34a, 43d, 44a, c, d, 46b, d, 48c, d, 54b,

57d, 63b, 84c, 85c, d, 86d (dos veces), 95a, b, 96b, c, 98a, b, c, 100a (dos veces), 101d, 108d, 109b, c, 110b (dos veces), 111a (dos veces), c, 112a, c, 126c, 127d, 128b, c, d, 129a, b (dos veces), c, 134b, 135a, b, c, 137a, b, 177a, c, d, 178b, d, 180d, 181a, c, 196c, 197b, 200d, 201a, b, 202b, 205c, 213b, c, 215b, 220b, d, 222b, 223a, c, 224b, 251d (dos veces), 260a, 263b, 265a.

voz (1)
voces (1), 218d.

vuestro, adj (26)
vuestro (7), 34a, 35b, 44b, 46b, 86b, 96a, 136d.
vuestra (19), 34b, 45c, 49b, c, 82c, d, 85b, 86a, b, c, 112d, 133d, 134a, 137a, 193b, 195a, 198a, 220a, 252a.

vuestro, pron (1)
vuestro (1), 43c.

y, conj. Vid **e.**

y, adv (9)
y (9), 55c, 72b, 74c, 80a, 183d, 201c, 209c, 219a, 261c.

ya (3)
ya (3), 109d, 133a, 205c.

yacer (2)
yaz' (1), 72c.
yaze (1), 72b.

yacuanto (1)
yacuanto (1), 160d.

yantar (1)
yantar (1), 203a.

yerba (1)
yerbas (1), 167a.

yo (31)

yo (31), 9a, 8 bis c, 12d, 23c, 24d, 25a, 27d, 35c, 43c, 44b, 62a, 70c, 73a, 75a, 84a, 85c, 87c, 97b, 99a, 100b, 109a, 113a, d, 134b, 135a, 178d, 180c, 181b, 196a, 202c, 260a.

yuso (1)

yuso (1), 74a.

zapato (1)

zapato (1), 83d.

INDICE ALFABETICO DE
FRECUENCIAS DE FORMAS
DE LA EDICION RECONSTRUIDA

Formas	frec. abs.	frec. rel.
a	169	2.2455
á	1	0.0133
abad	2	0.0266
abades	1	0.0133
abadía	2	0.0266
abat	16	0.2126
abondado	1	0.0133
aborrecer	1	0.0133
aborrir	1	0.0133
abrazado	1	0.0133
abrazar	3	0.0399
abrir	2	0.0266
acabada	3	0.0399
acabado	5	0.0664
acabar	1	0.0133
acompañada	2	0.0266
acordado	1	0.0133
acordados	1	0.0133
acordar	1	0.0133
acordáronse	1	0.0133
acordo	1	0.0133
acorres	1	0.0133
acorriese	1	0.0133
acorriólos	1	0.0133
acuciaba	1	0.0133
acuerdo	1	0.0133
Adán	1	0.0133
adelante	1	0.0133
además	1	0.0133
adozir	1	0.0133
adrezar	1	0.0133
adugas	1	0.0133

Formas	frec. abs.	frec. rel.
advenimiento	1	0.0133
afirmaba	1	0.0133
afuera	1	0.0133
agora	3	0.0399
aguisaba	1	0.0133
ahora	1	0.0133
aína	1	0.0133
ajos	1	0.0133
ajuntada	1	0.0133
ajuntados	2	0.0266
ajuntar	1	0.0133
ajuntó	1	0.0133
al	41	0.5448
ál	5	0.0664
alababan	1	0.0133
alabado	1	0.0133
alabamiento	1	0.0133
alabar	1	0.0133
alabas	1	0.0133
alavó	1	0.0133
albores	1	0.0133
alegre	3	0.0399
alegría	7	0.0930
Alfón	2	0.0266
Alfonso	38	0.5049
algo	3	0.0399
algún	1	0.0133
alguna	3	0.0399
alguno	2	0.0266
algunos	2	0.0266
Alifonso	1	0.0133
allí	6	0.0797
alma	7	0.0930
almas	1	0.0133
alongado	1	0.0133
alta	1	0.0133
altamente	2	0.0266

FRECUENCIAS DE LA EDICION RECONSTRUIDA

Formas	frec. abs.	frec. rel.
altar	5	0.0664
alteza	2	0.0266
alumbradores	1	0.0133
alzado	1	0.0133
alzando	1	0.0133
alzó	1	0.0133
amaba	2	0.0266
amaban	1	0.0133
amado	2	0.0266
aman	1	0.0133
amanesció	1	0.0133
amar	2	0.0266
Ambrosio	1	0.0133
amenazando	1	0.0133
amigo	3	0.0399
amigos	1	0.0133
amonestat	1	0.0133
amor	4	0.0531
amos	1	0.0133
amostró	1	0.0133
anda	1	0.0133
andaba	1	0.0133
andaban	2	0.0266
Andalucía	1	0.0133
andant'	1	0.0133
andar	2	0.0266
ángel	2	0.0266
ángeles	5	0.0664
ánima	1	0.0133
ánimas	1	0.0133
ánimo	1	0.0133
ante	5	0.0664
antecesor	2	0.0266
antes	2	0.0266
año	1	0.0133
años	4	0.0531
aprender	2	0.0266

Formas	frec. abs.	frec. rel.
aprendía	1	0.0133
aprendió	1	0.0133
apreso	1	0.0133
apresurado	1	0.0133
apretó	1	0.0133
apriesa	1	0.0133
apuesta	1	0.0133
apurada	1	0.0133
aquel	7	0.0930
aquél	3	0.0399
aquella	4	0.0531
aquello	1	0.0133
aques'	1	0.0133
aquese	2	0.0266
aquesta	7	0.0930
aqueste	3	0.0399
aquesto	1	0.0133
aquí	11	0.1462
arcediano	1	0.0133
arcidiano	3	0.0399
ardientes	1	0.0133
arenas	1	0.0133
argumentos	1	0.0133
arguso	1	0.0133
arte	2	0.0266
arzobispo	10	0.1329
arzobispos	1	0.0133
asaz	2	0.0266
asentado	1	0.0133
asentar	1	0.0133
así	26	0.3455
asmados	1	0.0133
asmando	1	0.0133
asosegada	1	0.0133
asosegado	1	0.0133
astragaban	1	0.0133
atán	1	0.0133

FRECUENCIAS DE LA EDICION RECONSTRUIDA

Formas	frec. abs.	frec. rel.
atanto	2	0.0266
aturare	1	0.0133
aún	1	0.0133
Ave	1	0.0133
avedes	1	0.0133
aventurada	1	0.0133
aventurado	3	0.0399
avínole	1	0.0133
ayudar	1	0.0133
ayudare	1	0.0133
ayudas	1	0.0133
ayudo	1	0.0133
ayuno	1	0.0133
ayuntado	1	0.0133
barba	1	0.0133
batizar	1	0.0133
bautizado	1	0.0133
beber	1	0.0133
bendezián	1	0.0133
bendezir	1	0.0133
bendicha	3	0.0399
bendicho	3	0.0399
bendiciéndole	1	0.0133
bendición	4	0.0531
bendicta	2	0.0266
bendicto	4	0.0531
bendictos	1	0.0133
bendito	3	0.0399
bendixo	1	0.0133
beneficiado	1	0.0133
benignidat	3	0.0399
benigno	1	0.0133
ber	1	0.0133
besando	1	0.0133
besar	4	0.0531
besó	1	0.0133

Formas	frec. abs.	frec. rel.
bestia	1	0.0133
bien	48	0.6378
bienaventurado	2	0.0266
bienes	2	0.0266
blanco	1	0.0133
bofordando	1	0.0133
boluntat	1	0.0133
bondad	2	0.0266
bondat	6	0.0797
buen	17	0.2259
buena	9	0.1196
buenas	2	0.0266
bueno	4	0.0531
buenos	7	0.0930
ca	22	0.2923
cabada	1	0.0133
caballería	1	0.0133
cabeza	1	0.0133
cabildo	2	0.0266
cabo	2	0.0266
cada	3	0.0399
cae	1	0.0133
caer	1	0.0133
calongía	4	0.0531
cámara	1	0.0133
campo	1	0.0133
canónigo	1	0.0133
canónigos	1	0.0133
canos	1	0.0133
cantando	1	0.0133
cantar	2	0.0266
cantat	1	0.0133
capellán	1	0.0133
capilla	2	0.0266
cara	1	0.0133
caridat	3	0.0399

FRECUENCIAS DE LA EDICION RECONSTRUIDA

Formas	frec. abs.	frec. rel.
carnal	3	0.0399
carrera	1	0.0133
cartas	5	0.0664
castidat	3	0.0399
castigaba	1	0.0133
castigabal'	1	0.0133
castigado	1	0.0133
casulla	5	0.0664
cathedral	1	0.0133
cavallero	1	0.0133
cavalleros	1	0.0133
cayades	1	0.0133
cedo	1	0.0133
celestïal	1	0.0133
cendal	2	0.0266
cerca	1	0.0133
cercada	1	0.0133
cerrada	1	0.0133
cerrados	1	0.0133
certificados	1	0.0133
cesó	1	0.0133
chicos	1	0.0133
christiano	1	0.0133
Christo	1	0.0133
cibdades	1	0.0133
cibdat	10	0.1329
ciegos	1	0.0133
cielo	3	0.0399
cielos	5	0.0664
cien	1	0.0133
ciento	1	0.0133
cierto	2	0.0266
cintura	1	0.0133
Ciriaco	1	0.0133
cirios	1	0.0133
ciudad	1	0.0133
cïudat	1	0.0133

Formas	frec. abs.	frec. rel.
clara	3	0.0399
claridat	5	0.0664
clerezía	10	0.1329
clérigo	3	0.0399
clérigos	5	0.0664
clerizía	1	0.0133
cobdicia	1	0.0133
cobrado	1	0.0133
cobrando	1	0.0133
cobraría	1	0.0133
cofradre	1	0.0133
color	1	0.0133
com'	5	0.0664
comenzaron	3	0.0399
comenzáronl'	1	0.0133
comenzastes	1	0.0133
comenzó	1	0.0133
comenzóles	1	0.0133
comer	1	0.0133
comido	2	0.0266
comienda	3	0.0399
comienzan	1	0.0133
comienzo	1	0.0133
como	33	0.4385
cómo	8	0.1063
compaña	2	0.0266
compañeros	1	0.0133
compañía	2	0.0266
compasión	1	0.0133
complida	4	0.0531
complido	4	0.0531
complidos	1	0.0133
complies'	1	0.0133
complimiento	1	0.0133
complir	12	0.1594
compliré	1	0.0133
componer	2	0.0266

FRECUENCIAS DE LA EDICION RECONSTRUIDA

Formas	frec. abs.	frec. rel.
compusiestes	1	0.0133
compuso	2	0.0266
con	69	0.9168
conbidar	1	0.0133
concebir	1	0.0133
confesor	3	0.0399
confío	1	0.0133
confirmado	1	0.0133
confonder	1	0.0133
confondido	1	0.0133
confondir	1	0.0133
conmigo	4	0.0531
conocer	1	0.0133
conortado	1	0.0133
conoscedes	2	0.0266
conosciendo	1	0.0133
conosció'	1	0.0133
conplida	2	0.0266
consejo	2	0.0266
consentir	3	0.0399
consigo	1	0.0133
consolación	2	0.0266
consolada	1	0.0133
consolados	1	0.0133
consolóla	1	0.0133
contada	1	0.0133
contadas	1	0.0133
contado	1	0.0133
contar	2	0.0266
contemplación	1	0.0133
contienda	2	0.0266
contigo	1	0.0133
contra	1	0.0133
contrario	1	0.0133
conusco	1	0.0133
convento	2	0.0266
convertida	2	0.0266

Formas	frec. abs.	frec. rel.
conviene	1	0.0133
conviénel'	1	0.0133
convusco	1	0.0133
corazón	8	0.1063
coronada	7	0.0930
coros	1	0.0133
corronper	1	0.0133
cortada	1	0.0133
cortesía	1	0.0133
cosa	8	0.1063
cosas	4	0.0531
cosimente	1	0.0133
Cosme	1	0.0133
costado	1	0.0133
costumbres	1	0.0133
creciále	1	0.0133
creciendo	1	0.0133
creencia	1	0.0133
creer	4	0.0531
creo	1	0.0133
cresciá	1	0.0133
cresciále	3	0.0399
crescián	1	0.0133
cresciendo	2	0.0266
creyentes	1	0.0133
creyesen	1	0.0133
cría	1	0.0133
criado	1	0.0133
crïado	5	0.0664
crïados	2	0.0266
criastes	1	0.0133
criatura	3	0.0399
cristiandat	3	0.0399
cristianos	2	0.0266
Cristo	2	0.0266
crueldat	1	0.0133
cruz	1	0.0133

FRECUENCIAS DE LA EDICION RECONSTRUIDA

Formas	frec. abs.	frec. rel.
cual	1	0.0133
cuál	2	0.0266
cuán'	5	0.0664
cuando	6	0.0797
cuano	2	0.0266
cuanta	1	0.0133
cuanto	13	0.1727
cuantos	3	0.0399
cuartas	1	0.0133
cuarto	1	0.0133
cuchillo	2	0.0266
cuerdas	1	0.0133
cuerdo	1	0.0133
cuerpo	4	0.0531
cuidado	6	0.0797
cuïdado	2	0.0266
cuidar	2	0.0266
cuidemos	1	0.0133
cuita	1	0.0133
cuja	1	0.0133
cumpla	1	0.0133
cumplir	3	0.0399
cumpliré	1	0.0133
cura	4	0.0531
cuyo	1	0.0133
d'	30	0.3986
da	1	0.0133
dada	1	0.0133
dadas	1	0.0133
dadme	2	0.0266
dado	2	0.0266
Damián	1	0.0133
damos	1	0.0133
dándol'	1	0.0133
daña	1	0.0133
dañar	2	0.0266

Formas	frec. abs.	frec. rel.
dar	9	0.1196
dará	1	0.0133
dárgelo	1	0.0133
dariá	1	0.0133
darle	1	0.0133
darvos	1	0.0133
das	2	0.0266
dat	1	0.0133
datle	1	0.0133
de	233	3.0959
dé	2	0.0266
debe	1	0.0133
débelo	1	0.0133
debemos	3	0.0399
deben	1	0.0133
debo	4	0.0531
debrá	1	0.0133
deciá	1	0.0133
defendió	1	0.0133
dejar	1	0.0133
dejédeslo	1	0.0133
dejólo	1	0.0133
del	33	0.4385
delante	3	0.0399
demandado	1	0.0133
demandó	2	0.0266
demás	2	0.0266
demientra	2	0.0266
demostrado	1	0.0133
demostrar	1	0.0133
dende	2	0.0266
dentro	2	0.0266
deprender	1	0.0133
derecho	1	0.0133
derredor	1	0.0133
desaguisada	1	0.0133
desamparado	2	0.0266

FRECUENCIAS DE LA EDICION RECONSTRUIDA

Formas	ïrec. abs.	frec. rel.
desamparados	1	0.0133
descender	3	0.0399
descogida	1	0.0133
des'	4	0.0531
desde	1	0.0133
deseando	1	0.0133
desend'	1	0.0133
deseosa	1	0.0133
deserrados	1	0.0133
deservir	1	0.0133
desgradecen	1	0.0133
deshonrado	1	0.0133
desí	1	0.0133
desían	1	0.0133
desierto	1	0.0133
desleal	1	0.0133
desmamparado	1	0.0133
desmamparamiento	1	0.0133
desmamparáremos	1	0.0133
desomó	1	0.0133
despedición	1	0.0133
despegado	1	0.0133
despender	1	0.0133
despidiós'	1	0.0133
despreziólo	1	0.0133
después	13	0.1727
desputaran	1	0.0133
destraidores	1	0.0133
destruir	2	0.0266
desuso	1	0.0133
desvïar	2	0.0266
detenencia	1	0.0133
deudo	1	0.0133
Deum	1	0.0133
devoción	10	0.1329
devozión	1	0.0133
dexárons'	1	0.0133·

Formas	frec. abs.	frec. rel.
dexól'	1	0.0133
dezeno	1	0.0133
dezía	1	0.0133
deziá	2	0.0266
dezián	2	0.0266
dezides	1	0.0133
dezir	10	0.1329
dezirlo	1	0.0133
día	22	0.2923
dïablo	1	0.0133
días	1	0.0133
dicho	2	0.0266
dichos	1	0.0133
dictado	2	0.0266
dieran	1	0.0133
diese	1	0.0133
diesen	2	0.0266
digna	1	0.0133
dignamente	1	0.0133
dignidat	1	0.0133
digno	2	0.0266
dignos	1	0.0133
digo	1	0.0133
dijeron	4	0.0531
dijieron	2	0.0266
dijo	16	0.2126
díjol'	1	0.0133
dijole	1	0.0133
dio	2	0.0266
diol'	2	0.0266
diole	1	0.0133
diolo	2	0.0266
Dios	50	0.6644
Dïos	1	0.0133
Diosdado	9	0.1196
discípulo	3	0.0399
disí	1	0.0133

310

FRECUENCIAS DE LA EDICION RECONSTRUIDA

Formas	frec. abs.	frec. rel.
distes	2	0.0266
dixéredes	1	0.0133
dixieron	1	0.0133
dixo	19	0.2525
díxome	1	0.0133
diz'	6	0.0797
dizen	1	0.0133
dizía	1	0.0133
diziá	1	0.0133
dizían	1	0.0133
dizián	1	0.0133
diziendo	3	0.0399
do	13	0.1727
doctrina	1	0.0133
doletvos	1	0.0133
doliendo	1	0.0133
dolientes	1	0.0133
dolor	1	0.0133
don	25	0.3322
dones	1	0.0133
doña	14	0.1860
doquier	1	0.0133
dos	4	0.0531
dote	1	0.0133
doz'	2	0.0266
dubda	1	0.0133
dubdar	1	0.0133
duelo	3	0.0399
dueña	10	0.1329
dueñas	5	0.0664
dulce	1	0.0133
dulces	1	0.0133
dulz'	1	0.0133
dura	2	0.0266
e	239	3.1757
echaban	1	0.0133

Formas	frec. abs.	frec. rel.
echada	1	0.0133
echando	1	0.0133
eche	1	0.0133
echó	1	0.0133
echós'	1	0.0133
edat	2	0.0266
edificación	1	0.0133
el	121	1.6078
él	52	0.6909
ella	23	0.3056
ellas	2	0.0266
ello	4	0.0531
ellos	10	0.1329
empero	2	0.0266
empezó	1	0.0133
emvióles	1	0.0133
en	157	2.0861
enant'	1	0.0133
encerróse	1	0.0133
encimado	1	0.0133
encimastes	1	0.0133
encontrada	1	0.0133
end'	9	0.1196
ende	5	0.0664
enemigo	3	0.0399
enfamada	1	0.0133
enfermedat	2	0.0266
enfermos	1	0.0133
engañar	1	0.0133
engañoso	1	0.0133
englud	2	0.0266
enmienda	1	0.0133
ensalzada	2	0.0266
entender	2	0.0266
entendimiento	1	0.0133
entera	2	0.0266
enterró	1	0.0133

FRECUENCIAS DE LA EDICION RECONSTRUIDA

Formas	frec. abs.	frec. rel.
entienda	2	0.0266
entiendas	1	0.0133
entinción	1	0.0133
entonces	1	0.0133
entonz'	2	0.0266
entonze	1	0.0133
entrado	3	0.0399
entrar	2	0.0266
entre	3	0.0399
entretanto	1	0.0133
envía	2	0.0266
envïábalos	1	0.0133
enviar	1	0.0133
envidia	1	0.0133
envió	1	0.0133
envolvió	1	0.0133
era	20	0.2657
eran	7	0.0930
eres	4	0.0531
errar	2	0.0266
erredes	2	0.0266
es	42	0.5581
es'	1	0.0133
esa	6	0.0797
escarnir	1	0.0133
esçiençia	1	0.0133
esciencia	3	0.0399
esciencias	5	0.0664
escodriñar	1	0.0133
escoger	2	0.0266
escogieron	1	0.0133
escogiesen	1	0.0133
escogiestes	1	0.0133
escorrir	1	0.0133
escrito	1	0.0133
escrituras	1	0.0133
escusa	1	0.0133

Formas	frec. abs.	frec. rel.
escuso	1	0.0133
ése	1	0.0133
esfuerzo	1	0.0133
espacio	1	0.0133
Espania	2	0.0266
espantados	1	0.0133
espanto	1	0.0133
España	7	0.0930
Españas	1	0.0133
especia	1	0.0133
especial	1	0.0133
esperan	1	0.0133
espicio	2	0.0266
espidieron	1	0.0133
espidióse	1	0.0133
espíritu	1	0.0133
espiritual	4	0.0531
esposa	1	0.0133
esposo	1	0.0133
est'	3	0.0399
esta	19	0.2525
ésta	1	0.0133
está	3	0.0399
estaba	7	0.0930
estaban	1	0.0133
estado	6	0.0797
estando	3	0.0399
estar	3	0.0399
estas	4	0.0531
estat	1	0.0133
este	17	0.2259
éste	1	0.0133
Estevan	7	0.0930
estido	1	0.0133
esto	17	0.2259
estorcer	1	0.0133
estos	1	0.0133

FRECUENCIAS DE LA EDICION RECONSTRUIDA

Formas	frec. abs.	frec. rel.
estragados	1	0.0133
estraña	1	0.0133
estraños	1	0.0133
estrella	2	0.0266
estudiar	1	0.0133
estudio	1	0.0133
et	1	0.0133
eternal	1	0.0133
Eugenio	13	0.1727
evangelio	1	0.0133
fablado	1	0.0133
fablan	1	0.0133
fablando	1	0.0133
fablar	4	0.0531
fabló	3	0.0399
fablóles	1	0.0133
fablosa	1	0.0133
facienda	1	0.0133
faciendo	1	0.0133
fación	1	0.0133
fadado	1	0.0133
faga	2	0.0266
fagamos	2	0.0266
falencia	1	0.0133
falla	1	0.0133
fallaban	1	0.0133
fallamos	1	0.0133
fallan	2	0.0266
fallesceremos	1	0.0133
falleze	1	0.0133
fallida	1	0.0133
fallir	2	0.0266
falló	3	0.0399
falsedat	2	0.0266
falso	1	0.0133
falsos	1	0.0133

Formas	frec. abs.	frec. rel.
fama	2	0.0266
faré	2	0.0266
faremos	1	0.0133
farián	1	0.0133
fartas	1	0.0133
fasetgelo	1	0.0133
fasia	6	0.0797
faz	4	0.0531
fazaña	1	0.0133
fazen	1	0.0133
fazer	8	0.1063
fazetme	1	0.0133
fazía	1	0.0133
faziá	5	0.0664
fazian	3	0.0399
fazián	1	0.0133
faziánse	1	0.0133
fazienda	2	0.0266
faziendo	1	0.0133
faziéndoles	1	0.0133
faz'le	1	0.0133
faz'nos	1	0.0133
fe	1	0.0133
fea	1	0.0133
fecho	4	0.0531
ferlo .	1	0.0133'
fermosa	1	0.0133
ficiesen	1	0.0133
fiel	1	0.0133
fiesta	7	0.0930
figo	1	0.0133
fija	4	0.0531
fijo	37	0.4916
fijos	3	0.0399
filosofía	2	0.0266
finado	1	0.0133
finar	1	0.0133

316

FRECUENCIAS DE LA EDICION RECONSTRUIDA

Formas	frec. abs.	frec. rel.
finara	1	0.0133
finca	3	0.0399
fincaba	2	0.0266
fincades	1	0.0133
fincar	1	0.0133
fincara	1	0.0133
fincaredes	1	0.0133
fincó	11	0.1462
fine	1	0.0133
finó	1	0.0133
finque	1	0.0133
finquedes	1	0.0133
fío	1	0.0133
fió	1	0.0133
firmando	1	0.0133
fimar	1	0.0133
firmemente	1	0.0133
física	1	0.0133
físicas	1	0.0133
fiz'	2	0.0266
fize	1	0.0133
fizelo	1	0.0133
fiziera	2	0.0266
fiziéredes	1	0.0133
fizieron	1	0.0133
fiziéronle	2	0.0266
fiziese	1	0.0133
fiziésemos	1	0.0133
fiziesen	1	0.0133
fizistes	1	0.0133
fiz'lo	1	0.0133
fizo	17	0.2259
fízol'	1	0.0133
fízola	1	0.0133
fizole	1	0.0133
fízoles	3	0.0399
fízolo	1	0.0133

Formas	frec. abs.	frec. rel.
fízolos	2	0.0266
flor	3	0.0399
foir	2	0.0266
folgar	3	0.0399
folgasen	1	0.0133
folgura	1	0.0133
folía	1	0.0133
follía	1	0.0133
fruto	2	0.0266
fue	50	0.6644
fuel'	3	0.0399
fuelo	1	0.0133
fuemos	1	0.0133
fuera	8	0.1063
fuerades	1	0.0133
fuere	4	0.0531
fuéredes	2	0.0266
fueren	1	0.0133
fueron	10	0.1329
fuéronse	1	0.0133
fuerte	3	0.0399
fuertes	1	0.0133
fues'	7	0.0930
fués'le	2	0.0266
fuese	12	0.1594
fuesen	1	0.0133
fui	1	0.0133
fuiste	5	0.0664
galardonado	1	0.0133
ganar	1	0.0133
ganaríamos	1	0.0133
ganaste	1	0.0133
ganastes	1	0.0133
gane	1	0.0133
gelo	1	0.0133
gent'	1	0.0133

318

FRECUENCIAS DE LA EDICION RECONSTRUIDA

Formas	frec. abs.	frec. rel.
gente	4	0.0531
gentes	2	0.0266
gloria	3	0.0399
glorificada	1	0.0133
glorificado	3	0.0399
Gloriosa	2	0.0266
Glorïosa	11	0.1462
glotonía	1	0.0133
gobernariá	1	0.0133
godos	1	0.0133
gozaban	1	0.0133
gozar	1	0.0133
gozo	7	0.0930
gozosa	3	0.0399
gozoso	2	0.0266
gracia	10	0.1329
gracias	4	0.0531
graciosa	1	0.0133
gracïosa	1	0.0133
grad'	1	0.0133
grada	1	0.0133
gradado	1	0.0133
gradecetle	1	0.0133
gradescer	2	0.0266
gradesco	2	0.0266
grado	8	0.1063
gradoso	1	0.0133
gran	18	0.2392
granada	1	0.0133
granadas	1	0.0133
granado	1	0.0133
grand	36	0.4783
grand'	2	0.0266
grande	4	0.0531
grandes	3	0.0399
grant	8	0.1063
grasdecía	1	0.0133

Formas	frec. abs.	frec. rel.
gravemente	1	0.0133
gualardón	3	0.0399
guardado	3	0.0399
guardando	1	0.0133
guardar	4	0.0531
guardar'	1	0.0133
guardares	1	0.0133
guardárselo	1	0.0133
guardarvos	1	0.0133
guardatle	1	0.0133
guardatvos	2	0.0266
guardóle	1	0.0133
guía	1	0.0133
guíe	1	0.0133
guisa	2	0.0266
guisádo	3	0.0399
guisar	1	0.0133
guisas	2	0.0266
ha	9	0.1196
habedes	9	0.1196
habemos	1	0.0133
haber	3	0.0399
habetle	1	0.0133
había	6	0.0797
habiá	8	0.1063
habian	1	0.0133
habié	2	0.0266
habién	1	0.0133
habiéndol'	1	0.0133
hábito	4	0.0531
habrá	3	0.0399
habredes	2	0.0266
han	1	0.0133
has	1	0.0133
havedes	1	0.0133
havemos	1	0.0133

FRECUENCIAS DE LA EDICION RECONSTRUIDA

Formas	frec. abs.	frec. rel.
havía	1	0.0133
haviá	3	0.0399
havián	2	0.0266
havién	1	0.0133
hay	2	0.0266
haya	3	0.0399
hayades	1	0.0133
háyanos	1	0.0133
hayas	1	0.0133
he	12	0.1594
herédala	1	0.0133
heregía	2	0.0266
hijo	1	0.0133
hipocresía	1	0.0133
hir	1	0.0133
hobieron	1	0.0133
hobies'	1	0.0133
hobiese	1	0.0133
hobiesen	2	0.0266
hobo	14	0.1860
home	3	0.0399
honor	3	0.0399
honraban	1	0.0133
honrada	9	0.1196
honradas	1	0.0133
honrado	3	0.0399
honrados	2	0.0266
honrar	6	0.0797
honraré	1	0.0133
honrra	6	0.0797
honrrada	9	0.1196
honrradamente	1	0.0133
honrradas	1	0.0133
honrrado	4	0.0531
honrrados	3	0.0399
honrran	1	0.0133
honrrar	3	0.0399

Formas	frec. abs.	frec. rel.
honrraron	2	0.0266
honrras	1	0.0133
honrró	1	0.0133
hora	4	0.0531
horas	3	0.0399
hovieron	1	0.0133
hovies'	1	0.0133
hovo	1	0.0133
hoy	1	0.0133
humanidat	1	0.0133
humildat	8	0.1063
humildoso	1	0.0133
humilla	1	0.0133
humillades	2	0.0266
humillóse	1	0.0133
humilloso	1	0.0133
iba	9	0.1196
íbala	1	0.0133
íbales	1	0.0133
íbas'	1	0.0133
íbase	1	0.0133
iglesia	4	0.0531
igual	1	0.0133
imponer	1	0.0133
ingenio	1	0.0133
inojos	1	0.0133
intención	1	0.0133
intinción	1	0.0133
ir	6	0.0797
ira	1	0.0133
irado	2	0.0266
irás	1	0.0133
irm'	1	0.0133
irme	1	0.0133
Isidro	8	0.1063

FRECUENCIAS DE LA EDICION RECONSTRUIDA

Formas	frec. abs.	frec. rel.
jamás	4	0.0531
Jesuchristo	1	0.0133
Jesucristo	2	0.0266
jugando	1	0.0133
Juliano	1	0.0133
juntar	1	0.0133
juntóse	1	0.0133
justos	2	0.0266
'l	18	0.2392
l'	13	0.1727
la	234	3.1090
las	38	0.5049
lasdre	1	0.0133
laudamus	1	0.0133
le	28	0.3720
leal	2	0.0266
léanse	1	0.0133
lebaban	1	0.0133
lebantóse	1	0.0133
ledo	3	0.0399
leer	1	0.0133
leí	1	0.0133
lengua	1	0.0133
lenguas	1	0.0133
león	1	0.0133
les	5	0.0664
letrado	1	0.0133
letrados	1	0.0133
letras	1	0.0133
levado	1	0.0133
levándola	1	0.0133
levanta	1	0.0133
levantóse	1	0.0133
levar	2	0.0266
leváronla	1	0.0133
leváronle	1	0.0133

Formas	frec. abs.	frec. rel.
leyenda	1	0.0133
leyendo	2	0.0266
leyó	1	0.0133
libradme	1	0.0133
libro	2	0.0266
licencia	2	0.0266
licenciado	1	0.0133
lición	2	0.0266
ligados	1	0.0133
limpieza	1	0.0133
llamaban	2	0.0266
llámanle	1	0.0133
llamar	1	0.0133
llamáronle	1	0.0133
llamáronlo	1	0.0133
llamas	1	0.0133
llámas'	1	0.0133
llamó	1	0.0133
llanto	1	0.0133
llegado	1	0.0133
llegando	1	0.0133
llegaron	1	0.0133
llegó	1	0.0133
llegóme	1	0.0133
llegós'	1	0.0133
llegóse	1	0.0133
llegósele	1	0.0133
llena	1	0.0133
lleno	2	0.0266
llevaban	1	0.0133
lleve	1	0.0133
lloraba	1	0.0133
llorando	3	0.0399
llorar	3	0.0399
llore	1	0.0133
lo	73	0.9700
loa	1	0.0133

FRECUENCIAS DE LA EDICION RECONSTRUIDA

Formas	frec. abs.	frec. rel.
loada	1	0.0133
loado	1	0.0133
loan	1	0.0133
loar	2	0.0266
Locadia	3	0.0399
loco	1	0.0133
logar	4	0.0531
loores	3	0.0399
los	68	0.9035
losa	1	0.0133
lozanía	1	0.0133
lozano	2	0.0266
Lozía	1	0.0133
Lucía	2	0.0266
luego	15	0.1993
luenga	1	0.0133
lugar	3	0.0399
lumbre	1	0.0133
lumbrera	1	0.0133
luxuria	1	0.0133
luz	2	0.0266
Luzía	9	0.1196
m'	9	0.1196
madre	28	0.3720
maestr'	10	0.1329
maestro	7	0.0930
maestros	1	0.0133
Magdalena	1	0.0133
maguer	2	0.0266
maitines	2	0.0266
mal	13	0.1727
mala	4	0.0531
malament'	2	0.0266
malas	1	0.0133
malatía	1	0.0133
malaventurado	2	0.0266

Formas	frec. abs.	frec. rel.
matar	1	0.0133
malos	2	0.0266
man	2	0.0266
mancebo	2	0.0266
mancebos	1	0.0133
mancilla	1	0.0133
mandábagelo	1	0.0133
mandado	6	0.0797
mandados	1	0.0133
mandamiento	1	0.0133
mandares	1	0.0133
mandaron	1	0.0133
mandó	5	0.0664
mandól'	1	0.0133
mandóle	1	0.0133
mandóles	1	0.0133
manera	5	0.0664
maneras	4	0.0531
mano	2	0.0266
manos	9	0.1196
mansedumbre	1	0.0133
manso	2	0.0266
mantubieron	1	0.0133
maña	1	0.0133
mañas	1	0.0133
mar	2	0.0266
marabilla	1	0.0133
marabillado	1	0.0133
marabillados	2	0.0266
maravillada	1	0.0133
María	18	0.2392
marido	2	0.0266
mártir	1	0.0133
martirizada	1	0.0133
marzo	1	0.0133
mas	22	0.2923
más	15	0.1993

326

FRECUENCIAS DE LA EDICION RECONSTRUIDA

Formas	frec. abs.	frec. rel.
malenconía	1	0.0133
matarte	1	0.0133
mayor	2	0.0266
mayores	1	0.0133
me	18	0.2392
medio	2	0.0266
mejor	8	0.1063
menester	2	0.0266
menguada	1	0.0133
menguado	1	0.0133
mengüados	1	0.0133
menor	2	0.0266
mensage	1	0.0133
mentar	1	0.0133
menudo	1	0.0133
mercet	1	0.0133
merecian	1	0.0133
merescades	1	0.0133
merescedes	1	0.0133
merescer	2	0.0266
meresciestes	1	0.0133
merezimiento	1	0.0133
mesma	1	0.0133
Messía	1	0.0133
mester	2	0.0266
mesura	3	0.0399
mesurado	3	0.0399
metió	2	0.0266
mezquina	1	0.0133
mi	24	0.3189
mí	16	0.2126
mía	1	0.0133
mientes	2	0.0266
mío	1	0.0133
mió	4	0.0531
mis	1	0.0133
misa	4	0.0531

Formas	frec. abs.	frec. rel.
mísola	1	0.0133
mocho	1	0.0133
moger	1	0.0133
monasterio	3	0.0399
monges	1	0.0133
moraban	1	0.0133
morir	3	0.0399
moros	1	0.0133
mortal	5	0.0664
mostraba	2	0.0266
mostrada	1	0.0133
mostrando	2	0.0266
mostrar	3	0.0399
mostrarme	1	0.0133
mostredes	1	0.0133
mostró	1	0.0133
mostról'	1	0.0133
mostrós'	1	0.0133
mover	1	0.0133
much'	7	0.0930
mucha	4	0.0531
muchas	5	0.0664
mucho	16	0.2126
muchos	9	0.1196
muere	1	0.0133
muert'	2	0.0266
muerte	3	0.0399
muerto	1	0.0133
muestre	2	0.0266
muger	2	0.0266
mugeres	1	0.0133
mundo	14	0.1860
muro	2	0.0266
muy	53	0.7042
'n	3	0.0399
nacer	1	0.0133

FRECUENCIAS DE LA EDICION RECONSTRUIDA

Formas	frec. abs.	frec. rel.
nació	1	0.0133
nada	1	0.0133
nadie	1	0.0133
nado	1	0.0133
nascencia	1	0.0133
nascer	1	0.0133
nascerá	1	0.0133
nasció	2	0.0266
natura	1	0.0133
natural	1	0.0133
naturas	1	0.0133
navidat	1	0.0133
necesidat	1	0.0133
negada	1	0.0133
ni	5	0.0664
nieve	1	0.0133
nil'	1	0.0133
nin	16	0.2126
ninguna	2	0.0266
ninguno	2	0.0266
niño	2	0.0266
niños	2	0.0266
no	7	0.0930
noble	10	0.1329
nobles	2	0.0266
nobleza	1	0.0133
noche	5	0.0664
nodrescer	1	0.0133
nol'	2	0.0266
nombrada	1	0.0133
nombrado	1	0.0133
nombrados	1	0.0133
nombre	2	0.0266
non	89	1.1826
nos	34	0.4518
notario	1	0.0133
nudriré	1	0.0133

Formas	frec. abs.	frec. rel.
nuestra	4	0.0531
nuestro	5	0.0664
nuestros	1	0.0133
nuevo	1	0.0133
nunca	13	0.1727
o	4	0.0531
obedescades	1	0.0133
obedescer	1	0.0133
obediencia	3	0.0399
obispo	2	0.0266
obsequias	1	0.0133
ofender	1	0.0133
oída	1	0.0133
oidme	1	0.0133
oist'	1	0.0133
oístes	2	0.0266
ojos	1	0.0133
olor	1	0.0133
olores	1	0.0133
olvidaba	1	0.0133
olvidar	2	0.0266
olvido	1	0.0133
ome	13	0.1727
omes	1	0.0133
omillóse	1	0.0133
omillósele	1	0.0133
omnipotente	1	0.0133
ond'	2	0.0266
onde	2	0.0266
ora	1	0.0133
oración	4	0.0531
orar	1	0.0133
orden	5	0.0664
ordenada	1	0.0133
ordénalo	1	0.0133
ordenamiento	1	0.0133

FRECUENCIAS DE LA EDICION RECONSTRUIDA

Formas	frec. abs.	frec. rel.
ordenar	4	0.0531
órdenes	1	0.0133
ordenó	4	0.0531
oro	1	0.0133
oso	1	0.0133
otorgadme	1	0.0133
otorgado	2	0.0266
otorgase	2	0.0266
otorgavos	1	0.0133
otra	4	0.0531
otras	3	0.0399
otro	7	0.0930
otros	7	0.0930
otrosí	4	0.0531
ovo	1	0.0133
oy	3	0.0399
oyendo	1	0.0133
oyestes	2	0.0266
oyó	3	0.0399
paciencia	1	0.0133
padre	22	0.2923
padres	2	0.0266
pagada	5	0.0664
pagado	5	0.0664
palabra	1	0.0133
palabras	1	0.0133
palacio	3	0.0399
paños	1	0.0133
par	4	0.0531
para	22	0.2923
paradiso	1	0.0133
parados	1	0.0133
paralíticos	1	0.0133
parar	1	0.0133
pararon	1	0.0133
parejado	1	0.0133

Formas	frec. abs.	frec. rel.
parescia	1	0.0133
parez'	1	0.0133
paridat	1	0.0133
pariendo	2	0.0266
pariente	1	0.0133
parientes	1	0.0133
parió	1	0.0133
parir	1	0.0133
paró	1	0.0133
partas	1	0.0133
parte	3	0.0399
partes	1	0.0133
partiá	1	0.0133
partida	1	0.0133
partiós'	1	0.0133
partir	2	0.0266
parto	1	0.0133
pasado	1	0.0133
pasar	1	0.0133
pastor	4	0.0531
paz	1	0.0133
pecado	5	0.0664
pecadores	2	0.0266
pecados	1	0.0133
pecatriz	1	0.0133
peche	1	0.0133
pediá	1	0.0133
pedido	1	0.0133
pedir	1	0.0133
peligrar	1	0.0133
peligrosa	1	0.0133
penada	1	0.0133
penitencia	2	0.0266
pensaran	1	0.0133
pensaron	1	0.0133
pensóse	1	0.0133
pequeña	1	0.0133

FRECUENCIAS DE LA EDICION RECONSTRUIDA

Formas	frec. abs.	frec. rel.
pequeño	1	0.0133
pequeños	1	0.0133
perder	2	0.0266
perdía	1	0.0133
perdiá	1	0.0133
perdición	1	0.0133
perdido	1	0.0133
perdidoso	1	0.0133
perdiendo	1	0.0133
perdón	1	0.0133
perdonar	1	0.0133
perdonase	1	0.0133
perdonólo	1	0.0133
perfección	1	0.0133
perfecta	1	0.0133
perlacía	1	0.0133
perlado	16	0.2126
perlados	3	0.0399
pero	9	0.1196
perseveraba	1	0.0133
perseveradamente	1	0.0133
perseverando	1	0.0133
persona	1	0.0133
pertenecian	1	0.0133
pesa	1	0.0133
pesándol'	1	0.0133
pesar	7	0.0930
pesó	1	0.0133
petición	1	0.0133
peticiones	1	0.0133
piadat	1	0.0133
pïadosa	1	0.0133
pidiéndole	1	0.0133
pidiere	1	0.0133
pidiéronle	1	0.0133
pie	2	0.0266
piedat	2	0.0266

Formas	frec. abs.	frec. rel.
pïedat	1	0.0133
piensa	2	0.0266
pierda	1	0.0133
pies	1	0.0133
planta	1	0.0133
plaz'	1	0.0133
pláz'nos	1	0.0133
plazencia	1	0.0133
plazentería	1	0.0133
plazer	4	0.0531
plazia	1	0.0133
plogo	1	0.0133
plugo	1	0.0133
poblada	1	0.0133
pobláronla	1	0.0133
pobres	6	0.0797
poco	1	0.0133
podamos	1	0.0133
podemos	2	0.0266
poderosa	1	0.0133
poderoso	1	0.0133
podia	1	0.0133
podiá	4	0.0531
podían	1	0.0133
podián	3	0.0399
podrá	1	0.0133
podria	3	0.0399
podría	1	0.0133
podriá	1	0.0133
podríamos	2	0.0266
podriámos	1	0.0133
podrian	1	0.0133
podrían	1	0.0133
pone	3	0.0399
poner	3	0.0399
ponga	1	0.0133
pongades	1	0.0133

FRECUENCIAS DE LA EDICION RECONSTRUIDA

Formas	frec. abs.	frec. rel.
pongas	1	0.0133
poniá	1	0.0133
poniendo	1	0.0133
por	108	1.4350
porcionero	1	0.0133
pornía	1	0.0133
porqu'	1	0.0133
porque	8	0.1063
portal	3	0.0399
pos	1	0.0133
posada	2	0.0266
posadas	1	0.0133
posedes	1	0.0133
posiste	1	0.0133
poso	1	0.0133
post	1	0.0133
preces	1	0.0133
preciaba	1	0.0133
preciamos	1	0.0133
preciosa	5	0.0664
precïosa	1	0.0133
predicación	1	0.0133
predicar	3	0.0399
prelado	1	0.0133
presciado	2	0.0266
presencia	1	0.0133
presentada	1	0.0133
presental'	1	0.0133
presente	1	0.0133
presentóle	1	0.0133
prestar	2	0.0266
prestaré	1	0.0133
priesa	2	0.0266
primado	1	0.0133
primer	3	0.0399
primera	1	0.0133
primero	4	0.0531

Formas	frec. abs.	frec. rel.
príncipe	2	0.0266
prior	2	0.0266
privado	1	0.0133
privar	1	0.0133
probare	1	0.0133
probó	1	0.0133
procesión	1	0.0133
profesión	1	0.0133
profundado	1	0.0133
promesa	1	0.0133
prometed	1	0.0133
prometer	1	0.0133
prometida	1	0.0133
prometiestes	1	0.0133
pud'	1	0.0133
pudiere	1	0.0133
pudieres	1	0.0133
pudiese	1	0.0133
pudo	3	0.0399
pueblo	7	0.0930
pueda	2	0.0266
puede	5	0.0664
puédeme	2	0.0266
pueden	2	0.0266
puedo	1	0.0133
puerta	4	0.0531
puerto	1	0.0133
pues	15	0.1993
pués	18	0.2392
puevlo	1	0.0133
pugnaban	1	0.0133
pugnan	1	0.0133
pugnaron	1	0.0133
punto	3	0.0399
pura	4	0.0531
puro	1	0.0133
pusiera	1	0.0133

FRECUENCIAS DE LA EDICION RECONSTRUIDA

Formas	frec. abs.	frec. rel.
puso	3	0.0399
púsol'	1	0.0133
qu'	13	0.1727
qual	3	0.0399
quál	1	0.0133
quales	2	0.0266
qualesquier	1	0.0133
qualquier	1	0.0133
quan'	8	0.1063
quano	2	0.0266
quanto	3	0.0399
quantos	2	0.0266
que	239	3.1757
qué	5	0.0664
quebranta	1	0.0133
quebrantados	1	0.0133
quebranto	3	0.0399
quedará	1	0.0133
quedo	1	0.0133
quejedat	1	0.0133
quejumbre	1	0.0133
quepa	1	0.0133
querades	3	0.0399
queredes	5	0.0664
querella	1	0.0133
queremos	1	0.0133
queria	2	0.0266
quería	2	0.0266
queriá	5	0.0664
querían	2	0.0266
querián	2	0.0266
querido	1	0.0133
querién	1	0.0133
queriendo	1	0.0133
querrás	1	0.0133
querría	4	0.0531

Formas	frec. abs.	frec. rel.
querriá	1	0.0133
quexándos'	1	0.0133
quexoso	1	0.0133
qui	5	0.0664
quien	4	0.0531
quién	1	0.0133
quier'	5	0.0664
quiera	3	0.0399
quieran	1	0.0133
quieras	1	0.0133
quiere	1	0.0133
quieren	1	0.0133
quiero	5	0.0664
quinto	1	0.0133
quiquiera	1	0.0133
quisierdes	2	0.0266
quisiere	1	0.0133
quisieredes	1	0.0133
quisiéronse	1	0.0133
quisiese	1	0.0133
quisiesedes	1	0.0133
quisiesen	1	0.0133
quisieste	1	0.0133
quiso	14	0.1860
quísola	1	0.0133
quisós'	1	0.0133
quitar	1	0.0133
rato	1	0.0133
razón	6	0.0797
recato	1	0.0133
recebir	1	0.0133
reciben	1	0.0133
recibida	1	0.0133
recibidos	1	0.0133
recibiéronle	1	0.0133
recibió	1	0.0133

FRECUENCIAS DE LA EDICION RECONSTRUIDA

Formas	frec. abs.	frec. rel.
recibiólo	1	0.0133
recibredes	1	0.0133
recibrélo·	1	0.0133
recivido	1	0.0133
recivieron	1	0.0133
recivió	1	0.0133
reciviólos	1	0.0133
regina	1	0.0133
regno	1	0.0133
regnos	1	0.0133
reina	2	0.0266
reïna	3	0.0399
reinado	1	0.0133
reinar	1	0.0133
religioso	1	0.0133
religïoso	1	0.0133
reliquias	1	0.0133
relozir	1	0.0133
relumbraba	1	0.0133
remembrar	1	0.0133
removieron	1	0.0133
rencura	1	0.0133
rendián	1	0.0133
res	1	0.0133
rescebir	2	0.0266
resçebir	1	0.0133
rescibió	1	0.0133
rescibirlo	1	0.0133
responder	1	0.0133
respondiéronle	1	0.0133
respondió	2	0.0266
resurrección	1	0.0133
reverencia	2	0.0266
revestir	1	0.0133
rey	6	0.0797
reyendo	1	0.0133
reyna	2	0.0266

Formas	frec. abs.	frec. rel.
reÿna	1	0.0133
reynaba	1	0.0133
reyno	1	0.0133
reza	1	0.0133
rezar	1	0.0133
rico	3	0.0399
ricos	1	0.0133
rimada	1	0.0133
rimado	1	0.0133
rindián	1	0.0133
riqueza	2	0.0266
rodilla	1	0.0133
rogaba	1	0.0133
rogar	7	0.0930
rogáronl'	1	0.0133
romance	1	0.0133
rosa	3	0.0399
ruégame	1	0.0133
ruego	1	0.0133
s'	6	0.0797
sabe	2	0.0266
sabed	1	0.0133
sabedes	2	0.0266
sabemos	2	0.0266
saben	1	0.0133
saber	1	0.0133
sabet	1	0.0133
sábete	1	0.0133
sabiálo	1	0.0133
sabidor	1	0.0133
sabidoría	1	0.0133
sabor	3	0.0399
sabré	2	0.0266
sabrosa	3	0.0399
sacrificio	1	0.0133
sagrada	4	0.0531

FRECUENCIAS DE LA EDICION RECONSTRUIDA

Formas	frec. abs.	frec. rel.
salario	2	0.0266
salen	1	0.0133
salíanla	1	0.0133
salieron	1	0.0133
salió	4	0.0531
salióla	1	0.0133
salióle	1	0.0133
salióse	1	0.0133
salir	2	0.0266
salud	2	0.0266
saludada	2	0.0266
saludar	1	0.0133
salvación	1	0.0133
salvar	2	0.0266
salvar'	1	0.0133
san	2	0.0266
sanaba	1	0.0133
Sancho	1	0.0133
sancto	1	0.0133
sano	2	0.0266
sanos	1	0.0133
sant	15	0.1993
santa	17	0.2259
santidat	8	0.1063
santificada	1	0.0133
santo	16	0.2126
santos	2	0.0266
saña	1	0.0133
sañosa	1	0.0133
sañoso	1	0.0133
sapiencia	2	0.0266
sazón	1	0.0133
se	25	0.3322
sé	3	0.0399
sea	10	0.1329
seades	1	0.0133
seamos	1	0.0133

Formas	frec. abs.	frec. rel.
séavos	1	0.0133
secta	1	0.0133
seer	4	0.0531
seguiá	1	0.0133
seguián	2	0.0266
seguiré	1	0.0133
según	2	0.0266
segund	3	0.0399
seguro	1	0.0133
seíen	2	0.0266
semeja	1	0.0133
semejaba	2	0.0266
sendente	1	0.0133
sentiredes	1	0.0133
señal	1	0.0133
señalada	1	0.0133
señalado	1	0.0133
señor	24	0.3189
señora	14	0.1860
señores	7	0.0930
señudo	1	0.0133
sepas	1	0.0133
sepoltura	2	0.0266
ser	2	0.0266
será	7	0.0930
seré	2	0.0266
seremos	2	0.0266
sería	3	0.0399
seriá	1	0.0133
sermón	1	0.0133
servia	1	0.0133
servicio	10	0.1329
servid	1	0.0133
servida	3	0.0399
servido	3	0.0399
servidor	1	0.0133
servidores	1	0.0133

FRECUENCIAS DE LA EDICION RECONSTRUIDA

Formas	frec. abs.	frec. rel.
servimos	1	0.0133
servir	13	0.1727
Sevilla	2	0.0266
seya	2	0.0266
seyan	2	0.0266
seyén	1	0.0133
si	47	0.6245
sí	5	0.0664
siempre	23	0.3056
siendo	2	0.0266
siervo	2	0.0266
sïervo	1	0.0133
siglo	1	0.0133
signo	1	0.0133
siguió	1	0.0133
silla	2	0.0266
simple	1	0.0133
simplicidat	1	0.0133
sin	11	0.1462
sinon	1	0.0133
siquier	2	0.0266
sirva	2	0.0266
sirven	1	0.0133
sirviera	1	0.0133
sirviésemos	1	0.0133
so	1	0.0133
só	10	0.1329
soberbia	2	0.0266
soberbio	1	0.0133
sobervia	1	0.0133
sobiésedes	1	0.0133
sobir	1	0.0133
sobr'	2	0.0266
sobre	6	0.0797
sobrino	2	0.0266
socorrer	1	0.0133
sodes	3	0.0399

Formas	frec. abs.	frec. rel.
sofrir	1	0.0133
sofritlo	1	0.0133
sois	1	0.0133
solaz	3	0.0399
soldada	3	0.0399
solemnidades	1	0.0133
solemnidat	6	0.0797
solia	1	0.0133
solía	2	0.0266
soliá	1	0.0133
solián	1	0.0133
solo	1	0.0133
somos	8	0.1063
son	2	0.0266
sopiesen	1	0.0133
sopo	3	0.0399
sópolo	1	0.0133
sospiros	1	0.0133
soterraron	1	0.0133
sotil	2	0.0266
su	82	1.0896
súbditos	1	0.0133
subién	1	0.0133
suelen	1	0.0133
sus	12	0.1594
suso	1	0.0133
suyo	1	0.0133
suzio	1	0.0133
t'	4	0.0531
tajado	1	0.0133
tajar	2	0.0266
tal	16	0.2126
talante	1	0.0133
talento	2	0.0266
tamaña	1	0.0133
tan	18	0.2392

344

FRECUENCIAS DE LA EDICION RECONSTRUIDA

Formas	frec. abs.	frec. rel.
tantas	1	0.0133
tanto	7	0.0930
tanxo	1	0.0133
tardar	2	0.0266
tardaremos	1	0.0133
te	11	0.1462
tememos	1	0.0133
tened	1	0.0133
tenedes	1	0.0133
tengo	1	0.0133
téngome	1	0.0133
tenia	1	0.0133
tenía	1	0.0133
teniá	2	0.0266
tenián	2	0.0266
tenie	1	0.0133
teniéndol'	1	0.0133
teología	1	0.0133
tercero	2	0.0266
tercia	1	0.0133
ternía	1	0.0133
terniá	1	0.0133
tesorero	1	0.0133
tesoro	1	0.0133
theología	2	0.0266
tí	5	0.0664
tiempo	7	0.0930
tienda	2	0.0266
tiene	1	0.0133
tienes	1	0.0133
tierra	1	0.0133
tío	3	0.0399
tirada	1	0.0133
tiróse	1	0.0133
tobe	1	0.0133
tobiesen	1	0.0133
tobo	1	0.0133

Formas	frec. abs.	frec. rel.
tod'	3	0.0399
toda	52	0.6909
todabía	1	0.0133
todas	15	0.1993
todavía	2	0.0266
todo	23	0.3056
todos	77	1.0231
toledano	1	0.0133
toledanos	1	0.0133
Toledo	10	0.1329
tolliéle	1	0.0133
tollóle	1	0.0133
tomaba	2	0.0266
tomado	1	0.0133
tómanse	1	0.0133
tomar	9	0.1196
tomar'	1	0.0133
tomaron	1	0.0133
tomarvos	1	0.0133
tomastes	1	0.0133
tomat	1	0.0133
tomó	4	0.0531
tomól'	1	0.0133
tomólo	1	0.0133
tornada	1	0.0133
tornar	1	0.0133
tornarm'	1	0.0133
tornaron	1	0.0133
tornáronse	1	0.0133
torne	1	0.0133
tornó	2	0.0266
tornós'	1	0.0133
tornóse	1	0.0133
toste	2	0.0266
trabaja	1	0.0133
trabajado	2	0.0266
trabajar	2	0.0266

FRECUENCIAS DE LA EDICION RECONSTRUIDA

Formas	frec. abs.	frec. rel.
trabajasen	1	0.0133
trabajastes	2	0.0266
trabaje	1	0.0133
trabajo	3	0.0399
trabajó	2	0.0266
traer	4	0.0531
traía	1	0.0133
traiá	2	0.0266
traidores	2	0.0266
traya	1	0.0133
tráyame	1	0.0133
Trenidat	1	0.0133
tres	5	0.0664
tribulada	1	0.0133
Trinidat	1	0.0133
tu	15	0.1993
tú	10	0.1329
tuerto	2	0.0266
tus	3	0.0399
tuyos	1	0.0133
Úbeda	1	0.0133
un	23	0.3056
una	14	0.1860
ungüento	1	0.0133
uno	8	0.1063
unos	3	0.0399
urde	1	0.0133
usar	1	0.0133
vaganoso	1	0.0133
val'	2	0.0266
valan	1	0.0133
valdríe	1	0.0133
valer	1	0.0133
valiéral'	1	0.0133
van	2	0.0266

Formas	frec. abs.	frec. rel.
vanagloria	1	0.0133
vano	1	0.0133
varón	1	0.0133
vayan	2	0.0266
vea	1	0.0133
veces	1	0.0133
vedes	1	0.0133
veemos	2	0.0266
veer	2	0.0266
vegada	1	0.0133
vegadas	1	0.0133
veía	3	0.0399
velo	1	0.0133
veme	1	0.0133
vencía	1	0.0133
veneficio	1	0.0133
venga	1	0.0133
vengado	1	0.0133
vengas	1	0.0133
vengo	4	0.0531
véngovos	1	0.0133
venia	1	0.0133
venía	1	0.0133
veniá	1	0.0133
venian	1	0.0133
venián	1	0.0133
veníanlo	1	0.0133
veniáse	1	0.0133
venida	2	0.0266
venir	2	0.0266
venistes	1	0.0133
ventura	4	0.0531
veo	5	0.0664
ver	3	0.0399
vera	1	0.0133
verano	1	0.0133
verdadera	2	0.0266

FRECUENCIAS DE LA EDICION RECONSTRUIDA

Formas	frec. abs.	frec. rel.
verdat	5	0.0664
verginidad	1	0.0133
verían	1	0.0133
verná	1	0.0133
vesitada	1	0.0133
vesitando	1	0.0133
vesitar	2	0.0266
vesitóla	1	0.0133
vesitóm'	1	0.0133
vestía	1	0.0133
vestidura	2	0.0266
vestiduras	1	0.0133
vestiéronle	1	0.0133
vestió	1	0.0133
vestir	4	0.0531
vestirá	1	0.0133
vestirla	1	0.0133
vet'	1	0.0133
vete	1	0.0133
vevistes	1	0.0133
veyen	1	0.0133
vezase	1	0.0133
vía	13	0.1727
vibió	1	0.0133
vicario	1	0.0133
vicio	3	0.0399
vida	16	0.2126
vido	3	0.0399
viejo	1	0.0133
vien	1	0.0133
vienaventurada	1	0.0133
viendo	1	0.0133
vienes	1	0.0133
vientre	1	0.0133
viera	1	0.0133
vieron	2	0.0266
viésemos	1	0.0133

Formas	frec. abs.	frec. rel.
viestes	1	0.0133
vil	1	0.0133
viles	1	0.0133
villa	1	0.0133
villano	1	0.0133
vinián	1	0.0133
viniendo	1	0.0133
vinieron	1	0.0133
viniestes	1	0.0133
vino	6	0.0797
viño	1	0.0133
vio	8	0.1063
vïo	1	0.0133
violada	1	0.0133
vïole	1	0.0133
virgen	48	0.6378
vírgenes	1	0.0133
virginidat	5	0.0664
virtud	3	0.0399
virtudes	2	0.0266
virtut	1	0.0133
visïön	2	0.0266
visión	1	0.0133
visitada	1	0.0133
visitar	1	0.0133
vistades	1	0.0133
vistió	1	0.0133
viviá	1	0.0133
vivían	1	0.0133
viviendo	1	0.0133
vivimos	1	0.0133
vivir	2	0.0266
voces	1	0.0133
voluntad	2	0.0266
voluntat	13	0.1727
vos	76	1.0098
vuestra	19	0.2525

FRECUENCIAS DE LA EDICION RECONSTRUIDA

Formas	frec. abs.	frec. rel.
vuestro	8	0.1063
y	12	0.1594
ya	3	0.0399
yacuanto	1	0.0133
yantar	1	0.0133
yaz'	1	0.0133
yaze	1	0.0133
yban	1	0.0133
yerbas	1	0.0133
yerras	1	0.0133
yo	31	0.4119
yuso	1	0.0133
zapato	1	0.0133

INDICE NUMERICO DECRECIENTE
DE FRECUENCIAS DE FORMAS
DE LA EDICION RECONSTRUIDA

En el siguiente índice el *rango*
corresponde al orden de frecuencia
de aparición de las palabras.

rango	forma	frec. abs.
1	e	239
	que	239
	la	234
	de	233
5	a	169
	en	157
	el	121
	por	108
	non	89
10	su	82
	todos	77
	vos	76
	lo	73
	con	69
15	los	68
	muy	53
	él	52
	toda	52
19	Dios	50
	fue	50
	bien	48
	virgen	48
	si	47
	es	42
25	al	41
	Alfonso	38
	las	38
	fijo	37
	grand	36
30	nos	34
	como	33
	del	33
	yo	31
	d'	30

rango	forma	frec. abs.
35	le	28
	madre	28
	así	26
	don	25
	se	25
40	mi	24
	señor	24
	ella	23
	siempre	23
	todo	23
	un	23
46	ca	22
	día	22
	mas	22
	padre	22
	para	22
51	era	20
	dixo	19
	esta	19
	vuestra	19
55	gran	18
	'l	18
	María	18
	me	18
	pués	18
	tan	18
61	buen	17
	este	17
	esto	17
	fizo	17
	santa	17
66	abat	16
	dijo	16
	mí	16
	mucho	16
	nin	16
	perlado	16

rango	forma	frec. abs.
	santo	16
	tal	16
	vida	16
75	luego	15
	más	15
	pues	15
	sant	15
	todas	15
	tu	15
81	doña	14
	hobo	14
	mundo	14
	quiso	14
	señora	14
	una	14
87	cuanto	13
	después	13
	do	13
	Eugenio	13
	l'	13
	mal	13
	nunca	13
	ome	13
	qu'	13
	servir	13
	vía	13
	voluntat	13
98	complir	12
	fuese	12
	he	12
	sus	12
	y	12
104	aquí	11
	fincó	11
	glorïosa	11
	sin	11
	te	11

rango	forma	frec. abs.
109	arzobispo	10
	cibdat	10
	clerezía	10
	devoción	10
	dezir	10
	dueña	10
	ellos	10
	fueron	10
	gracia	10
	maestr'	10
	noble	10
	sea	10
	servicio	10
	só	10
	Toledo	10
	tú	10
125	buena	9
	dar	9
	Diosdado	9
	end'	9
	ha	9
	habedes	9
	honrada	9
	honrrada	9
	iba	9
	Luzía	9
	m'	9
	manos	9
	muchos	9
	pero	9
	tomar	9
140	cómo	8
	corazón	8
	cosa	8
	fazer	8
	fuera	8
	grado	8

rango	forma	frec. abs.
	grant	8
	habiá	8
	humildat	8
	Isidro	8
	mejor	8
	porque	8
	quan'	8
	santidat	8
	somos	8
	uno	8
	vio	8
	vuestro	8
157	alegría	7
	alma	7
	aquel	7
	aquesta	7
	buenos	7
	coronada	7
	eran	7
	España	7
	estaba	7
	Estevan	7
	fiesta	7
	fues'	7
	gozo	7
	maestro	7
	much'	7
	no	7
	otro	7
	otros	7
	pesar	7
	pueblo	7
	rogar	7
	señores	7
	será	7
	tanto	7
	tiempo	7

rango	forma	frec. abs.
183	allí	6
	bondat	6
	cuando	6
	cuidado	6
	diz'	6
	esa	6
	estado	6
	fasta	6
	había	6
	honrar	6
	honrra	6
	ir	6
	mandado	6
	pobres	6
	razón	6
	rey	6
	s'	6
	sobre	6
	solemnidat	6
	vino	6
	acabado	5
204	ál	5
	altar	5
	ángeles	5
	ante	5
	cartas	5
	casulla	5
	cielos	5
	claridat	5
	clérigos	5
	com'	5
	crïado	5
	cuan'	5
	dueñas	5
	ende	5
	esciencias	5
	faziá	5

rango	forma	frec. abs.
	fuiste	5
	les	5
	mandó	5
	manera	5
	mortal	5
	muchas	5
	ni	5
	noche	5
	nuestro	5
	orden	5
	pagada	5
	pagado	5
	pecado	5
	preciosa	5
	puede	5
	qué	5
	queredes	5
	queriá	5
	qui	5
	quier'	5
	quiero	5
	sí	5
	tí	5
	tres	5
	veo	5
	verdat	5
	virginidat	5
247	amor	4
	años	4
	aquella	4
	bendición	4
	bendicto	4
	besar	4
	bueno	4
	calongía	4
	complida	4
	complido	4

rango	forma	frec. abs.
	conmigo	4
	cosas	4
	creer	4
	cuerpo	4
	cura	4
	debo	4
	desd'	4
	dijeron	4
	dos	4
	ello	4
	eres	4
	espiritual	4
	estas	4
	fablar	4
	faz	4
	fecho	4
	fija	4
	fuere	4
	gente	4
	gracias	4
	grande	4
	guardar	4
	hábito	4
	hónrrado	4
	hora	4
	iglesia	4
	jamás	4
	logar	4
	mala	4
	maneras	4
	mió	4
	misa	4
	mucha	4
	nuestra	4
	o	4
	oración	4
	ordenar	4

rango	forma	frec. abs.
	ordenó	4
	otra	4
	otrosí	4
	par	4
	pastor	4
	plazer	4
	podiá	4
	primero	4
	puerta	4
	pura	4
	querría	4
	quien	4
	sagrada	4
	salió	4
	seer	4
	t'	4
	tomó	4
	traer	4
	vengo	4
	ventura	4
	vestir	4
315	abrazar	3
	acabada	3
	agora	3
	alegre	3
	algo	3
	alguna	3
	amigo	3
	aquél	3
	aqueste	3
	arcidiano	3
	aventurado	3
	bendicha	3
	bendicho	3
	bendito	3
	benignidat	3
	cada	3

rango	forma	frec. abs.
	caridat	3
	carnal	3
	castidat	3
	cielo	3
	clara	3
	clérigo	3
	comenzaron	3
	comienda	3
	confesor	3
	consentir	3
	cresciále	3
	criatura	3
	cristiandat	3
	cuantos	3
	cumplir	3
	debemos	3
	delante	3
	descender	3
	discípulo	3
	diziendo	3
	duelo	3
	enemigo	3
	entrado	3
	entre	3
	esciencia	3
	est'	3
	está	3
	estando	3
	estar	3
	fabló	3
	falló	3
	fazian	3
	fijos	3
	finca	3
	fízoles	3
	flor	3
	folgar	3

INDICE NUMERICO DE LA RECONSTRUCCION

rango	forma	frec. abs.
	fuel'	3
	fuerte	3
	gloria	3
	glorificado	3
	gozosa	3
	grandes	3
	gualardón	3
	guardado	3
	guisado	3
	haber	3
	habrá	3
	haviá	3
	haya	3
	home	3
	honor	3
	honrado	3
	honrrados	3
	honrrar	3
	horas	3
	ledo	3
	llorando	3
	llorar	3
	Locadia	3
	loores	3
	lugar	3
	mesura	3
	mesurado	3
	monasterio	3
	morir	3
	mostrar	3
	muerte	3
	'n	3
	obediencia	3
	otras	3
	oy	3
	oyó	3
	palacio	3

rango	forma	frec. abs.
	acompañada	2
	ajuntados	2
	Alfón	2
	alguno	2
	algunos	2
	altamente	2
	alteza	2
	amaba	2
	amado	2
	amar	2
	andaban	2
	andar	2
	ángel	2
	antecesor	2
	antes	2
	aprender	2
	aqueste	2
	arte	2
	asaz	2
	atanto	2
	bendicta	2
	bienaventurado	2
	bienes	2
	bondad	2
	buenas	2
	cabildo	2
	cabo	2
	cantar	2
	capilla	2
	cendal	2
	cierto	2
	comido	2
	compaña	2
	compañía	2
	componer	2
	compuso	2
	conoscedes	2

rango	forma	frec. abs.
	conplida	2
	consejo	2
	consolación	2
	contar	2
	contienda	2
	convento	2
	convertida	2
	cresciendo	2
	crïados	2
	cristianos	2
	Cristo	2
	cuál	2
	cuano	2
	cuchillo	2
	cuïdado	2
	cuidar	2
	dadme	2
	dado	2
	dañar	2
	das	2
	dé	2
	demandó	2
	demás	2
	demientra	2
	dende	2
	dentro	2
	desamparado	2
	destruir	2
	desvïar	2
	deziá	2
	dezián	2
	parte	3
	perlados	3
	podián	3
	podria	3
	pone	3
	poner	3

rango	forma	frec. abs.
	portal	3
	predicar	3
	primer	3
	pudo	3
	punto	3
	puso	3
	qual	3
	quanto	3
	quebranto	3
	querades	3
	quiera	3
	reïna	3
	rico	3
	rosa	3
	sabor	3
	sabrosa	3
	sé	3
	segund	3
	sería	3
	servida	3
	servido	3
	sodes	3
	solaz	3
	soldada	3
	sopo	3
	tío	3
	tod'	3
	trabajo	3
	tus	3
	unos	3
	veía	3
	ver	3
	vicio	3
	vido	3
	virtud	3
	ya	3
447	abad	2

INDICE NUMERICO DE LA RECONSTRUCCION

rango	forma	frec. abs.
	abadía	2
	abrir	2
	dicho	2
	dictado	2
	diesen	2
	digno	2
	dijieron	2
	dio	2
	diol'	2
	diolo	2
	distes	2
	doz'	2
	dura	2
	edat	2
	ellas	2
	empero	2
	enfermedat	2
	englud	2
	ensalzada	2
	entender	2
	entera	2
	entienda	2
	entonz'	2
	entrar	2
	envía	2
	errar	2
	erredes	2
	escoger	2
	Espania	2
	espicio	2
	estrella	2
	faga	2
	fagamos	2
	fallan	2
	fallir	2
	falsedat	2
	fama	2

rango	forma	frec. abs.
	faré	2
	fazienda	2
	filosofía	2
	fincaba	2
	fiz'	2
	fiziera	2
	fiziéronle	2
	fízolos	2
	foir	2
	fruto	2
	fuéredes	2
	fués'le	2
	gentes	2
	gloriosa	2
	gozoso	2
	gradescer	2
	gradesco	2
	grand'	2
	guardatvos	2
	guisa	2
	guisas	2
	habié	2
	habredes	2
	havián	2
	hay	2
	heregía	2
	hobiesen	2
	honrados	2
	honrraron	2
	humillades	2
	irado	2
	Jesucristo	2
	justos	2
	leal :	2
	levar	2
	leyendo	2
	libro	2

rango	forma	frec. abs.
	licencia	2
	lición	2
	llamaban	2
	lleno	2
	loar	2
	lozaño	2
	Lucía	2
	luz	2
	maguer	2
	maitines	2
	malament'	2
	malaventurado	2
	malos	2
	man	2
	mancebo	2
	mano	2
	manso	2
	mar	2
	marabillados	2
	marido	2
	mayor	2
	medio	2
	menester	2
	menor	2
	merescer	2
	mester	2
	metió	2
	mientes	2
	mostraba	2
	mostrando	2
	muert'	2
	muestre	2
	muger	2
	muro	2
	nasció	2
	ninguna	2
	ninguno	2

rango	forma	frec. abs.
	niño	2
	niños	2
	nobles	2
	nol'	2
	nombre	2
	obispo	2
	oístes	2
	olvidar	2
	ond'	2
	onde	2
	otorgado	2
	otorgase	2
	oyestes	2
	padres	2
	pariendo	2
	partir	2
	pecadores	2
	penitencia	2
	perder	2
	pie	2
	piedat	2
	piensa	2
	podemos	2
	podríamos	2
	posada	2
	presciado	2
	prestar	2
	priesa	2
	príncipe	2
	prior	2
	pueda	2
	puédeme	2
	pueden	2
	quales	2
	quano	2
	quantos	2
	queria	2

INDICE NUMERICO DE LA RECONSTRUCCION

rango	forma	frec. abs.
	quería	2
	querián	2
	querían	2
	quisierdes	2
	reina	2
	rescebir	2
	respondió	2
	reverencia	2
	reyna	2
	riqueza	2
	sabe	2
	sabedes	2
	sabemos	2
	sabré	2
	salario	2
	salir	2
	salud	2
	saludada	2
	salvar	2
	san	2
	sano	2
	santos	2
	sapiencia	2
	seguián	2
	según	2
	seíen	2
	semejaba	2
	sepoltura	2
	ser	2
	seré	2
	seremos	2
	Sevilla	2
	seya	2
	seyan	2
	siendo	2
	siervo	2
	silla	2

rango	forma	frec. abs.
	siquier	2
	sirva	2
	soberbia	2
	sobr'	2
	sobrino	2
	solía	2
	son	2
	sotil	2
	tajar	2
	talento	2
	tardar	2
	teniá	2
	tenián	2
	tercero	2
	theología	2
	tienda	2
	todavía	2
	tomaba	2
	tornó	2
	toste	2
	trabajado	2
	trabajar	2
	trabajastes	2
	trabajó	2
	traiá	2
	traidores	2
	tuerto	2
	val'	2
	van	2
	vayan	2
	veemos	2
	veer	2
	venida	2
	venir	2
	verdadera	2
	vesitar	2
	vestidura	2

rango	forma	frec. abs.
	vieron	2
	virtudes	2
	visïón	2
	vivir	2
	voluntad	2
743	á	1
	abades	1
	abondado	1
	aborrecer	1
	aborrir	1
	abrazado	1
	acabar	1
	acordado	1
	acordados	1
	acordar	1
	acordáronse	1
	acordo	1
	acorres	1
	corriese	1
	acorriólos	1
	acuciaba	1
	acuerdo	1
	Adán	1
	adelante	1
	además	1
	adozir	1
	adrezar	1
	adugas	1
	advenimiento	1
	afirmaba	1
	afuera	1
	aguisaba	1
	ahora	1
	aína	1
	ajos	1
	ajuntada	1
	ajuntar	1

rango	forma	frec. abs.
	ajuntó	1
	alababan	1
	alabado	1
	alabamiento	1
	alabar	1
	alabas	1
	alavó	1
	albores	1
	algún	1
	Alifonso	1
	almas	1
	alongado	1
	alta	1
	alumbradores	1
	alzado	1
	alzando	1
	alzó	1
	amaban	1
	aman	1
	amanesció	1
	Ambrosio	1
	amenazando	1
	amigos	1
	amonestat	1
	amos	1
	amostró	1
	anda	1
	andaba	1
	Andalucía	1
	andant'	1
	ánima	1
	ánimas	1
	ánimo	1
	año	1
	aprendía	1
	aprendió	1
	apreso	1

rango	forma	frec. abs.
	apresurado	1
	apretó	1
	apriesa	1
	apuesta	1
	apurada	1
	aquello	1
	aques'	1
	aquesto	1
	arcediano	1
	ardientes	1
	arenas	1
	argumentos	1
	arguso	1
	arzobispos	1
	asentado	1
	asentar	1
	asmados	1
	asmando	1
	asosegada	1
	asosegado'	1
	astragaban	1
	atán	1
	aturare	1
	aún	1
	ave	1
	avedes	1
	aventurada	1
	avínole	1
	ayudar	1
	ayudare	1
	ayudas	1
	ayudo	1
	ayuno	1
	ayuntado	1
	barba	1
	batizar	1
	bautizado	1

rango	forma	frec. abs.
	beber	1
	bendezián	1
	bendezir	1
	bendiciéndole	1
	bendictos	1
	bendixo	1
	beneficiado	1
	benigno	1
	ber	1
	besando	1
	besó	1
	bestia	1
	blanco	1
	bofordando	1
	boluntat	1
	cabada	1
	caballería	1
	cabeza	1
	cae	1
	caer	1
	cámara	1
	campo	1
	canónigo	1
	canónigos	1
	canos	1
	cantando	1
	cantat	1
	capellán	1
	cara	1
	carrera	1
	castigaba	1
	castigabal'	1
	castigado	1
	cathedral	1
	cavallero	1
	cavalleros	1
	cayades	1

rango	forma	frec. abs.
	cedo	1
	celestïal	1
	cerca	1
	cercada	1
	cerrada	1
	cerrados	1
	certificados	1
	cesó	1
	chicos	1
	christiano	1
	Christo	1
	cibdades	1
	ciegos	1
	cien	1
	ciento	1
	cintura	1
	Ciriaco	1
	cirios	1
	ciudad	1
	cïudat	1
	clerizía	1
	cobdicia	1
	cobrado	1
	cobrando	1
	cobraría	1
	cofradre	1
	color	1
	comenzáronl'	1
	comenzastes	1
	comenzó	1
	comenzóles	1
	comer	1
	comienzan	1
	comienzo	1
	compañeros	1
	compasión	1
	complidos	1

rango	forma	frec. abs.
	complies'	1
	complimiento	1
	compliré	1
	compusiestes	1
	conbidar	1
	concebir	1
	confío	1
	confirmado	1
	confonder	1
	confondido	1
	confondir	1
	conocer	1
	conortado	1
	conosciendo	1
	conosciól'	1
	consigo	1
	consolada	1
	consolados	1
	consolóla	1
	contada	1
	contadas	1
	contado	1
	contemplación	1
	contigo	1
	contra	1
	contrario	1
	conusco	1
	conviene	1
	conviénel'	1
	convusco	1
	coros	1
	corronper	1
	cortada	1
	cortesía	1
	cosimente	1
	Cosme	1
	costado	1

INDICE NUMERICO DE LA RECONSTRUCCION

rango	forma	frec. abs.
	costumbres	1
	creciále	1
	creciendo	1
	creencia	1
	creo	1
	cresciá	1
	crescián	1
	creyentes	1
	creyesen	1
	cría	1
	criado	1
	criastes	1
	crueldat	1
	cruz	1
	cual	1
	cuanta	1
	cuartas	1
	cuarto	1
	cuerdas	1
	cuerdo	1
	cuidemos	1
	cuita	1
	cuja	1
	cumpla	1
	cumpliré	1
	cuyo	1
	da	1
	dada	1
	dadas	1
	Damián	1
	damos	1
	dándol'	1
	daña	1
	dará	1
	dárgelo	1
	dariá	1
	darle	1

rango	forma	frec. abs.
	darvos	1
	dat	1
	datle	1
	debe	1
	débelo	1
	deben	1
	debrá	1
	deciá	1
	defendió	1
	dejar	1
	dejédeslo	1
	dejólo	1
	demandado	1
	demostrado	1
	demostrar	1
	deprender	1
	derecho	1
	derredor	1
	desaguisada	1
	desamparados	1
	descogida	1
	desde	1
	deseando	1
	desend'	1
	deseosa	1
	deserrados	1
	deservir	1
	desgradecen	1
	deshonrado	1
	desí	1
	desián	1
	desierto	1
	desleal	1
	desmamparado	1
	desmamparamiento	1
	desmamparáremos	1
	desomó	1

rango	forma	frec. abs.
	despedición	1
	despegado	1
	despender	1
	despidiós'	1
	despreziólo	1
	desputaran	1
	destraidores	1
	desuso	1
	detenencia	1
	deudo	1
	Deum	1
	devozión	1
	dexárons'	1
	dexól'	1
	dezeno	1
	dezía	1
	dezides	1
	dezirlo	1
	dïablo	1
	días	1
	dichos	1
	dieran	1
	diese	1
	digna	1
	dignamente	1
	dignidat	1
	dignos	1
	digo	1
	díjol'	1
	díjole	1
	diole	1
	Dïos	1
	disí	1
	dixéredes	1
	dixieron	1
	díxome	1
	dizen	1

rango	forma	frec. abs.
	diziá	1
	dizía	1
	dizián	1
	dizían	1
	doctrina	1
	doletvos	1
	doliendo	1
	dolientes	1
	dolor	1
	dones	1
	doquier	1
	dote	1
	dubda	1
	dubdar	1
	dulce	1
	dulces	1
	dulz'	1
	echaban	1
	echada	1
	echando	1
	eche	1
	echó	1
	echós'	1
	edificación	1
	empezó	1
	envióles	1
	enant'	1
	encerróse	1
	encimado	1
	encimastes	1
	encontrada	1
	enfamada	1
	enfermos	1
	engañar	1
	engañoso	1
	enmienda	1
	entendimiento	1

INDICE NUMERICO DE LA RECONSTRUCCION

rango	forma	frec. abs.
	enterró	1
	entiendas	1
	entinción	1
	entonces	1
	entonze	1
	entretanto	1
	envïábalos	1
	enviar	1
	envidia	1
	envió	1
	envolvió	1
	es'	1
	escarnir	1
	esçiençia	1
	escodriñar	1
	escogieron	1
	escogiesen	1
	escogiestes	1
	escorrir	1
	escrito	1
	escrituras	1
	escusa	1
	escuso	1
	ése	1
	esfuerzo	1
	espacio	1
	espantados	1
	espanto	1
	Españas	1
	especia	1
	especial	1
	esperan	1
	espidieron	1
	espidióse	1
	espíritu	1
	esposa	1
	esposo	1

rango	forma	frec. abs.
	ésta	1
	estaban	1
	estat	1
	éste	1
	estido	1
	estorcer	1
	estos	1
	estragados	1
	estraña	1
	estraños	1
	estudiar	1
	estudio	1
	et	1
	eternal	1
	evangelio	1
	fablado	1
	fablan	1
	fablando	1
	fablóles	1
	fablosa	1
	facienda	1
	faciendo	1
	fación	1
	fadado	1
	falencia	1
	falla	1
	fallaban	1
	fallamos	1
	fallesceremos	1
	falleze	1
	fallida	1
	falso	1
	falsos	1
	faremos	1
	farián	1
	fartas	1
	fasetgelo	1

rango	forma	frec. abs.
	fazaña	1
	fazen	1
	fazetme	1
	fazía	1
	fazián	1
	faziánse	1
	faziendo	1
	faziéndoles	1
	faz'le	1
	faz'nos	1
	fe	1
	fea	1
	ferlo	1
	fermosa	1
	ficiesen	1
	fiel	1
	figo	1
	finado	1
	finar	1
	finara	1
	fincades	1
	fincar	1
	fincara	1
	fincaredes	1
	fine	1
	finó	1
	finque	1
	finquedes	1
	fío	1
	fió	1
	firmando	1
	firmar	1
	firmemente	1
	física	1
	físicas	1
	fize	1
	fízelo	1

rango	forma	frec. abs.
	fiziéredes	1
	fizieron	1
	fiziese	1
	fiziésemos	1
	fiziesen	1
	fizistes	1
	fiz'lo	1
	fízol'	1
	fízola	1
	fízole	1
	fízolo	1
	folgasen	1
	folgura	1
	folía	1
	follía	1
	fuelo	1
	fuemos	1
	fuerades	1
	fueren	1
	fuéronse	1
	fuertes	1
	fuesen	1
	fui	1
	galardonado	1
	ganar	1
	ganariámos	1
	ganaste	1
	ganastes	1
	gane	1
	gelo	1
	gent'	1
	glorificada	1
	glotonía	1
	gobernariá	1
	godos	1
	gozaban	1
	gozar	1

rango	forma	frec. abs.
	graciosa	1
	gracïosa	1
	grad'	1
	grada	1
	gradado	1
	gradecetle	1
	gradoso	1
	granada	1
	granadas	1
	granado	1
	grant	1
	grasdecía	1
	gravemente	1
	guardando	1
	guardar'	1
	guardares	1
	guardárselo	1
	guardarvos	1
	guardatle	1
	guardóle·	1
	guía	1
	guíe	1
	guisar	1
	habemos	1
	habetle	1
	habian	1
	habién	1
	habiéndol'	1
	han	1
	has	1
	havedes·	1
	havemos	1
	havía	1
	havién	1
	hayades	1
	háyanos	1
	hayas	1

rango	forma	frec. abs.
	herédala	1
	hijo	1
	hipocresía	1
	hir	1
	hobieron	1
	hobies'	1
	hobiese	1
	honraban	1
	honradas	1
	honraré	1
	honrradamente	1
	honrradas	1
	honrran	1
	honrras	1
	honrró	1
	hovieron	1
	hovies'	1
	hovo	1
	hoy	1
	humanidat	1
	humildoso	1
	humilla	1
	humillóse	1
	humilloso	1
	íbala	1
	íbales	1
	íbas'	1
	íbase	1
	igual	1
	imponer	1
	ingenio	1
	inojos	1
	intención	1
	intinción	1
	ira	1
	irás	1
	irm'	1

rango	forma	frec. abs.
	irme	1
	Jesuchristo	1
	jugando	1
	Juliano	1
	juntar	1
	juntóse	1
	lasdre	1
	laudamus	1
	léanse	1
	lebaban	1
	lebantóse	1
	leer	1
	leí	1
	lengua	1
	lenguas	1
	león	1
	letrado	1
	letrados	1
	letras	1
	levado	1
	levándola	1
	levanta	1
	levantóse	1
	leváronla	1
	leváronle	1
	leyenda	1
	leyó	1
	libradme	1
	licenciado	1
	ligados	1
	limpieza	1
	llámanle	1
	llamar	1
	llamáronle	1
	llamáronlo	1
	llamas	1
	llámas'	1

rango	forma	frec. abs.
	llamó	1
	llanto	1
	llegado	1
	llegando	1
	llegaron	1
	llegó	1
	llegóme	1
	llegós'	1
	llegóse	1
	llegósele	1
	llena	1
	llevaban	1
	lleve	1
	lloraba	1
	llore	1
	loa	1
	loada	1
	loado	1
	loan	1
	loco	1
	losa	1
	lozanía	1
	Lozía	1
	luenga	1
	lumbre	1
	lumbrera	1
	luxuria	1
	maestros	1
	Magdalena	1
	malas	1
	malatía	1
	malenconía	1
	mancebos	1
	mancilla	1
	madábagelo	1
	mandados	1
	mandamiento	1

INDICE NUMERICO DE LA RECONSTRUCCION

rango	forma	frec. abs.
	mandares	1
	mandaron	1
	mandól'	1
	mandóle	1
	mandóles	1
	mansedumbre	1
	mantubieron	1
	maña	1
	mañas	1
	marabilla	1
	marabillado	1
	maravillada	1
	mártir	1
	martirizada	1
	marzo	1
	matar	1
	matarte	1
	mayores	1
	menguada	1
	menguado	1
	menguados	1
	mensage	1
	mentar	1
	menudo	1
	mercet	1
	merecian	1
	merescades	1
	merescedes	1
	meresciestes	1
	merezimiento	1
	mesma	1
	Messía	1
	mezquina	1
	mía	1
	mío	1
	mis	1
	mísola	1

rango	forma	frec. abs.
	mocho	1
	moger	1
	monges	1
	moraban	1
	moros	1
	mostrada	1
	mostrarme	1
	mostredes	1
	mostró	1
	mostról'	1
	mostrós'	1
	mover	1
	muere	1
	muerto	1
	mugeres	1
	nacer	1
	nació	1
	nada	1
	nadie	1
	nado	1
	nascencia	1
	nascer	1
	nascerá	1
	natura	1
	natural	1
	naturas	1
	navidat	1
	necesidat	1
	negada	1
	nieve	1
	nil'	1
	nobleza	1
	nodrescer	1
	nombrada	1
	nombrado	1
	nombrados	1
	notario	1

INDICE NUMERICO DE LA RECONSTRUCCION

rango	forma	frec. abs.
	nudriré	1
	nuestros	1
	nuevo	1
	obedescades	1
	obedescer	1
	obsequias	1
	ofender	1
	oída	1
	oidme	1
	oist'	1
	ojos	1
	olor	1
	olores	1
	olvidaba	1
	olvido	1
	omes	1
	omillóse	1
	omillósele	1
	omnipotente	1
	ora	1
	orar	1
	ordenada	1
	ordénalo	1
	ordenamiento	1
	órdenes	1
	oro	1
	oso	1
	otorgadme	1
	otorgavos	1
	ovo	1
	oyendo	1
	paciencia	1
	palabra	1
	palabras	1
	paños	1
	paradiso	1
	parados	1

rango	forma	frec. abs.
	paralíticos	1
	parar	1
	pararon	1
	parejado	1
	parescia	1
	parez'	1
	paridat	1
	pariente	1
	parientes	1
	parió	1
	parir	1
	paró	1
	partas	1
	partes	1
	partiá	1
	partida	1
	partiós'	1
	parto	1
	pasado	1
	pasar	1
	paz	1
	pecados	1
	pecatriz	1
	peche	1
	pediá	1
	pedido	1
	pedir	1
	peligrar	1
	peligrosa	1
	penada	1
	pensaran	1
	pensaron	1
	pensóse	1
	pequeña	1
	pequeño	1
	pequeños	1
	perdiá	1

INDICE NUMERICO DE LA RECONSTRUCCION

rango	forma	frec. abs.
	perdía	1
	perdición	1
	perdido	1
	perdidoso	1
	perdiendo	1
	perdón	1
	perdonar	1
	perdonase	1
	perdonólo	1
	perfección	1
	perfecta	1
	perlacía	1
	perseveraba	1
	perseveradamente	1
	perseverando	1
	persona	1
	pertenecian	1
	pesa	1
	pesándol'	1
	pesó	1
	petición	1
	peticiones	1
	piadat	1
	pïadosa	1
	pidiéndole	1
	pidiere	1
	pidiéronle	1
	pïedat	1
	pierda	1
	pies	1
	planta	1
	plaz'	1
	pláz'nos	1
	plazencia	1
	plazentería	1
	plazia	1
	plogo	1

rango	forma	frec. abs.
	plugo	1
	poblada	1
	pobláronla	1
	poco	1
	podamos	1
	poderosa	1
	poderoso	1
	podia	1
	podían	1
	podrá	1
	podriá	1
	podría	1
	podriámos	1
	podrían	1
	podrian	1
	ponga	1
	pongades	1
	pongas	1
	poniá	1
	poniendo	1
	porcionero	1
	pornía	1
	porqu'	1
	pos	1
	posadas	1
	posedes	1
	posiste	1
	poso	1
	post	1
	preces	1
	preciaba	1
	preciamos	1
	precïosa	1
	predicación	1
	prelado	1
	presencia	1
	presentada	1

INDICE NUMERICO DE LA RECONSTRUCCION

rango	forma	frec. abs.
	presental'	1
	presente	1
	presentóle	1
	prestaré	1
	primado	1
	primera	1
	privado	1
	privar	1
	probare	1
	probó	1
	procesión	1
	profesión	1
	profundado	1
	promesa	1
	prometed	1
	prometer	1
	prometida	1
	prometiestes	1
	pud'	1
	pudiere	1
	pudieres	1
	pudiese	1
	puedo	1
	puerto	1
	puevlo	1
	pugnaban	1
	pugnan	1
	pugnaron	1
	puro	1
	pusiera	1
	púsol'	1
	quál	1
	qualesquier	1
	qualquier	1
	quebranta	1
	quebrantados	1
	quedará	1

rango	forma	frec. abs.
	quedo	1
	quejedat	1
	quejumbre	1
	quepa	1
	querella	1
	queremos	1
	querido	1
	querién	1
	queriendo	1
	querrás	1
	querriá	1
	quexándos'	1
	quexoso	1
	quién	1
	quieran	1
	quieras	1
	quiere	1
	quieren	1
	quinto	1
	quiquiera	1
	quisiere	1
	quisieredes	1
	quisiéronse	1
	quisiese	1
	quisiesedes	1
	quisiesen	1
	quisieste	1
	quísola	1
	quisós'	1
	quitar	1
	rato	1
	recato	1
	recebir	1
	reciben	1
	recibida	1
	recibidos	1
	recibiéronle	1

INDICE NUMERICO DE LA RECONSTRUCCION

rango	forma	frec. abs.
	recibió	1
	recibiólo	1
	recibredes	1
	recibrélo	1
	recivido	1
	recivieron	1
	recivió	1
	reciviólos	1
	regina	1
	regno	1
	regnos	1
	reinado	1
	reinar	1
	religioso	1
	religïoso	1
	reliquias	1
	relozir	1
	relumbraba	1
	remembrar	1
	removieron	1
	rencura	1
	rendián	1
	res	1
	resçebir	1
	rescibió	1
	rescibirlo	1
	responder	1
	respondiéronle	1
	resurrección	1
	revestir	1
	reyendo	1
	reÿna	1
	reynaba	1
	reyno	1
	reza	1
	rezar	1
	ricos	1

rango	forma	frec. abs.
	rimada	1
	rimado	1
	rindián	1
	rodilla	1
	rogaba	1
	rogáronl'	1
	romance	1
	ruégame	1
	ruego	1
	sabed	1
	saben	1
	saber	1
	sabet	1
	sábete	1
	sabiálo	1
	sabidor	1
	sabidoría	1
	sacrificio	1
	salen	1
	salíanla	1
	salieron	1
	salióla	1
	salióle	1
	salióse	1
	saludar	1
	salvación	1
	salvar'	1
	sanaba	1
	Sancho	1
	sancto	1
	sanos	1
	santificada	1
	saña	1
	sañosa	1
	sañoso	1
	sazón	1
	seades	1

rango	forma	frec. abs.
	seamos	1
	séavos	1
	secta	1
	seguiá	1
	seguiré	1
	seguro	1
	semeja	1
	sendente	1
	sentiredes	1
	señal	1
	señalada	1
	señalado	1
	señudo	1
	sepas	1
	seriá	1
	sermón	1
	servia	1
	servid	1
	servidor	1
	servidores	1
	servimos	1
	seyén	1
	sïervo	1
	siglo	1
	signo	1
	siguió	1
	simple	1
	simplicidat	1
	sinon	1
	sirven	1
	sirviera	1
	sirviésemos	1
	so	1
	soberbio	1
	sobervia	1
	sobiésedes	1
	sobir	1

rango	forma	frec. abs.
	socorrer	1
	sofrir	1
	sofritlo	1
	sois	1
	solemnidades	1
	soliá	1
	solia	1
	solián	1
	solo	1
	sopiesen	1
	sópolo	1
	sospiros	1
	soterraron	1
	súbditos	1
	subién	1
	suelen	1
	suso	1
	suyo	1
	suzio	1
	tajado	1
	talante	1
	tamaña	1
	tantas	1
	tanxo	1
	tardaremos	1
	tememos	1
	tened	1
	tenedes	1
	tengo	1
	téngome	1
	tenia	1
	tenía	1
	tenie	1
	teniéndol'	1
	teología	1
	tercia	1
	terniá	1

rango	forma	frec. abs.
	ternía	1
	tesorero	1
	tesoro	1
	tiene	1
	tienes	1
	tierra	1
	tirada	1
	tirósė	1
	tobe	1
	tobiesen	1
	tobo	1
	todabía	1
	toledano	1
	toledanos	1
	tolliéle	1
	tollóle	1
	tomado	1
	tómanse	1
	tomar'	1
	tomaron	1
	tomarvos	1
	tomastes	1
	tomat	1
	tomól'	1
	tomólo	1
	tornada	1
	tornar	1
	tornarm'	1
	tornaron	1
	tornáronse	1
	torne	1
	tornós'	1
	tornóse	1
	trabaja	1
	trabajasen	1
	trabajé	1
	traía	1

rango	forma	frec. abs.
	traya	1
	tráyame	1
	Trenidat	1
	tribulada	1
	Trinidat	1
	tuyos	1
	Úbeda	1
	ungüento	1
	urde	1
	usar	1
	vaganoso	1
	valan	1
	valdríe	1
	valer	1
	valiéral'	1
	vanagloria	1
	vano	1
	varón	1
	vea	1
	veces	1
	vedes	1
	vegada	1
	vegadas	1
	velo	1
	veme	1
	vencía	1
	veneficio	1
	venga	1
	vengado	1
	vengas	1
	véngovos	1
	venia	1
	veniá	1
	venía	1
	venian	1
	venián	1
	veníanlo	1

INDICE NUMERICO DE LA RECONSTRUCCION

rango	forma	frec. abs.
	vinián	1
	viniendo	1
	vinieron	1
	viniestes	1
	viño	1
	vïo	1
	vïolada	1
	vïole	1
	vírgenes	1
	virtut	1
	visión	1
	visitada	1
	visitar	1
	vistades	1
	vistió	1
	viviá	1
	vivían	1
	viviendo	1
	vivimos	1
	voces	1
	yacuanto	1
	yantar	1
	yaz'	1
	yaze	1
	yban	1
	yerbas	1
	yerras	1
	yuso	1
1987	zapato	1

ÍNDICE ALFABÉTICO
INVERSO DE FORMAS DE
LA EDICIÓN RECONSTRUIDA

á

a

fincaba

olvidaba

andaba

castigaba

rogaba

preciaba

acuciaba

semejaba

amaba

tomaba

afirmaba

sanaba

reynaba

relumbraba

perseveraba

lloraba

mostraba

aguisaba

estaba

iba

barba

ca

física

finca

nunca

cerca

bendicha

mucha

da

cabada

acabada

cada

glorificada

santificada

cercada

echada

dada

soldada

saludada

pagada

negada

asosegada

vegada

señalada

poblada

vïolada

consolada

tribulada

maravillada

enfamada

rimada

nada

granada

ordenada

penada

coronada

tornada

acompañada

loada

nombrada

grada

sagrada

tirada

honrada

encontrada

mostrada

apurada

aventurada

vienaventurada

cerrada

honrrada

desaguisada

posada

vesitada

visitada

presentada

contada

ajuntada

cortada

menguada

martirizada

ensalzada

dubda

Úbeda

pueda

rescebida

descogida

complida

conplida

fallida

venida

oída

prometida

partida

convertida

vida

servida

anda

facienda

enmienda

comienda

tienda

entienda

contienda

fazienda

leyenda

toda

pierda

fea

sea

vea

faga

luenga

venga

ponga

ha

traía

traiá

todabía

había

habiá

soberbia

perlacía

gracia

deciá

especia

cobdicia

licencia

nascencia

creencia

paciencia

esçiençia

esciencia

obediencia

sapiencia

falencia

detenencia

reverencia

presencia

penitencia

vencía

plazencia

tercia
gradescía
parescia
cresciá
Lucía
Andalucía
día
abadía
Locadia
pediá
envidia
aprendía
podia
podiá
perdía
perdiá
veía
filosofía
heregía
calongía
theología
teología
folía
soliá
solia
solía
follía
mía
Espania
lozanía
teniá
tenia
tenía
veniá
venia
venía
malenconía
poniá
glotonía

terniá
ternía
pornía
compañía
dariá
María
gobernariá
cobraría
cría
podriá
podría
podria
caballería
seriá
sería
plazentería
quería
queria
queriá
alegría
sabidoría
gloria
vanagloria
luxuria
querriá
querría
iglesia
Iglesia
hipocresía
cortesía
Messía
malatía
partiá
bestia
vestía
guía
seguiá
vía
todavía

413

havía	ella
hayiá	querella
viviá	estrella
envía	aquella
sobervia	marabilla
servia	mancilla
faziá	rodilla
fazía	humilla
plazia	capilla
dezía	silla
deziá	villa
clerezía	Sevilla
diziá	casulla
dizía	fama
clerizía	ánima
Lozía	alma
luzía	mesma
Luzía	Magdalena
trabaja	llena
semeja	buena
fija	digna
cuja	aína
la	Reïna
íbala	reïna
herédala	Reina
mala	reina
salíanla	Regina
pobláronla	dòctrina
leváronla	mezquiña
levándola	pesona
salióla	verná
consolóla	una
mísola	alguna
quísola	ninguna
vestióla	Reÿna
fízola	Reyna
cumpla	daña
vestirla	maña
falla	tamaña

compaña

España

estraña

saña

fazaña

dueña

pequeña

doña

loa

quepa

cara

fincara

dará

quedará

clara

cámara

finara

para

habrá

palabra

debrá

podrá

era

nascerá

verdadera

pusiera

quiera

quiquiera

viera

sirviera

fiziera

primera

manera

lumbrera

carrera

será

entera

fuera

afuera

vera

ira

vestirá

ora

agora

hora

ahora

señora

Señora

demientra

contra

otra

nuestra

vuestra

cura

rencura

dura

vestidura

folgura

pura

pura

mesura

criatura

natura

sepoltura

ventura

cintura

tierra

honrra

esa

priesa

apriesa

promesa

pesa

misa

guisa

piensa

cosa

pïadosa

deseosa	sirva
gracïosa	ya
graciosa	haya
precïosa	traya
preciosa	seya
Glorïosa	cabeza
glorïosa	limpieza
Gloriosa	nobleza
losa	reza
fablosa	alteza
fermosa	riqueza
sañosa	
esposa	much'
rosa	
sabrosa	d'
poderosa	abad
peligrosa	verginidad
gozosa	bondad
escusa	ciudad
perfecta	grad'
secta	voluntad
bendicta	sabed
cuita	prometed
alta	servid
planta	grand
quebranta	grand'
Santa	end'
santa	desend'
cuanta	ond'
levanta	segund
puerta	tod'
fasta	desd'
ésta	salud
esta	englud
está	pud'
fiesta	virtud
apuesta	
aquesta	e
lengua	cae

sabe	respondiéronle
debe	vestiéronle
tobe	fiziéronle
dulce	mandóle
romance	bendiciéndole
eche	pidiéndole
peche	guardóle
noche	diole
dé	salióle
de	vïole
puede	díjole
grande	tollóle
ende	avínole
dende	presentóle
onde	fízole
urde	simple
desde	darle
fe	fués'le
mensage	datle
he	guardatle
habié	habetle
nadie	gradecetle
tenie	faz'le
pie	me
valdríe	ruégame
guíe	tráyame
trabajé	dadme
le	otorgadme
creciale	libradme
cresciale	oidme
noble	puédeme
tolliele	veme
llegósele	ome
omillósele	llegóme
llámanle	téngome
llamáronle	home
leváronle	díxome
recibiéronle	mostrarme
pidiéronle	irme

Cosme	siempre
fazetme	entre
gane	vientre
tiene	muestre
conviene	se
fine	sé
pone	íbase
torne	otorgase
príncipe	veniáse
probare	perdonase
ayudare	vezase
faré	ése
honraré	hobiese
aturare	diese
prestaré	pudiese
sabré	acorriese
nombre	quisiese
masedumbre	fiziese
quejumbre	fuese
lumbre	aquese
sobre	léanse
madre	faziánse
Madre	tómanse
padre	acordáronse
Padre	tornáronse
cofrade	quisiéronse
lasdre	fuéronse
pidiere	llegóse
pudiere	espidióse
quisiere	saltóse
quiere	omillóse
seré	humillóse
fuere	tornóse
muere	tiróse
alegre	encerróse
compliré	pensóse
nudriré	lebantóse
seguiré	levantóse
llore	juntóse

INDICE ALFABETICO INVERSO

natural	fízol'
tal	
preséntal'	m'
mortal	com'
portal	vestióm'
cuál	tornarm'
cual	irm'
igual	Deum
quál	
qual	'n
espiritual	alababan
val'	lebaban
él	echaban
el	andaban
del	astragaban
ángel	fallaban
fïel	amaban
conviénel'	llamaban
fuel'	pugnaban
aquel	honraban
aquél	moraban
nil'	estaban
sotil	llevaban
vil	gozaban
rogáronl'	yban
comenzáronl'	Adán
dándol'	han
mandól'	habian
pesándol'	pertenecian
habiéndol'	merecian
teniéndol'	crescián
conosció1'	rendián
diol'	rindián
díjol'	podían
tomól'	podián
nol'	solián
mostról'	Damián
púsol'	tenián
dexól'	venian

venián	quan'
vinián	van
farián	Estevan
podrian	vayan
podrían	seyan
querían	comienzan
querián	en
verían	saben
desián	deben
seguián	reciben
havián	desgradecen
vivían	pueden
fazian	orden
fazián	virgen
dezián	Virgen
bendezián	bien
dizián	habién
dizían	subién
valan	cien
fablan	seíen
fallan	querién
capellán	quien
man	quién
aman	vien
pugnan	havién
loan	salen
pensaran	suelen
desputaran	quieren
eran	fueren
dieran	folgasen
quieran	trabajasen
esperan	hobiesen
gran	tobiesen
honrran	ficiesen
San	diesen
san	escogiesen
tan	sopiesen
atán	quisiesen
cuan'	fiziesen

421

fuesen	devozión
creyesen	sermón
buen	non
sirven	sinon
seyén	mandaron
veyen	llegaron
fazen	tomaron
dizen	pugnaron
nin	tornaron
sin	pararon
con	soterraron
don	honrraron
gualardón	pensaron
perdón	varón
león	comenzaron
Alfón	hobieron
predicación	mantubieron
edificación	espidieron
fación	escogieron
consolación	dijieron
contemplación	salieron
oración	
salvación	vinieron
perfección	vieron
resurrección	recivieron
despedición	hovieron
bendición	removieron
perdición	dixieron
lición	fizieron
petición	dijeron
intención	
entinción	fueron
intinción	son
devoción	razón
compasión	corazón
procesión	sazón
profesión	un
visión	aún
visïón	según
	algún

o

cabo

mancebo

debo

hobo

probó

tobo

Ciriaco

rico

blanco

fincó

loco

poco

gradesco

conusco

convusco

echó

fecho

derecho

dicho

bendicho

Sancho

mocho

mucho

do

acabado

alabado

pecado

glorificado

dado

fadado

gradado

cuidado

cuïdado

mandado

demandado

abondado

profundado

guardado

acordado

Diosdado

pagado

llegado

despegado

asosegado

castigado

vengado

alongado

otorgado

beneficiado

licenciado

presciado

crïado

criado

trabajado

tajado

parejado

señalado

fablado

prelado

perlado

marabillado

amado

encimado

rimado

primado

tomado

confirmado

nado

granado

reinado

finado

galardonado

loado

desmamparado

desamparado

nombrado

cobrado

grado	querido
irado	estido
honrado	vido
deshonrado	recivido
letrado	olvido
entrado	servido
demostrado	cabildo
mesurado	echando
apresurado	guardando
aventurado	bofordando
malaventurado	deseando
bienaventurado	llegando
honrrado	jugando
pasado	fablando
guisado	mandó
dictado	demandó
asentado	firmando
contado	asmando
ayuntado	cobrando
conortado	perseverando
estado	llorando
costado	mostrando
menguado	besando
levado	vesitando
privado	cantando
abrazado	estando
bautizado	cuando
alzado	quando
cedo	amenazando
ledo	alzando
Toledo	creciendo
puedo	cresciendo
quedo	conosciendo
pedido	perdiendo
confondido	doliendo
perdido	viniendo
complido	poniendo
comido	pariendo
marido	queriendo

siendo
viendo
viviendo
faziendo
diziendo
leyendo
reyendo
oyendo
mundo
todo
cuerdo
acuerdo
acordo
deudo
menudo
señudo
pudo
ayudo
creo
veo
llegó
luego
ruego
digo
figo
amigo
enemigo
conmigo
canónigo
clérigo
consigo
contigo
algo
tengo
vengo
plogo
plugo
recibió
rescibió

vibió
soberbio
palacio
nació
espacio
veneficio
sacrificio
espicio
vicio
servicio
nasció
amanesció
dio
medio
defendió
aprendió
respondió
estudio
fió
fío
confío
salió
Evangelio
mío
mio
ingenio
Eugenio
vicario
salario
parió
notario
monasterio
Ambrosio
tío
metió
vestió
vistió
siguió
vïo

vio	sópolo
recivió	solo
envolvió	fízolo
envió	ferlo
suzio	rescibirlo
trabajo	dezirlo
trabajó	dejédeslo
viejo	sofritlo
consejo	discípulo
dijo	puevlo
fijo	fiz'lo
Hijo	falló
lo	ello
sabiálo	aquello
ordénalo	cuchillo
fabló	llamó
dïablo	ánimo
pueblo	cómo
débelo	como
gelo	desomó
mandábagelo	tomó
dárgelo	no
fasetgelo	toledano
cielo	arcediano
recibrélo	arcidiano
guardárselo	Juliano
duelo	christiano
fuelo	villano
velo	mano
fízelo	verano
siglo	sano
veníanlo	cuano
llamáronlo	quano
recibiólo	vano
diolo	lozano
despreziólo	ordenó
dejólo	lleno
tomólo	bueno
perdonólo	dezeno

regno	nuestro
digno	vuestro
benigno	mostró
signo	amostró
finó	seguro
sobrino	muro
vino	puro
tornó	enterró
uno	honrró
alguno	só
ninguno	so
ayuno	besó
reyno	cesó
año	pesó
pequeño	apreso
niño	Paradiso
viño	quiso
campo	falso
tiempo	manso
sopo	Alifonso
cuerpo	Alfonso
obispo	oso
arzobispo	gradoso
paró	perdidoso
libro	humildoso
Isidro	religïoso
tercero	religioso
quiero	humilloso
cavallero	vaganoso
primero	engañoso
porcionero	sañoso
pero	poso
empero	esposo
tesorero	poderoso
oro	quexoso
tesoro	gozoso
dentro	escuso
otro	arguso
maestro	puso

compuso

suso

desuso

yuso

recato

zapato

rato

bendicto

sancto

apretó

hábito

bendito

escrito

llanto

espanto

quebranto

santo

Santo

tanto

atanto

entretanto

cuanto

yacuanto

quanto

ciento

alabamiento

mandamiento

ordenamiento

desmamparamiento

entendimiento

complimiento

advenimiento

merezimiento

talento

ungüento

convento

quinto

ajuntó

punto

parto

cuarto

cierto

desierto

muerto

puerto

tuerto

esto

aquesto

Cristo

Jesucristo

Christo

Jesuchristo

fruto

alavó

nuevo

ovo

hovo

sïervo

siervo

dixo

bendixo

tanxo

yo

leyó

oyó

cuyo

suyo

empezó

fizo

alzó

comienzo

comenzó

gozo

marzo

esfuerzo

acabar

alabar

predicar	escodriñar
fincar	loar
dar	par
dubdar	parar
conbidar	remembrar
cuidar	peligar
olvidar	honrar
andar	orar
tardar	llorar
guardar	entrar
guardar'	mostrar
acordar	demostrar
saludar	errar
ayudar	honrrar
folgar	pasar
logar	besar
rogar	pesar
lugar	guisar
estudiar	usar
enviar	matar
desvïar	vesitar
trabajar	visitar
tajar	quitar
dejar	altar
fablar	cantar
mar	yantar
amar	mentar
llamar	asentar
tomar	contar
tomar'	juntar
firmar	ajuntar
ganar	estar
ordenar	prestar
reinar	leyar
finar	privar
perdonar	salvar
tornar	salvar'
dañar	abrazar
engañar	rezar

adrezar	qualesquier
batizar	valer
gozar	primer
sobr'	comer
caer	poner
traer	imponer
ber	componer
haber	corronper
saber	socorrer
beber	ser
nacer	prometer
aborrecer	mester
conocer	menester
estorcer	maguer
nascer	ver
gradescer	mover
obedescer	fazer
nodrescer	plazer
merescer	ir
descender	recebir
ofender	concebir
despender	rescebir
aprender	resçebir
deprender	sobir
entender	pedir
confonder	confondir
responder	hir
perder	salir
leer	complir
creer	cumplir
seer	fallir
veer	venir
escoger	escanir
moger	foir
muger	parir
quier'	abrir
siquier	sofrir
qualquier	morir
doquier	aborrir

escorrir	ibas'
consentir	yerbas
mártir	físicas
partir	muchas
vestir	das
revestir	dadas
destruir	vegadas
sevir	granadas
vivir	honradas
servir	honrradas
deservir	posadas
dezir	contadas
bendezir	entiendas
adozir	todas
relozir	cuerdas
sabor	ayudas
derredor	vengas
sabidor	pongas
servidor	adugas
prior	has
mejor	gracias
flor	esciencias
olor	días
color	obsequias
dolor	reliquias
amor	las
menor	malas
honor	ellas
Señor	más
señor	mas
por	jamás
antecesor	llámas'
confesor	llamas
pastor	demás
mayor	además
maestr'	ánimas
	almas
s'	arenas
alabas	buenas

mañas	solemnidades
Españas	seades
dueñas	pongades
sepas	humillades
palabras	fuerades
quieras	querades
maneras	vistades
irás	cayades
horas	hayades
letras	habedes
otras	sabedes
vestiduras	merescedes
naturas	conoscedes
escrituras	tenedes
querrás	fincaredes
yerras	habredes
honrras	recibredes
guisas	quisieredes
cosas	fiziéredes
tantas	fuéredes
cartas	queredes
fartas	dixéredes
partas	sentiredes
cuartas	mostredes
estas	erredes
lenguas	sobiésedes
hayas	quisiesedes
es	posedes
es'	finquedes
preces	vedes
veces	avedes
dulces	havedes
entonces	dezides
voces	grandes
abades	sodes
fincades	quisierdes
obedescades	virtudes
merescades	monges
cibdades	hobies'

sois	llegós'
dexárons'	amigos
mancebos	canónigos
chicos	clérigos
ricos	Dios
paralíticos	Dïos
echós'	despidiós'
dichos	cirios
muchos	partiós'
dos	ajos
pecados	fijos
certificados	ojos
mandados	inojos
acordados	los
estragados	envïabalos
ligados	malos
crïados	cielos
consolados	acorriólos
perlados	reciviolos
marabillados	fízolos
asmados	ellos
parados	amos
desamparados	damos
nombrados	podamos
honrados	seamos
letrados	fagamos
cerrados	preciamos
deserrados	ganariámos
honrrados	podríamos
espantados	podriámos
quebrantados	fallamos
ajuntados	habemos
menguados	sabemos
recibidos	debemos
complidos	cuidemos
quexándos'	podemos
godos	veemos
todos	tememos
ciegos	tardaremos

faremos

desmamparáremos

fallesceremos

seremos

queremos

viésemos

sirviésemos

fiziésemos

fuemos

havemos

vivimos

servimos

somos

enfermos

nos

canos

toledanos

cristianos

manos

sanos

háyanos

buenos

regnos

dignos

tornós'

unos

algunos

faz'nos

años

paños

estraños

pequeños

niños

pos

arzobispos

cavalleros

compañeros

sospiros

coros

moros

otros

maestros

nuestros

mostrós'

quisós'

falsos

bendictos

súbditos

santos

cuantos

quantos

argumentos

estos

justos

vos

séavos

otorgavos

véngovos

darvos

guadarvos

tomarvos

guardatvos

doletvos

tuyos

Laudamus

sus

tus

t'

abat

dat

piadat

cibdat

edat

pïedat

piedat

quejedat

enfermedat

435

falsedat	malament'
simplicidat	muert'
humanidat	est'
Trenidat	oist'
dignidat	post
benignidat	virtut
virginidat	
Trinidat	qu'
solemnidat	porqu'
caridat	su
claridat	tú
paridat	tu
necesidat	Espíritu
santidat	
castidat	y
Navidat	hay
crueldat	Rey
humildat	rey
cristiandat	oy
bondat	hoy
verdat	muy
cïudat	
tomat	faz
cantat	solaz
boluntat	plaz'
voluntat	paz
estat	asaz
amonestat	yaz'
et	parez'
sabet	diz'
mercet	fiz'
tenet	pecatriz
vet'	dulz'
andant'	entonz'
enant'	doz'
grant	luz
Sant	cruz
sant	
gent'	

INDICE DE RIMAS

—aba: 41, mostraba, acuciaba, aguisaba, estaba.

—ad: 142, bondad, verginidad.

—ada: 1, sagrada, rimada, honrada, nombrada.
           13, visitada, pagada, tribulada, coronada.
           89, granada, honrada, nada.
          103, honrrada, acompañada, sagrada, mostrada.
          119, pagada, honrrada, coronada.
          122, vegada, ordenada, cabada, maravillada.
          140, coronada, consolada, acabada, posada.
          164, saludada, santificada, ajuntada, negada.
          174, asosegada, acabada, honrrada, soldada.
          180, coronada, soldada, acabada, pagada.
          191, saludada, violada, glorificada, coronada.
          193, desaguisada, encontrada, coronada, señalada.
          197, honrrada, honrrada, soldada, honrrada.
          205, honrada, martirizada, contada, honrrada.
          208, grada, cerrada, aventurada pagada.
          210, sagrada, enfamada, apurada, echada.
          219, acompañada, cercada, coronada, tirada.
          232, poblada, ensalzada, vesitada, vienaventurada.
          238, presentada, honrada, menguada.
          250, honrrada, sagrada, dada, posada.
          270, honrada, honrada, pagada.

—adas: 260, contadas, dadas, granadas, honrradas.

—ades: 202, hayades, humillades, obedescades.
          222, fuerades, merescades, vistades, solemnidades.

—ado: 23, prelado, criado, encimado, aventurado.
           26, perlado, acabado, honrrado, profundado.

35, castigado, mandado, apresurado, aventurado.
44, perlado, criado, trabajado, pagado.
58, mandado, loado, pagado, licenciado.
68, perlado, estado, honrrado, pecado.
75, nombrado, honrado, Diosdado.
81, alongado, entrado, Diosdado, grado.
85, Diosdado, granado, guisado, otorgado.
96, mandado, deshonrado, mandado, vengado.
101, cuidado, dado, despegado, pecado.
105, Diosdado, mandado, amado, engrado.
123, asosegado, cuidado, acabado, bienaventurado.
125, honrado, perlado, Diosdado, pagado.
127, honrrado, guardado, perlado, otorgado.
131, mesurado, despegado, costado, conortado.
136, honrado, mesurado, cuidado, pagado.
143, grado, aventurado, abondado.
147, reinado, perlado, letrado, acabado.
149, acordado, perlado, finado.
151, ayuntado, asentado, amado, contado.
153, grado, mesurado, gradado, cuidado.
170, perlado, dictado, acabado, estado.
177, dado, trabajado, dictado, cobrado.
179, fablado, pagado, cuidado, acabado.
188, bienaventurado, galardonado, tomado.
199, demostrado, guisado, grado, alabado.
214, presciado, tajado, entrado, guardado.
236, perlado, guisado, parejado, grado.
243, bautizado, glorificado, marabillado, estado.
247, señalado, perlado, nado, desestado.
249, alzado, aventurado, desamparado, estado.
254, mandado, grado, aventurado, levado.
259, cuidado, honrrado, fadado, desmamparado.
269, rimado, beneficiado, estado.

—ados: 40, criados, letrados, cerrados, certificados.
162, ligados, desamparados, desterrados.
194, perlados, ajuntados, acordados, honrados.
200, perlados, ajuntados, mandados, honrrados.

440

67, amar, honrar, tomar, visitar.
78, tomar, desviar, pasar.
84, cuidar, trabajar, rogar, ayudar.
88, tardar, tomar, honrar, errar.
92, altar, cantar, asentar, predicar.
97, logar, pesar, folgar.
107, besar, abrazar, quitar, llorar.
116, usar, entrar, ordenar, gozar.
121, pesar, vesitar, olvidar, lograr.
126, prestar, honrrar, acordar, errar.
148, finar, contar, prestar, pesar.
156, tomar, dañar, desviar.
167, mar, fablar, loar, acabar.
182, honrrar, rogar, ajuntar, demostrar.
187, rogar, ajuntar, mostrar, ordenar.
203, yantar, andar, fincar, dar.
218, altar, estar, predicar, cantar.
226, logar, dubdar, entrar.
258, levar, contar, guardar, pesar.
265, rogar, guardar, salvar, rogar.
268, perdonar, andar, dañar, lugar.

—ario: 221, vicario, notario, salario.

—artas: 28, fartas, cartas, partas, cuartas.

—arte: 166, parte, arte, arte, matarte.

—at: 10, Trenidat, voluntat, claridat.
24, edat, paridat, santidat, bondat.
33, simplicidat, amonestat, estat, voluntat.
50, humildat, cibdat, solemnidat, boluntat.
82, abat, humanidat, bondat, santidat.
90, abat, voluntat, humildat, caridat.
124, santidat, abat, castidat, solemnidat.
130, abat, dignidat, humildat, crueldat.
133, enfermedat, piedat, verdat, benignidat.
154, bondat, caridat, falsedat.
165, caridat, santidat, verdat, virginidat.

—ento: 146, complimiento, ordenamiento, convento, alabamiento.
163, desmamparamiento, advenimiento, talento, merezimiento.
183, mandamiento, talento, convento, ciento.

—er: 18, conocer, nodrescer, leer, aprender.
25, entender, imponer, deprender, saber.
49, responder, menester, creer, valer.
55, obedescer, descender, fazer, plazer.
69, beber, corromper, ofender, aborrecer.
181, descender, merescer, plazer.
192, nacer, despender, creer, ber.
231, descender, traer, fazer, seer.
233, fazer, traer, gradescer, merescer.
257, entender, creer, estorcer.

—era: 62, era, manera, lumbrera, verdadera.
248, primera, manera, carrera.
266, manera, era, vera, verdadera.

—erto: 72, cierto, cierto, desierto.
242, muerto, puerto, esfuerzo (en asonante), tuerto.

—estes: 213, viestes, viniestes, meresciestes, oyestes.

—eza: 2, nobleza, riqueza, alteza, reza.

—ía: 4, Lucía, había, día, María.
12, Lucía, alegría, día, día.
15, Luzía, María, había, vía.
19, aprendía, vencía, Luzía, María.
29, clerezía, filosofía, thelogía.
37, día, María, quería.
39, vía, vía, theología.
45, día, clerezía, todavía, vía.
48, vía, día, mía, María.
59, alegría, grasdecía, Luzía.
74, abadía, María, calongía, quería.

80, había, follía, calongía.
87, clerezía, compañía, querría, día.
94, día, vestía, folía, calongía.
100, Luzía, querría, María, vía.
102, venía, malenconía, Luzía, alegría.
108, Lozía, día, alegría, María.
113, sabidoría, querría, vía, veía.
132, perlacía, Lucía, María.
150, clerezía, abadía, alegría, María.
152, calongía, día, filosofía, clerezía.
157, glotonía, cría, lozanía, hipocresía.
159, heregía, decía, María, Messía.
172, heregía, María, día, cortesía.
186, clerezía, vía, día, plazentería.
196, ternía, María, complida (en asonante), vía.
204, vía, clerezía, podría.
211, vía, tenía, traía.
215, día, dizía, solía, María.
230, alegría, malatía, clerezía, envía.
239, clerezía, cobraría, caballería, veía.
267, fazía, María, Andalucía, pornía.

—icio: 5, servicio, sacrificio, espicio, vicio.
          43, vicio, Ambrosio (en asonante), veneficio, servicio.

—ida: 134, conplida, rescebida, partida, vida.
         178, fallida, convertida, servida, vida.
         220, vida, servida, venida, prometida.
         261, oída, descogida, venida, convertida.

—ido: 138, pedido, marido, complido, servido.

—igo: 3, digo, amigo, figo, consigo.

—illa: 51, Sevilla, humilla, villa, maravilla.
         176, silla, capilla, rodilla, mancilla.

—ío: 46, mío, tío, fío, confío.

—ir: 7, pedir, venir, concebir, rescebir.
           11, complir, dezir, servir.
           31, dezir, complir, servir, salir.
           61, bendezir, complir, dezir, parir.
           76, servir, complir, vestir, ir.
           95, dezir, deservir, escarnir, destruir.
           109, servir, adozir, aborrir, fallir.
           201, complir, servir, fallir.
           217, sofrir, foir, abrir, hir.
           224, consentir, vestir, morir, foir.
           227, revestir, dezir, relozir, dezir.
           255, vestir, consentir, morir, dezir.

—iz: 8, fiz', pecatriz.

—ón: 6, oración, devoción, varón, non.
           8 bis, razón, corazón, petición, devoción.
           16, sazón, devoción, perfección, compasión.
           36, corazón, lición, entinción, oración.
           47, bendición, consolación, corazón, despedición.
           64, razón, devoción, corazón.
           93, predicación, devoción, bendición, edificación.
           106, intención, intinción, bendición.
           110, devoción, gualardón, devoción, resurrección.
           141, procesión, oración, visión, consolación.
           189, devoción, sermón, predición, salvación.
           207, devoción, contemplación, corazón, devoción.

—or: 32, Alfon (en asonante), confesor, mayor.
           66, amor, señor, sabor, menor.
           99, amor, honor, servidor, sabor.
           244, flor, olor, derredor, Señor.
           253, antecesor, pastor, menor.
           264, mejor, pastor, confesor, honor.

—ora: 209, hora, Señora, ora, agora.

—ores: 144, olores, servidores, albores, alumbradores, pecadores.
           168, pecadores, loores, traidores, destraidores.

INDICE DE RIMAS

ESTROFAS QUE PRESENTAN PROBLEMAS

En las páginas anteriores he presentado las rimas consonantes del poema —es cierto que en algunas de ellas existen palabras que riman en asonante— pero aún quedan dos estrofas que no sé cómo clasificar. La n.º 79, cuyas palabras riman en asonante: *cabildo, olvido;* y la n.º 185, que puede rimar tanto en —*ían,* como en —*án,* no puedo dilucidar dónde va el acento, pues todas las palabras que están en la rima son imperfectos: *venia, merescian, pertenecian, habian.*

INDICE

Se terminó de imprimir esta
obra el día 10 de Mayo de 1980,
en la imprenta de la Universidad
de Málaga.

LAVS DEO